J.K. ROWLING

Harry Potter

y

la cámara secreta

EMECÉ EDITORES

Barcelona

Título original: *Harry Potter and the Chamber of Secrets*

Traducción: Adolfo Muñoz García y Nieves Martín Azofra

Ilustración: Dolores Avendaño © *Emecé Editores*

Copyright © J.K. Rowling, 1998
Copyright © Emecé Editores, 2000

Edición especial para Scholastic.
De venta exclusiva en el mercado escolar.

Emecé Editores España, S.A.
Mallorca, 237 - 08008 Barcelona - Tel. 93 215 11 99

ISBN: 84-7888-549-8
Depósito legal: B-25.587-2000

1ª edición, junio de 2000
Printed in Spain

Impresión: Romanyà-Valls, Pl. Verdaguer, 1
Capellades, Barcelona

Para Seán P. F. Harris,
guía en la escapada y amigo en los malos tiempos.

CAPÍTULO UNO

El peor cumpleaños

No era la primera vez que, en el número cuatro de Privet Drive, estallaba una discusión durante el desayuno. Al señor Vernon Dursley lo había despertado a primera hora de la mañana un sonoro ulular procedente del dormitorio de su sobrino Harry.

—¡Es la tercera vez esta semana! —bramó en la mesa—. ¡Si no puedes dominar a esa lechuza, tendrá que irse a otra parte!

Harry intentó, una vez más, explicarse:

—Se aburre. Está acostumbrada a dar una vuelta por fuera. Si pudiera dejarla salir aunque sólo fuera de noche...

—¿Es que parezco tonto? —gruñó el tío Vernon, con restos de huevo frito en el poblado bigote—. Ya sé lo que ocurriría si saliera esa lechuza.

Intercambió una mirada sombría con su esposa, Petunia.

Harry intentó de nuevo hacerle comprender, pero ahogó sus palabras un eructo estruendoso y prolongado de Dudley, el hijo de los Dursley.

—¡Quiero más panceta!

—Queda más en la sartén, ricura —dijo la tía Petunia, volviendo los ojos llorosos hacia su mantecoso hijo—. Tenemos que alimentarte bien mientras podamos... no me gusta la pinta que tiene la comida del colegio...

—No digas tonterías, Petunia, yo nunca pasé hambre en Smeltings —dijo efusivamente el tío Vernon—. Dudley come lo suficiente, ¿verdad que sí, hijo?

Dudley, que estaba tan gordo que el culo se le derramaba por ambos lados de la silla de la cocina, hizo una mueca y se volvió a Harry:

—Pásame la sartén.

—Se te han olvidado las palabras mágicas —repuso Harry de mal talante.

El efecto que esta sencilla frase produjo en el resto de la familia fue increíble: Dudley ahogó un grito y se cayó de la silla con un golpe que sacudió la cocina entera; la señora Dursley profirió un ligero alarido y se tapó la boca con las manos; y el señor Dursley se puso de pie de un salto. Le palpitaban las venas de las sienes.

—¡Quise decir "por favor"! —dijo Harry inmediatamente—. No me refería a...

—¿QUÉ ES LO QUE TE TENGO DICHO —bramó el tío, rociando la mesa con saliva— EN LO REFERENTE A PRONUNCIAR LA PALABRA "M" EN ESTA CASA?

—Pero yo...

—¡CÓMO TE ATREVES A ASUSTAR A DUDLEY! —rugió el tío Vernon, golpeando la mesa con el puño.

—Yo sólo...

—¡TE LO ADVERTÍ! ¡BAJO ESTE TECHO NO TOLERARÉ NINGUNA MENCIÓN A TU ANORMALIDAD!

Harry pasó la mirada desde el rostro encarnado de su tío hasta el de su pálida tía, que trataba de levantar a Dudley.

—De acuerdo —dijo—, *de acuerdo*...

El tío Vernon volvió a sentarse, respirando como un rinoceronte al que le faltara el aire y vigilando estrechamente a Harry por el rabillo de sus ojos pequeños y penetrantes.

Desde el mismo momento en que Harry había vuelto a casa para pasar las vacaciones de verano, el tío Vernon lo trataba como a una bomba que pudiera estallar en cualquier momento, porque Harry no era un muchacho normal. De hecho, no era posible ser menos normal.

Harry Potter era un mago... un mago que acababa de terminar el primer curso en el Colegio Hogwarts de Magia. Y si los Dursley no estaban contentos de tenerlo con ellos durante las vacaciones, su malestar era insignificante comparado con el de Harry.

Añoraba tanto Hogwarts que era como tener un dolor de

estómago permanente. Añoraba el castillo, con sus pasadizos secretos y sus fantasmas; las clases (aunque quizá no a Snape, el profesor de Pociones); el correo llevado por lechuzas; los banquetes en el Gran Salón; dormir en su cama con cuatro columnas en el dormitorio de la torre; visitar a Hagrid, el guardabosques, en su cabaña en las inmediaciones del bosque prohibido; y, sobre todo, añoraba el *quidditch*, el deporte más popular en el mundo mágico, un juego con seis altos postes de arco, cuatro pelotas volantes y catorce jugadores montados en escobas.

En el momento en que Harry llegó a casa, el tío Vernon le guardó en el armario que había bajo la escalera todos sus libros de hechizos, la varita mágica, las túnicas, el caldero y la escoba fuera de serie, la *Nimbus 2000*. ¿Qué les importaba a los Dursley si Harry perdía su puesto en el equipo de la Casa de *quidditch* por no haber practicado en todo el verano? ¿Qué más les daba a los Dursley si Harry volvía al colegio sin haber hecho ninguno de los deberes? Los Dursley eran lo que los magos llamaban *muggles* (ni una gota de sangre mágica en las venas), y en lo que a ellos respectaba, tener un mago en la familia era algo completamente vergonzoso. El tío Vernon había incluso cerrado con candado la jaula de Hedwig, la lechuza de Harry, para evitar que le llevara mensajes a ninguna persona del mundo mágico.

Harry no se parecía en absoluto al resto de la familia. El tío Vernon era grande y no tenía cuello pero sí un gran bigote negro; la tía Petunia tenía cara de caballo y era huesuda; Dudley era rubio, sonrosado y algo parecido a un cerdo. Harry, sin embargo, era pequeño y flacucho, con ojos de un verde brillante y un pelo negro azabache siempre despeinado. Llevaba anteojos de lentes redondas y tenía en la frente una delgada cicatriz en forma de rayo.

Era esa cicatriz lo que convertía a Harry en alguien tan especial, incluso en el mundo de los magos. Esa cicatriz era el único indicio del misterioso pasado de Harry, del motivo por el que lo habían dejado, hacía once años, en la puerta de la casa de los Dursley.

A la edad de un año, Harry había sobrevivido sorprendentemente a la maldición del hechicero tenebroso más importante de todos los tiempos, Lord Voldemort, cuyo nombre aún temían pronunciar la mayor parte de los magos y brujas. Los padres de Harry habían muerto en el ataque de Voldemort, pero Harry se había librado, quedándole la cicatriz en forma de rayo, y (nadie sabe cómo ni entiende por qué) los poderes de Voldemort habían desaparecido en el mismo instante en que fracasó en su intento de matar a Harry.

De modo que Harry se crió con sus tíos maternos. Había pasado diez años con los Dursley, sin comprender por qué motivo sucedían cosas raras a su alrededor, sin que él lo pretendiera, y creyendo en la versión de los Dursley, que le dijeron que la cicatriz se la había producido el accidente de automóvil que había segado la vida de sus padres.

Pero luego, hacía exactamente un año, le habían escrito a Harry del Colegio Hogwarts y él se enteró de toda la verdad. Harry ocupó su plaza en el colegio de magia, en el que tanto él como su cicatriz eran famosos... pero el curso escolar acabó, y él se encontraba otra vez con los Dursley pasando el verano, tratado de nuevo como un perro que se hubiera revolcado en algo maloliente.

Los Dursley ni siquiera se acordaron de que ese día Harry cumplía doce años. No es que él tuviera muchas esperanzas, porque nunca le habían hecho un regalo digno, no digamos una tarta... Pero de ahí a olvidarse completamente...

En ese instante, el tío Vernon se aclaró pomposamente la garganta y anunció:

—Bueno, como todos sabemos, hoy es un día muy importante.

Harry levantó la mirada, sin atreverse a creerlo.

—Hoy puede muy bien ser el día en que cierre el trato más importante de toda mi vida profesional —dijo el tío Vernon.

Harry volvió a concentrar su atención en la tostada. "Por supuesto", pensó con amargura, "el tío Vernon se refería a su estúpida cena." No había hablado de otra cosa durante quince días. Un rico constructor y su esposa irían a cenar, y el tío Vernon esperaba obtener un pedido descomunal (la compañía del tío Vernon fabricaba taladros).

—Creo que deberíamos repasarlo todo otra vez —dijo el tío Vernon—. Todos tendremos que estar en nuestros puestos a las ocho en punto. Petunia, ¿tú estarás...?

—En el salón —respondió de inmediato la tía Petunia—, aguardando para darles la gentil bienvenida a nuestra casa.

—Bien, bien. ¿Y Dudley?

—Estaré esperando para abrir la puerta. —Dudley esbozó una sonrisa idiota. —¿Me permiten sus abrigos, señor y señora Mason?

—¡Les va a parecer *adorable*! —exclamó embelesada la tía Petunia.

—Excelente, Dudley —aprobó el tío Vernon. A continuación se volvió a Harry: —¿Y *tú*?

—Me quedaré en mi dormitorio, sin hacer ruido para que no se note que estoy —dijo Harry, con voz inexpresiva.

—Exacto —corroboró con crueldad el tío Vernon—. Yo los haré pasar al salón, te los presentaré, Petunia, y les serviré algo de beber. A las ocho y quince...

—Yo anunciaré que está lista la cena —completó la tía Petunia.

—Y tú, Dudley, dirás...

—¿Me permite acompañarla al comedor, señora Mason? —dijo Dudley, ofreciendo su grueso brazo a una mujer invisible.

—¡Mi caballerito ideal! —suspiró la tía Petunia.

—¿Y *tú*? —le preguntó el tío Vernon a Harry con ferocidad.

—Me quedaré en mi dormitorio, sin hacer ruido para que no se note que estoy —recitó Harry.

—Exacto. Bien, tendríamos que tener preparados algunos cumplidos para la cena. Petunia, ¿tienes alguna idea?

—Vernon me ha asegurado que es usted un jugador de golf *maravilloso*, señor Mason... dígame dónde ha comprado ese vestido, señora Mason...

—Perfecto... ¿Dudley?

—¿Qué tal? En el colegio nos han mandado escribir una redacción sobre nuestro héroe, señor Mason, y yo la he hecho sobre *usted*.

Esto superó lo que tanto la tía Petunia como Harry podían soportar. La tía Petunia rompió a llorar de la emoción y abrazó a su hijo, mientras Harry escondía la cabeza debajo de la mesa para que no lo vieran reírse.

—¿Y tú, niño?

Al levantarse, Harry hizo un esfuerzo para mantener serio su semblante.

—Me quedaré en mi dormitorio, sin hacer ruido para que no se note que estoy —repitió.

—Eso espero —dijo el tío duramente—. Los Mason no saben nada de tu existencia y seguirán sin saber nada. Al finalizar la cena, tú, Petunia, volverás al salón con la señora Mason para tomar el café, y yo abordaré el tema de los taladros. Con un poco de suerte, cerraremos y firmaremos el trato antes del telediario de las diez. Y mañana mismo iremos a comprar un apartamento en Mallorca.

A Harry aquello no lo emocionaba demasiado. No creía que los Dursley fueran a quererlo más en Mallorca que en Privet Drive.

—Bien... voy a ir a la ciudad a recoger los esmóquines para Dudley y para mí. Y *tú* —le gruñó a Harry—, manténte fuera de la vista de tu tía mientras limpia.

Harry salió por la puerta de atrás. Era un día radiante, soleado. Cruzó el césped, se dejó caer en el banco del jardín y canturreó entre dientes: —Cumpleaños feliz... cumpleaños feliz... me deseo yo mismo...

No había recibido postales ni regalos, y tendría que pasarse la noche fingiendo que no existía. Abatido, fijó la vista en el seto. Nunca se había sentido tan solo. Antes que ninguna otra cosa de Hogwarts, antes incluso que jugar al *quidditch*, lo que de verdad echaba de menos era a sus mejores amigos, Ron Weasley y Hermione Granger. Pero ellos no parecían acordarse de él. Ninguno de los dos le había escrito en todo el verano, a pesar de que Ron le había dicho que lo invitaría a pasar unos días en su casa.

Había estado a punto, un montón de veces, de emplear la magia para abrir la jaula de Hedwig y enviarla a Ron y a Hermione con una carta, pero no valía la pena correr el riesgo. A los magos que no tenían la edad no les estaba permitido emplear la magia fuera del colegio. Harry no se lo había dicho a los Dursley; sabía que sólo el terror a que él pudiera convertirlos en escarabajos les impedía encerrarlo en la alacena debajo de la escalera junto con su varita mágica y su escoba voladora. Durante las dos primeras semanas, Harry se había divertido murmurando entre dientes palabras sin sentido y viendo cómo Dudley escapaba de la habitación todo lo de prisa que le permitían sus gordas piernas. Pero el prolongado silencio de Ron y Hermione le había hecho sentirse tan apartado del mundo mágico, que incluso el burlarse de Dudley había perdido gracia... y ahora Ron y Hermione se habían olvidado de su cumpleaños.

¡Lo que daría en ese momento por recibir un mensaje proveniente de Hogwarts, de un mago o una bruja! Casi hasta lo alegraría ver a su superenemigo, Draco Malfoy, para estar seguro de que no lo había soñado todo...

Y no es que todo el curso en Hogwarts hubiera resultado divertido. Al final del último trimestre, Harry se había enfrentado cara a cara nada menos que con el mismísimo Lord Voldemort. Voldemort podría no ser más que una sombra de lo que había sido en otro tiempo, pero seguía resultando terrorífico, seguía siendo astuto y seguía decidido a recuperar el poder perdido. Por segunda vez Harry se había escapado de las garras de Voldemort, pero por los pelos, y aún ahora, semanas más tarde, continuaba despertándose en mitad de la noche, empapado en un sudor frío, preguntándose dónde estaría Voldemort, recordando su rostro lívido, sus ojos muy abiertos, furiosos...

De pronto, Harry se irguió en el banco del jardín. Se había quedado ensimismado mirando el seto... *y el seto le devolvía la mirada*. Entre las hojas, habían hecho su aparición dos grandes ojos verdes.

Harry se puso de pie de un salto al oír una voz burlona que atravesaba el jardín.

—Sé qué día es hoy —canturreó Dudley, acercándose a él con andares de pato.

Los ojos grandes se cerraron y desaparecieron.

—¿Qué? —preguntó Harry, sin apartar los ojos del lugar en que los había visto.

—Sé qué día es hoy —repitió Dudley, yendo hacia él.

—Enhorabuena —respondió Harry—. ¡Por fin has aprendido los días de la semana!

—Hoy es tu *cumpleaños* —dijo con sorna—. ¿Cómo es que no has recibido postales de felicitación? ¿Ni siquiera en ese monstruoso lugar has hecho amigos?

—Procura que tu mamá no te oiga hablar sobre mi colegio —contestó Harry con frialdad.

Dudley se subió los pantalones, que se le caían de la cintura.

—¿Por qué miras el seto? —preguntó con recelo.

—Estoy pensando cuál sería el mejor conjuro para prenderle fuego —contestó Harry.

Inmediatamente, Dudley trastabilló hacia atrás. El pánico se reflejó en su cara gorda.

—No... no puedes... papá dijo que no harías ma... magia... ha dicho que te echará de casa... y no tienes otro sitio al que ir... no tienes *amigos* con los que quedarte...

—¡*Abracadabra*! —dijo Harry con voz enérgica—. ¡*Pata de cabra! ¡Patatum, patatam!*

—¡MAM...! —vociferó Dudley, dando traspiés al salir de estampida hacia la casa—, ¡MAAAAAAM...! ¡Harry está haciendo lo que tú sabes!

Harry pagó caro aquel instante de diversión. Como ni Dudley ni el seto habían sufrido ningún tipo de daño, la tía Petunia sabía que no había hecho magia en realidad, pero aun así tuvo que esquivar la sartén llena de espuma cuando intentó darle en la cabeza con ella. A continuación lo puso a trabajar, asegurándole que no comería hasta que hubiera acabado.

Mientras Dudley no hacía otra cosa que mirarlo y comer helados, Harry limpió las ventanas, lavó el coche, cortó el césped, recortó los arriates, podó y regó las rosas y le dio una nueva capa de pintura al banco del jardín. El sol ardía sobre su cabeza y le abrasaba la nuca. Harry sabía que no tenía que haber picado el anzuelo de Dudley, pero éste le había dicho exactamente lo mismo que él estaba pensando... que quizá *tampoco* en Hogwarts tuviera amigos.

"Me gustaría que vieran ahora al famoso Harry Potter", pensaba furioso, echando abono a los arriates, con la espalda dolorida y el sudor cayéndole por la cara.

Eran las siete de la tarde cuando finalmente, exhausto, oyó que lo llamaba la tía Petunia:

—¡Entra! ¡Y pisa sobre los diarios!

Harry penetró de muy buena gana en la sombra de la reluciente cocina. Encima de la heladera estaba el budín de la cena: un montículo de crema batida y violetas dulces. Un lomo de cerdo asado crepitaba en el horno.

—¡Come rápido! ¡Los Mason no tardarán! —le dijo con brusquedad la tía Petunia, señalando dos rebanadas de pan y un pedazo de queso que había en la mesa de la cocina. Ella ya llevaba puesto el vestido de noche, de color salmón.

Harry se lavó las manos y engulló su miserable cena. En cuanto terminó, su tía Petunia le quitó el plato:

—¡Arriba! ¡Rápido!

Al cruzar la puerta de la sala de estar, Harry vio a su tío Vernon y a Dudley con esmoquin y corbata de moñito. Acababa de llegar al rellano superior cuando sonó el timbre de la puerta y al pie de la escalera hizo su aparición la cara furiosa del tío Vernon:

—Recuerda, muchacho: un solo sonido y...

Harry entró de puntillas en su dormitorio, cerró la puerta y se dejó caer sobre la cama.

El problema era que ya había alguien sentado en ella.

CAPÍTULO DOS

La advertencia de Dobby

Harry consiguió no gritar, pero estuvo a punto. La pequeña criatura que yacía en la cama tenía unas orejas grandes, como de murciélago, y unos ojos verdes saltones del tamaño de pelotas de tenis. En ese mismo instante, Harry tuvo la certeza de que aquello era lo que lo había estado vigilando por la mañana desde el cerco del jardín.

Mientras la criatura y él se miraban uno a otro, Harry oyó la voz de Dudley proveniente del vestíbulo:

—¿Me permiten sus abrigos, señor y señora Mason?

La criatura se levantó de la cama e hizo una reverencia tan profunda que tocó la alfombra con la punta de su larga y afilada nariz. Harry percibió que estaba vestido con lo que parecía un almohadón viejo con agujeros para sacar los brazos y las piernas.

—Eeeh... hola —saludó Harry azorado.

—Harry Potter —dijo la criatura, con una voz aguda que Harry estaba seguro de que se habría oído en el piso de abajo—, hace tanto tiempo que Dobby quería conocerlo, señor... Es un honor tan grande...

—Gra... gracias —respondió Harry, acercándose despacio a la silla de su mesa, y dejándose caer en ella, junto a Hedwig, que estaba dormida en su gran jaula. Quiso preguntarle "¿Qué es usted?", pero pensó que sonaría demasiado grosero, así que dijo:

—¿Quién es usted?

—Dobby, señor. Simplemente Dobby. Dobby, el elfo doméstico —contestó la criatura.

—¿De verdad? —dijo Harry—. Bueno, no quisiera ser descortés, pero no me viene bien precisamente ahora recibir en mi dormitorio a un elfo doméstico.

Desde la sala de estar llegaba la risa aguda y falsa de la tía Petunia. El elfo bajó la cabeza.

—No es que no me agrade conocerlo —se apresuró a añadir Harry—, pero, en fin, ¿ha venido por algún motivo en especial?

—Sí, señor —contestó Dobby con franqueza—. Dobby ha venido a decirle, señor... no es fácil, señor... Dobby se pregunta por dónde comenzar...

—Siéntese —dijo Harry educadamente, señalando la cama.

Para consternación suya, el elfo rompió a llorar. Con un llanto muy ruidoso.

—¡Sen... sentarme! —gimió—. *Nunca, nunca antes...*

A Harry le pareció oír que en el piso de abajo hablaban entrecortadamente.

—Lo siento —murmuró—, no quise ofenderlo.

—¡Ofender a Dobby! —repuso el elfo como atragantado—. A Dobby *nunca* le había pedido ningún mago que se sentara... como si fuera un *igual.*

Harry, intentando decir "¡shss!" sin dejar de parecer hospitalario, le indicó a Dobby un lugar sobre la cama, y éste se sentó, hipando. Parecía una muñeca grande y muy fea. Por fin consiguió reprimirse, y se quedó con sus ojos fijos en Harry, con expresión de devoción fervorosa.

—Se ve que no ha conocido a muchos magos correctos —dijo Harry, intentando animarlo.

Dobby negó con la cabeza. A continuación, sin previo aviso, se levantó y se puso a darse golpes con la cabeza contra la ventana, gritando:

—¡Dobby *malo*! ¡Dobby *malo*!

—No... ¿qué está haciendo? —Harry dio un bufido, se acercó al elfo de un salto y tiró de él hasta dejarlo donde estaba en la cama. Hedwig se acababa de despertar dando un fortísimo chillido y se puso a batir las alas furiosamente contra las barras de la jaula.

—Dobby tenía que castigarse, señor —explicó el elfo, que se había quedado un poco bizco—. Dobby ha estado a punto de hablar mal de su familia, señor.

—¿Su familia?

—La familia de magos a la que sirve Dobby, señor. Dobby es un elfo doméstico, destinado a servir en una casa y a una familia para siempre.

—¿Y saben que está aquí? —preguntó Harry con curiosidad.

Dobby se estremeció.

—No, no, señor, no... Dobby tendría que castigarse muy severamente por haber venido a verlo, señor. Tendría que apretarse las orejas en la puerta del horno, si llegaran a enterarse.

—Pero ¿no notarán que se ha apretado las orejas en la puerta del horno?

—Dobby lo duda, señor. Dobby siempre se está castigando por algún motivo, señor. Lo dejan por mi cuenta, señor. A veces me recuerdan que tengo que someterme a algún castigo extra.

—Pero ¿por qué no los abandona? ¿Por qué no huye?

—Un elfo doméstico sólo puede ser libertado por su familia, señor. Y la familia nunca pondrá en libertad a Dobby... Dobby servirá a la familia hasta el día que muera, señor.

Harry lo miró fijamente.

—Y yo que me consideraba desgraciado por tener que pasar otras cuatro semanas aquí —dijo—. Lo que me cuenta hace que los Dursley parezcan humanos. ¿Puede ayudarlo alguien? ¿Podría hacer algo yo?

Casi de inmediato, Harry deseó no haber dicho nada. Dobby se deshizo de nuevo en gemidos de gratitud.

—Por favor —cuchicheó Harry desesperado—, por favor, no haga ruido. Si los Dursley lo oyen, si se enteran de que usted está aquí...

—Harry Potter pregunta si puede ayudar a Dobby... Dobby estaba al tanto de su grandeza, señor, pero no conocía su bondad...

Harry, consciente de que se estaba poniendo rojo, dijo:

—Sea lo que fuere que haya oído sobre mi grandeza, no es más que mentira. Ni siquiera soy el primero de mi curso en Hogwarts; es Hermione, ella...

Pero se detuvo enseguida, porque le dolía pensar en Hermione.

—Harry Potter es humilde y modesto —dijo Dobby reverenciosamente. Le resplandecían los ojos, que parecían globos. —Harry Potter no habla de su triunfo sobre El Que No Debe Ser Nombrado.

—¿Voldemort? —preguntó Harry.

Dobby se tapó los oídos con las manos y gimió:

—¡Señor, no pronuncie ese nombre! ¡No pronuncie ese nombre!

—¡Perdón! —se apresuró a decir—. Sé de muchísima gente a la que no le gusta que se diga... mi amigo Ron...

Se detuvo. También era doloroso pensar en Ron.

Dobby se inclinó hacia Harry, con los ojos tan abiertos como faros.

—Dobby ha oído —dijo con voz quebrada— que Harry Potter tuvo un segundo encuentro con el Tenebroso Señor, hace sólo unas semanas... y que Harry Potter escapó *nuevamente*.

Harry asintió con la cabeza, y a Dobby los ojos se le llenaron de lágrimas.

—¡Ah, señor! —exclamó, frotándose la cara con una punta del sucio almohadón que llevaba puesto—, ¡Harry Potter es valiente y arrojado! ¡Ha afrontado ya tantos peligros! Pero Dobby ha venido a proteger a Harry Potter, a advertirle, aunque más tarde *tenga* que apretarse las orejas en la puerta del horno, de que *Harry Potter no debe regresar a Hogwarts*.

Hubo un silencio sólo roto por el tintineo de tenedores y cuchillos que venía del piso inferior, y el distante rumor de la voz del tío Vernon.

—¿Que... qué? —tartamudeó Harry—. Pero tengo que regresar: el curso empieza el 1º de septiembre. Eso es lo único que me ilusiona. Usted no sabe cómo es esto. Yo *no pertenezco* a este lugar. Pertenezco a su mundo... a Hogwarts.

—No, no, no —chilló Dobby, sacudiendo la cabeza con tanta fuerza que las orejas le daban golpes—. Harry Potter debe estar donde no peligre su seguridad. Es demasiado grande, demasiado bueno, para que lo perdamos. Si Harry Potter vuelve a Hogwarts, estará en peligro mortal.

—¿Por qué? —preguntó Harry sorprendido.

—Hay una conspiración, Harry Potter. Una conspiración para hacer que este año sucedan las cosas más terribles en el Colegio Hogwarts de Magia —susurró Dobby, temblando repentinamente con todo el cuerpo—. Hace meses que Dobby lo sabe, señor. Harry Potter no debe exponerse al peligro: ¡es demasiado importante, señor!

—¿Qué cosas terribles? —preguntó inmediatamente Harry—. ¿Quién las está tramando?

Dobby hizo un extraño ruido ahogado y acto seguido se empezó a golpear la cabeza furiosamente contra la pared.

—¡Está bien! —gritó Harry, agarrando al elfo del brazo para detenerlo—. No puede decirlo, lo comprendo. Pero ¿por qué ha venido a avisarme? —Se sintió sacudido por un pensamiento repentino y desagradable. —¡Un momento! Esto no tiene nada que ver con Vol... perdón, con Quien Usted Sabe, ¿verdad? Basta con que asiente o niegue con la cabeza —añadió apresuradamente, porque la cabeza de Dobby se acercaba de nuevo preocupantemente a la pared.

Dobby movió lentamente la cabeza de lado a lado.

—No, no con *Aquel Que No Debe Ser Nombrado*, señor.

Pero Dobby tenía los ojos muy abiertos y parecía que trataba de darle una pista. Harry, sin embargo, estaba completamente desorientado.

—Él no tiene hermanos, ¿verdad?

Dobby negó con la cabeza, con los ojos más abiertos que nunca.

—Bueno, siendo así, no puedo imaginar quién más podría provocar que en Hogwarts sucedieran cosas terribles —dijo Harry—. Quiero decir que, por un lado, allí está Dumbledore, ¿sabe usted quién es Dumbledore?

Dobby hizo una inclinación con la cabeza:

—Albus Dumbledore es el mejor director que nunca haya tenido Hogwarts. Dobby lo sabe, señor. Dobby ha oído que los poderes de Dumbledore rivalizan con los de Aquel Que No Debe Ser Nombrado. Pero, señor —la voz de Dobby se transformó en un apresurado susurro—, hay poderes que Dumbledore no... poderes que ningún mago honesto...

Y antes de que Harry pudiera detenerlo, Dobby saltó de la cama, tomó la lámpara de la mesa de Harry, y empezó a golpearse con ella en la cabeza lanzando unos alaridos que destrozaban los tímpanos.

En el piso inferior se hizo un silencio repentino. Dos segundos después, Harry, con el corazón palpitándole frenéticamente, oyó que el tío Vernon se acercaba, explicando en voz alta:

—¡Dudley debe de haberse dejado otra vez el televisor puesto, el muy tunante!

—¡Rápido! ¡En el ropero! —dijo Harry entre dientes, metiendo dentro a Dobby, cerrando la puerta y echándose sobre la cama justo cuando giraba el pomo de la puerta.

—¿Qué-*demonios*-estás-haciendo? —preguntó el tío Vernon rechinando los dientes, su cara espantosamente cerca de la de Harry—. Acabas de arruinar el final de mi chiste sobre el jugador japonés de golf... ¡un ruido más, y desearás no haber nacido, niño!

Salió de la habitación pisando fuerte con sus pies planos.

Temblando, Harry liberó a Dobby.

—¿Se da cuenta de cómo es esto? —le dijo—. ¿Ve por qué tengo que volver a Hogwarts? Es el único lugar en que tengo... bueno, en que *creo* que tengo amigos.

—¿Los amigos que ni siquiera *escriben* a Harry Potter? —preguntó Dobby maliciosamente.

—Supongo que habrán estado... ¡un momento! —dijo Harry, frunciendo el ceño—, ¿cómo sabe *usted* que mis amigos no me han escrito?

Dobby cambió los pies de postura.

—Harry Potter no debe enfadarse con Dobby. Dobby pensó que era lo mejor...

—¿Ha interceptado usted mis cartas?

—Dobby las tiene aquí, señor —dijo el elfo. Escapando ágilmente del alcance de Harry, extrajo del almohadón que llevaba puesto un grueso fajo de sobres. Harry pudo distinguir la esmerada caligrafía de Hermione, los irregulares trazos de Ron, y hasta un garabato que parecía de la mano de Hagrid, el guardabosques de Hogwarts.

Dobby, inquieto, parpadeó mirando a Harry:

—Harry Potter no debe enfadarse... Dobby pensaba... que si Harry Potter creía que sus amigos lo habían olvidado... Harry Potter no querría volver al colegio, señor.

Harry no escuchaba. Trató de agarrar las cartas, pero Dobby lo esquivó.

—Harry Potter las tendrá, señor, si le da a Dobby su palabra de que no volverá a Hogwarts. ¡Señor, ese es un riesgo que usted no debe afrontar! ¡Dígame que no irá, señor!

—¡Iré! —dijo Harry enojado—. ¡Déme las cartas de mis amigos!

—Entonces, Harry Potter no le deja a Dobby otra opción —dijo apenado el elfo.

Antes de que Harry pudiera hacer ningún movimiento, Dobby se había lanzado como una flecha hacia la puerta del dormitorio, la había abierto y había bajado las escaleras corriendo.

Con la boca seca y el estómago dándole bandazos, Harry salió detrás de él, intentando no hacer ruido. Saltó los últimos seis escalones, cayó como un gato sobre la alfombra del recibidor, y buscó a Dobby. Del comedor venía la voz del tío Vernon diciendo:

—...señor Mason, cuéntele a Petunia esa divertida anécdota de los plomeros norteamericanos, se muere de ganas de oírla...

Harry cruzó el vestíbulo, llegó a la cocina, y sintió que se le caía el alma a los pies.

El budín magistral de la tía Petunia, el montículo de crema y violetas dulces, flotaba próximo al techo. Dobby estaba en cuclillas, sobre el armario que había en una esquina.

—No —rogó Harry con voz ronca—. Se lo ruego... me matarán...

—Harry Potter debe prometer que no irá al colegio.

—Dobby... por favor...

—Dígalo, señor...

—¡No puedo!

—Entonces Dobby tendrá que hacerlo, señor, por el bien de Harry Potter.

El budín cayó al suelo con un estrépito capaz de provocar un infarto. El plato se hizo añicos, y la crema salpicó las ventanas y las paredes. Dando un chasquido como el de un látigo, Dobby desapareció.

Se oyeron alaridos provenientes del comedor, y el tío Vernon entró de sopetón en la cocina y halló a Harry, rígido por el susto, cubierto de la cabeza a los pies con el budín de la tía Petunia.

Al principio dio la impresión de que el tío Vernon aún podría disimularlo todo.

—Nuestro sobrino, ya ven... está muy mal... le altera ver desconocidos, así que lo tenemos en el piso de arriba... —Llevó a los impresionados Mason de nuevo al comedor, le prometió a Harry que en cuanto se fueran los Mason le arrancaría la piel a tiras hasta que no le quedara un hálito de vida, y le entregó un lampazo. La tía Petunia sacó algo de helado del congelador y Harry, todavía temblando, comenzó a fregar la cocina.

El tío Vernon podría haberlo solucionado de esta manera, si no hubiera sido por la lechuza.

Justo cuando la tía Petunia estaba ofreciendo bombones de menta, una lechuza penetró por la ventana del comedor, dejó caer una carta sobre la cabeza de la señora Mason y volvió a salir. La señora Mason gritó como una histérica y escapó de la casa exclamando algo sobre los locos. El señor Mason se quedó sólo lo suficiente para explicarles a los Dursley que su mujer tenía pánico a los pájaros de cualquier forma y tamaño, y para preguntarles si ése era su estilo de hacer bromas.

Harry estaba en la cocina, agarrándose al lampazo para no caerse, cuando el tío Vernon avanzó hacia él con un destello demoníaco en sus ojos diminutos.

—¡Léela! —dijo entre dientes, de una forma que infundía pánico, blandiendo la carta que había dejado la lechuza—. ¡Vamos, léela!

Harry la tomó. No contenía ninguna felicitación por su cumpleaños:

Estimado señor Potter:

Hemos recibido la información de que un hechizo levitatorio ha sido usado en su lugar de residencia esta misma noche a las nueve y doce minutos.

Como usted sabe, los magos menores de edad no tienen permitido efectuar conjuros fuera del recinto escolar, y reincidir en el uso de la magia podría acarrearle la expulsión del Colegio (Decreto para la prudente limitación de la brujería en menores de edad, 1875, artículo tercero).

Asimismo, le recordamos que se considera falta grave cualquier actividad mágica que entrañe un riesgo de ser adverti-

da por miembros de la comunidad no mágica o muggles
*(sección decimotercera de la Confederación Internacional
del Estatuto del Secreto de los Brujos).*
¡Disfrute sus vacaciones!
Afectuosamente:

Mafalda Hopkirk
Departamento contra el uso indebido de la magia.
Ministerio de Magia

Harry levantó la vista de la carta y tragó saliva.

—No nos habías dicho que no se te permitía hacer magia fuera del colegio —dijo el tío Vernon, con un brillo vesánico en los ojos—. Olvidaste mencionarlo... un descuido, me atrevería a decir...

Estaba echándose encima de Harry como un gran bulldog, enseñando los dientes:

—Bueno, muchacho, tengo noticias para ti... te voy a encerrar... nunca regresarás a ese colegio... nunca... y si utilizas la magia para salir, ¡te expulsarán!

Y riéndose como un loco, lo arrastró por las escaleras.

El tío Vernon fue tan duro como había prometido. A la mañana siguiente, mandó poner barrotes en la ventana de Harry. Él mismo hizo una gatera en la puerta del dormitorio, para poder introducir tres veces al día pequeñas cantidades de comida. Lo dejaban salir por la mañana y por la noche para ir al baño. Aparte de eso, permanecía encerrado en su habitación las veinticuatro horas del día.

Tres días después, los Dursley no habían dado señal de apiadarse y Harry no encontraba la manera de escapar de su situación. Pasaba el tiempo tumbado en la cama, viendo declinar el sol tras los barrotes de la ventana y preguntándose entristecido qué sería de él.

¿De qué le podía servir utilizar sus poderes mágicos para escapar de la habitación si luego lo expulsarían de Hogwarts por hacerlo? Por otro lado, la vida en Privet Drive nunca había sido tan penosa. Ahora que los Dursley sabían que no se iban a despertar por la mañana convertidos en murciélagos, había perdido su única defensa. Tal vez Dobby lo había salvado de los horribles sucesos que tendrían lugar en Hogwarts, pero tal como estaban las cosas, lo más fácil era que muriera de inanición.

Se oyó la gatera, y apareció la mano de la tía Petunia, metiendo en la habitación un bol de sopa de lata. Harry, a quien las tripas le dolían de hambre, saltó de la cama y se abalanzó sobre ella. Estaba completamente fría, pero se tomó la mitad de un trago. Luego fue hasta la jaula de Hedwig y le puso en el comedero vacío los trozos de verdura embebidos del caldo que quedaban en el fondo del cuenco. La lechuza erizó las plumas y lo miró con expresión de asco intenso.

—No debes despreciarlo, es todo lo que tenemos —dijo Harry con tristeza.

Volvió a dejar el bol vacío en el suelo, junto a la gatera, y se echó otra vez en la cama, casi con más hambre que la que tenía antes de tomarse la sopa.

Suponiendo que siguiera vivo cuatro semanas más tarde, ¿qué sucedería si no se presentaba en Hogwarts? ¿Enviarían a alguien a averiguar por qué no había vuelto? ¿Podrían conseguir que los Dursley lo dejaran ir?

La habitación se oscurecía. Exhausto, con las tripas rugiéndole y el cerebro dándole vueltas a aquellas preguntas sin respuesta, Harry concilió un sueño agitado.

Soñó que era exhibido en un zoo, con un letrero puesto en su jaula que decía MAGO MENOR DE EDAD. Por entre los barrotes, la gente lo miraba con ojos desorbitados mientras él yacía, débil y hambriento, sobre un jergón. Veía el rostro de Dobby entre la multitud, y le pedía ayuda a voces, pero Dobby explicaba "Harry Potter está seguro en ese lugar, señor", y desaparecía. Luego llegaban los Dursley, y Dudley hacía sonar los barrotes de la jaula, riéndose de él.

—¡Para! —murmuró Harry, sintiendo el golpeteo en su dolorida cabeza—. Déjame en paz... basta ya... estoy intentando dormir...

Abrió los ojos. La luz de la luna brillaba por entre los barrotes de la ventana. Y alguien, con los ojos muy abiertos, lo miraba a través de los barrotes: alguien con la cara llena de pecas, el pelo cobrizo y la nariz larga.

Ron Weasley estaba al otro lado de la ventana de Harry.

— Capítulo tres —

La madriguera

—¡*Ron!* —exclamó Harry, subiéndose hasta la ventana y abriéndola para poder hablar con él a través de los barrotes—. Ron, ¿cómo has logrado...? ¿qué...?

A Harry se le quedó la boca abierta al darse cuenta de lo que estaba viendo. Ron sacaba la cabeza de la ventanilla trasera de un viejo coche de color azul turquesa que estaba estacionado ¡en medio del aire! Sonriendo a Harry desde los asientos delanteros, estaban Fred y George, los hermanos gemelos de Ron, que eran mayores que él.

—¿Todo bien, Harry?

—¿Qué es lo que ha pasado? —preguntó Ron—. ¿Por qué no has contestado mis cartas? Te he pedido unas doce veces que vinieras a pasar unos días en mi casa, y luego mi padre vino diciendo que te habían enviado un apercibimiento oficial por utilizar la magia delante de los *muggles*.

—No fui yo. ¿Cómo se enteró?

—Trabaja en el ministerio —contestó Ron—. *Sabes* que se supone que no podemos hacer ningún tipo de conjuro fuera del colegio.

—¡Tiene gracia que tú me lo digas! —repuso Harry, echando un vistazo al coche flotante.

—¡Esto no cuenta! —explicó Ron—. Sólo lo hemos tomado prestado. Es de mi padre, *nosotros* no lo hemos encantado. Pero hacer magia delante de esos *muggles* con los que vives...

—No he sido yo, ya te lo he dicho... pero es demasiado

largo para explicarlo ahora. Mira, puedes decir en Hogwarts que los Dursley me tienen encerrado y que no podré volver al colegio, y está claro que no puedo utilizar la magia para escapar de aquí, porque el ministro pensaría que es la segunda vez que utilizo conjuros en tres días, de forma que...

—Deja de farfullar —dijo Ron—. Hemos venido para llevarte a casa con nosotros.

—Pero tampoco ustedes pueden utilizar la magia para sacarme...

—No la necesitamos —repuso Ron, echando la cabeza hacia los asientos delanteros y sonriendo—. Recuerda a quién he traído conmigo.

—Ata esto a los barrotes —dijo Fred, arrojándole un trozo de cuerda.

—Si se despiertan los Dursley, me matan —comentó Harry, atando la soga a uno de los barrotes. Fred aceleró el coche.

—No te preocupes —dijo Fred—, y apártate.

Harry se internó en la parte más oscura de la habitación, junto a Hedwig, que parecía haber comprendido lo importante que era el paso que iban a dar y se mantenía inmóvil y en silencio. El coche aceleró más y más y de pronto, con un ruidoso crujido, los barrotes se desprendieron de la ventana y el coche salió volando hacia arriba. Harry corrió hacia la ventana para ver cómo los barrotes quedaban colgando a un metro del suelo. Jadeando, Ron fue recogiendo la cuerda hasta meterlos en el coche. Harry escuchó, preocupado, pero no oyó ningún ruido que proviniera del dormitorio de los Dursley.

Después de que Ron dejara los barrotes seguros en el asiento trasero, a su lado, Fred dio marcha atrás para acercarse tanto como pudo a la ventana de Harry.

—Entra —dijo Ron.

—Pero todas mis cosas de Hogwarts... mi varita mágica, mi escoba...

—¿Dónde están?

—Guardadas bajo llave en la alacena debajo de las escaleras. Y yo no puedo salir de la habitación.

—No te preocupes —dijo George desde el asiento delantero—. Quítate de ahí, Harry.

Fred y George treparon por la ventana con cuidado hasta penetrar en la habitación de Harry.

"Hay que quitarse el sombrero", pensó Harry, cuando George se sacó del bolsillo una horquilla para el pelo y se dispuso a forzar la cerradura.

—Muchos magos creen que es una pérdida de tiempo aprender este tipo de trucos *muggle* —observó Fred—, pero nosotros opinamos que vale la pena adquirir estas habilidades, aunque sean un poco lentas.

Se oyó un ligero clic, y la puerta se abrió.

—Ahora sacaremos tu baúl. Toma todo lo que necesites de tu habitación y ve dándoselo a Ron por la ventana —susurró George.

—Tengan cuidado con el último escalón, porque cruje —susurró Harry a su espalda, mientras ellos se internaban en la oscuridad.

Harry se apresuró a sacar sus cosas de la habitación y pasárselas a Ron a través de la ventana. Luego fue a ayudar a Fred y a George a subir el baúl por las escaleras. Harry oyó toser al tío Vernon.

Al final llegaron al rellano, y luego llevaron el baúl, a través de la habitación de Harry, hasta la ventana abierta. Fred pasó hasta el coche para ayudar a Ron a sujetar el baúl, mientras Harry y George lo empujaban desde la habitación. Centímetro a centímetro, el baúl fue deslizándose por la ventana.

El tío Vernon volvió a toser.

—Un poco más —jadeó Fred, que desde el coche tiraba hacia él del baúl—, empujen con fuerza...

Harry y George empujaron con los hombros, y el baúl terminó de pasar de la ventana al asiento trasero del coche.

—Estupendo, vámonos —dijo George en voz baja.

Pero al subir al alféizar de la ventana, Harry oyó un potente chillido detrás de él, seguido de inmediato por la atronadora voz del tío Vernon:

—¡ESA MALDITA LECHUZA!

—¡Me olvidaba de Hedwig!

Harry cruzó a toda velocidad la habitación al tiempo que se encendía la luz del rellano. Tomó la jaula de Hedwig, volvió velozmente a la ventana, y se la pasó a Ron. Se estaba subiendo a la cómoda cuando el tío Vernon aporreó la puerta, y ésta se abrió de par en par.

Durante una fracción de segundo, el tío Vernon se quedó inmóvil en el hueco de la puerta; luego soltó un mugido como el de un toro furioso y, abalanzándose sobre Harry, lo agarró por un tobillo.

Ron, Fred y George asieron a Harry por los brazos, y tiraron de él todo lo que podían.

—¡Petunia! —bramó el tío Vernon—. ¡Se escapa! ¡SE ESCAPA!

Pero los Weasley tiraron con mucha fuerza, y al tío Vernon la pierna de Harry terminó escurriéndosele. Tan pronto como Harry se encontró dentro del coche y hubo cerrado la puerta con un portazo, gritó Ron:

—¡Fred, aprieta el acelerador!

Y el coche salió disparado en dirección a la Luna.

Harry no podía creerlo: estaba libre. Bajó el cristal de la ventanilla y, con el aire azotándole los cabellos, volvió la vista para ver alejarse los tejados de Privet Drive. El tío Vernon, la tía Petunia y Dudley estaban asomados a la ventana de Harry, alucinados.

—¡Hasta el próximo verano! —gritó Harry.

Los Weasley se rieron a carcajadas, y Harry se recostó en el asiento, con una sonrisa de oreja a oreja.

—Suelta a Hedwig —le dijo a Ron—, puede seguirnos volando. Hace un montón de tiempo que está sin poder estirar las alas.

George le pasó la horquilla a Ron y, un instante más tarde, Hedwig había salido llena de contento por la ventanilla para planear al lado del coche, como un fantasma.

—Entonces, Harry, ¿por qué...? —preguntó Ron impaciente—. ¿Qué es lo que ha ocurrido?

Harry les explicó lo de Dobby, la advertencia que le había hecho y el desastre del budín de violetas. Cuando terminó, hubo un silencio prolongado y horrorizado.

—Muy sospechoso —dijo finalmente Fred.

—Me huele mal —corroboró George—. ¿Así que ni siquiera te dijo quién estaba tramando todo?

—Creo que no podía hacerlo —dijo Harry—, ya les he

dicho que cada vez que estaba a punto de irse de la lengua, empezaba a darse golpes contra la pared.

Vio que Fred y George se miraban.

—¿Creen que me estaba mintiendo? —preguntó Harry.

—Bueno —repuso Fred—, tengamos en cuenta que los elfos domésticos tienen mucho poder mágico, pero normalmente no lo pueden utilizar sin el permiso de sus amos. Me da la impresión de que enviaron al viejo Dobby para impedirte que regresaras a Hogwarts. Una especie de broma. ¿Hay alguien en el colegio que tenga algo contra ti?

—Sí —respondieron Ron y Harry al instante.

—Draco Malfoy —explicó Harry—. Me odia.

—¿Draco Malfoy? —dijo George, volviéndose—. ¿No es el hijo de Lucius Malfoy?

—Supongo que sí, porque no es un nombre muy común —contestó Harry—. ¿Por qué?

—He oído a mi padre hablar mucho de él —dijo George—. Fue un importante partidario de Quien Tú Sabes.

—Y cuando desapareció Quien Tú Sabes —dijo Fred, estirando el cuello para mirar a Harry—, Lucius Malfoy regresó negándolo todo. Mentiras... mi padre piensa que él pertenecía al círculo más allegado a Quien Tú Sabes.

Harry ya había oído estos rumores sobre la familia de Malfoy, y no le habían sorprendido en absoluto. Al lado de Malfoy, Dudley Dursley parecía un muchacho bondadoso, amable y sensible.

—No sé si los Malfoy poseerán un elfo —dijo Harry.

—Bueno, sea quien fuere, tiene que tratarse de una familia antigua de magos, y tienen que ser ricos —observó Fred.

—Sí, mamá siempre está diciendo que querría tener un elfo doméstico que planchara —dijo George—. Pero lo único que tenemos es un espíritu asqueroso y malvado en el desván y el jardín lleno de gnomos. Los elfos domésticos están en grandes casas solariegas y en castillos y lugares así, y no en casas como la nuestra.

Harry estaba callado. A juzgar por el hecho de que Draco Malfoy tenía normalmente lo mejor de todo, su familia debía de estar nadando en oro mágico. Parecía que podía verlo pavoneándose en una gran mansión. También parecía completamente acorde con el tipo de cosas que Malfoy enviara a un criado para que impidiera que Harry volviese a Hogwarts. ¿Había sido un estúpido al dar crédito a Dobby?

—De cualquier manera, estoy muy contento de que viniéramos a rescatarte —dijo Ron—. Me estaba preocupando que no respondieras a mis cartas. Al principio le echaba la culpa a Errol...

—¿Quién es Errol?

—Nuestra lechuza macho. Está viejo. No sería la primera vez que le da un colapso al hacer una entrega. Así que intenté pedirle a Percy que me prestara a Hermes...

—¿*Quién*?

—La lechuza que nuestros padres le compraron a Percy cuando lo nombraron prefecto —dijo Fred desde el asiento delantero.

—Pero Percy no me lo quiso dejar —añadió Ron—. Dijo que lo necesitaba él.

—Este verano Percy se está comportando de forma muy rara —dijo George, frunciendo el ceño—. Ha estado enviando montones de cartas y pasando muchísimo tiempo encerrado en su habitación... Uno no puede pasarse el día sacándole brillo a la insignia de prefecto. Te estás desviando hacia el oeste, Fred —añadió, señalando un indicador en el tablero. Fred giró el volante.

—¿Su padre sabe que se han llevado el coche? —preguntó Harry, adivinando la respuesta.

—Eeeeh... no —contestó Ron—, tenía que trabajar esta noche. Espero que podamos dejarlo en el garaje sin que nuestra madre se dé cuenta de que hemos estado dando una vuelta en él.

—¿Qué hace su padre en el Ministerio de la Magia?

—Trabaja en el departamento más aburrido —contestó Ron—. El Departamento contra el Uso Incorrecto de los Objetos *Muggle*.

—¿El *qué*?

—Se trata de cosas que han sido fabricadas por los *muggles* pero a las que alguien encanta, y que terminan de vuelta en una casa o un negocio *muggle*. Por ejemplo, el año pasado murió una bruja vieja, y le vendieron su juego de té a un anticuario. Una mujer *muggle* lo compró, se lo llevó a casa, e intentó servirles té en las tazas a sus amigos. Fue una pesadilla.

Nuestro padre tuvo que trabajar horas extras durante varias semanas.

—¿Qué ocurrió?

—Pues que la tetera se volvió loca y arrojó un chorro de té hirviendo por toda la sala, y un hombre terminó en el hospital con las pinzas para el azúcar aferrándole la nariz. Nuestro padre se volvía loco de inquietud, en la oficina sólo están él y un viejo brujo llamado Perkins, y tuvieron que hacer encantamientos para borrarles la memoria y todo tipo de cosas para que no se notara nada.

—Pero el padre de ustedes... este coche...

Fred se rió:

—Sí, lo vuelve loco todo lo que tiene que ver con los *muggles*, tenemos el cobertizo lleno de cosas *muggles*. Las toma, las hechiza, y las vuelve a poner en su sitio. Si viniera a inspeccionar a casa, tendría que arrestarse a sí mismo. A nuestra madre eso la desespera.

—Ahí está la carretera principal —dijo George, mirando abajo a través del parabrisas—. Llegaremos dentro de diez minutos... menos mal, porque se está haciendo de día.

Un tenue resplandor sonrosado aparecía en el horizonte, al este.

Fred dejó que el coche fuera perdiendo altura, y Harry vio un oscuro mosaico de campos y grupos de árboles.

—Vivimos un poco apartados del pueblo —explicó George—. En Ottery Saint Catchpole.

El coche volador descendía más y más. Entre los árboles destellaba ya el borde de un sol de color rojo brillante.

—¡Aterrizamos! —exclamó Fred cuando, con una ligera sacudida, tomaron contacto con el suelo. Habían tocado tierra junto a un garaje en ruinas en un pequeño corral, y Harry vio por vez primera la casa de Ron.

Parecía como si en otro tiempo hubiera sido una gran pocilga de piedra, pero aquí y allá habían ido añadiendo habitaciones extra hasta alcanzar varios pisos de altura y estaba tan torcida que parecía sostenerse en pie por arte de magia (y así era probablemente, según sospechó Harry). Cuatro o cinco chimeneas coronaban la cima del tejado rojo. Cerca de la entrada, clavado en el suelo, había un letrero torcido que decía: LA MADRIGUERA. En torno a la puerta principal había un revoltijo de chanclos y un caldero muy oxidado. Varias gallinas gordas de color marrón picoteaban por el corral.

—No es gran cosa —dijo Ron.

—Es una *maravilla* —repuso Harry, contento, acordándose de Privet Drive.

Salieron del coche.

—Ahora, tenemos que subir las escaleras sin hacer el menor ruido —advirtió Fred—, y esperar que mamá nos llame para el desayuno. Entonces tú, Ron, bajarás las escaleras dando saltos y diciendo: "¡Mamá, mira quién ha llegado esta noche!". Ella se pondrá muy contenta, y nadie tendrá que saber que hemos usado el coche.

—Bien —dijo Ron—. Vamos, Harry, yo duermo en el...

De repente, Ron se puso de un color verdoso muy feo, y se quedó con los ojos fijos en la casa. Los otros tres se dieron vuelta.

La señora Weasley iba por el corral espantando a las gallinas, y para tratarse de una mujer pequeña, rolliza, de rostro bondadoso, era sorprendente lo que podía parecerse a un tigre de colmillos asesinos.

—¡Ah! —musitó Fred.

—¡Dios mío! —exclamó George.

La señora Weasley se paró delante de ellos, con las manos en las caderas, pasando la mirada de una cara a la otra. Llevaba un delantal estampado de cuyo bolsillo sobresalía una varita mágica.

—*Así que...* —dijo.

—Buenos días, mamá —saludó George, poniendo lo que él consideraba que era una voz alegre y encantadora.

—¿Tienen idea de lo preocupada que he estado? —preguntó la señora Weasley en un susurro funesto.

—Perdona, mamá, pero es que, mira, teníamos que...

Los tres hijos de la señora Weasley eran más altos que ella, pero se asustaron cuando la ira de su madre cayó sobre ellos:

—*¡Las camas vacías! ¡Ni una nota! El coche desaparecido... podían haber tenido un accidente... he estado tan preocupada que me he querido morir... ¿les importa? ...nunca, en toda mi vida... ya verán cuando llegue a casa su padre, un disgusto como este nunca me lo dieron Bill ni Charlie ni Percy...*

—Percy, el perfecto —murmuró Fred.

—¡PODRÍAN SEGUIR SU EJEMPLO! —gritó la señora Weasley, golpeándole en el pecho con un dedo—. Podrían haberse *matado*, podría haberlos *visto* alguien, su padre podría haberse quedado *sin trabajo* por culpa de ustedes...

Dio la impresión de que la cosa duraba horas. La señora Weasley enronqueció de tanto gritar antes de encararse con Harry, que retrocedió.

—Me alegro de verte, Harry, querido —dijo—. Pasa a desayunar.

Se volvió y se encaminó hacia la casa, y Harry, después de dirigir una mirada azorada a Ron, que le respondió animándolo con un gesto de la cabeza, la siguió.

La cocina era pequeña y todo en ella estaba bastante apretujado. En el medio había una mesa de madera limpia y sillas, y Harry se sentó en el borde de una de ellas, mirando alrededor. Nunca antes había estado en la casa de un mago.

El reloj que había en la pared enfrente de él sólo tenía una manecilla y carecía de números. En el borde de la esfera había escritas cosas tales como *Hora del té, Hora de dar de comer a las gallinas*, y *Te estás retrasando*. Sobre la repisa de la chimenea había unos libros en pilas de tres, libros que tenían títulos como *Haga su propio queso usando la magia, El encantamiento en la repostería* y *Banquetes preparados en un minuto: ¡como por encanto!* Y, a menos que a Harry lo engañaran sus propios oídos, la vieja radio que había al lado de la pileta acababa de anunciar que venía a continuación "La hora de las brujas, con la popular cantante hechicera Celestina Warbeck".

Se oía el ruido que hacía la señora Weasley mientras preparaba el desayuno un poco al tuntún, echando miradas severas a sus hijos al poner las salchichas en la sartén. De vez en cuando murmuraba cosas como "no sé *en qué* estaban pensando" o "*nunca* lo hubiera creído".

—No te culpo a *ti*, querido —le aseguró a Harry, echándole en el plato ocho o nueve salchichas—. Arthur y yo también hemos estado muy preocupados por ti. Anoche mismo estuvimos comentando que si Ron seguía sin tener carta tuya el viernes, nosotros mismos iríamos a buscarte para traerte aquí. Pero, realmente —en ese momento le estaba echando tres huevos fritos—, cualquiera podría haberlos visto atravesando la mitad del país volando en ese coche ilegal...

Como por rutina, dio un golpecito con la varita mágica en los platos sucios amontonados en la pileta, y comenzaron a lavarse solos, produciendo un suave tintineo de fondo.

—¡Estaba *nublado*, mamá! —dijo Fred.

—¡No hables mientras comes! —lo interrumpió la señora Weasley.

—¡Lo estaban matando de hambre, mamá! —dijo George.

—¡Y tú lo mismo! —dijo la señora Weasley, pero se le podía notar una expresión enternecida cuando comenzó a cortarle a Harry rebanadas de pan y a untarlas con manteca.

En ese momento, interrumpió la conversación una figura pequeña, pelirroja, que llevaba puesto un largo camisón y que apareció en la cocina, dio un gritito, y se volvió corriendo.

—Es Ginny —le dijo Ron a Harry en voz baja—. Mi hermana. Se ha pasado el verano hablando de ti.

—Sí, debe de estar esperando que le firmes un autógrafo, Harry —dijo Fred con una sonrisa, pero se dio cuenta de que su madre lo miraba y agachó la cara sobre el plato sin decir ni una palabra más. No volvieron a hablar hasta que los cuatro platos estuvieron limpios, cosa que llevó poquísimo tiempo.

—*Caramba*, estoy reventado —dijo Fred, bostezando y dejando finalmente el cuchillo y el tenedor—. Creo que me iré a la cama y...

—Nada de eso —interrumpió la señora Weasley—. Si te has pasado toda la noche por ahí, ha sido tu culpa. Así que ahora vete a desgnomizar el jardín, se están volviendo a descontrolar.

—Pero, mamá...

—Y ustedes dos, vayan con él —dijo ella, mirando a Ron y Fred—. Tú puedes ir a la cama, cielo —le dijo a Harry—. Tú no les pediste que te llevaran volando en ese maldito coche.

Pero Harry, que no tenía nada de sueño, dijo con presteza:

—Ayudaré a Ron: nunca he presenciado una desgnomización.

—Eso es muy amable de tu parte, cielo, pero es un trabajo muy aburrido —dijo la señora Weasley—. Ahora, veamos lo que Lockhart dice sobre el particular.

Y tomó un pesado volumen del montón de encima de la chimenea. George se quejó:

—Mamá, sabemos cómo se desgnomiza un jardín.

Harry echó una mirada a la cubierta del libro de la señora Weasley. Tenía escritas en letras doradas de fantasía las palabras *Guía Gilderoy Lockhart de las plagas en el hogar*. En la tapa había una fotografía grande de un mago muy buen mozo de pelo rubio ondulado y luminosos ojos azules. Como todas las fotografías en el mundo de la magia, ésta también se movía: el mago, que Harry supuso que era Gilderoy Lockhart, les guiñó, con todo descaro, un ojo a todos ellos. La señora Weasley le sonrió abiertamente.

—Es maravilloso —dijo ella—, conoce perfectamente las plagas del hogar, es un libro estupendo...

—A mamá le *gusta* —dijo Fred, en un susurro bastante audible.

—No digas tonterías, Fred —dijo la señora Weasley, al tiempo que se le coloreaban las mejillas—. Muy bien, si crees que sabes más que Lockhart, ponte ya a ello, y ay de ti si queda un solo gnomo en el jardín cuando yo vaya a ver.

Entre quejas y bostezos, los Weasley salieron arrastrando los pies, seguidos por Harry. El jardín era grande y, a los ojos de Harry, exactamente como tenía que ser un jardín. A los Dursley no les habría gustado: estaba lleno de maleza, y el césped necesitaba un corte, pero había árboles con los troncos llenos de nudos en torno a los muros, plantas que Harry no había visto nunca rebosaban de cada uno de los arriates, y un estanque verde lleno de ranas.

—Los *muggle* también tienen gnomos en sus jardines, ¿sabes? —le dijo Harry a Ron mientras atravesaban el césped.

—Sí, he visto esas cosas que ellos piensan que son gnomos —dijo Ron, inclinado con su cabeza sobre una mata de peonías—. Como esa especie de papás Noel gorditos con cañas de pescar...

Se oyó el ruido de un forcejeo, la peonía dio unas sacudidas, y Ron se levantó, diciendo en tono grave:

—*Esto* es un gnomo.

—¡Suéltame!, ¡suéltame! —chillaba el gnomo.

Desde luego, no se parecía en nada a papá Noel: era pequeño y de piel curtida, con una cabeza grande, huesuda, parecida a una papa. Ron lo sujetó con el brazo estirado, mientras el gnomo le daba patadas con sus duros piececitos; lo agarró de los tobillos y lo puso cabeza abajo.

—Esto es lo que tienes que hacer —explicó. Levantó al gnomo por encima de su cabeza ("¡suéltame!"), y comenzó a sacudirlo en círculos como un lazo. Viendo el susto en el rostro de Harry, añadió: —No les duele. Pero los tienes que dejar muy mareados para que no puedan volver a encontrar su madriguera.

Soltó al gnomo: éste salió volando por el aire unos siete metros y cayó en el campo más allá del seto, haciendo un ruido sordo.

—¡Lamentable! —dijo Fred—. ¿Qué te apuestas a que lanzo el mío detrás de aquel tocón?

Harry dejó enseguida de sentir una piedad excesiva por los gnomos. Había decidido arrojar al otro lado del seto al primer gnomo que había atrapado, pero éste, notando su flaqueza, le hundió sus afiladísimos dientes en un dedo, y le costó mucho trabajo sacudírselo... hasta que...

—Bueno, Harry... eso habrán sido casi veinte metros...

El aire se llenó pronto de gnomos volando.

—Ya ves que no son muy brillantes —observó George, atrapando cinco o seis gnomos a la vez—. En cuanto se enteran de que estamos desgnomizando, salen a curiosear. Ya tendrían que haber aprendido a quedarse en su sitio.

Al poco rato, la multitud de gnomos que había en el campo, empezó a alejarse andando en fila, con los hombros caídos.

—Volverán —dijo Ron, mientras contemplaban cómo se internaban los gnomos en el seto al otro lado del campo—. Les gusta este sitio... Papá es demasiado blando con ellos, porque piensa que son divertidos...

Justo en ese momento se oyó la puerta principal de la casa.

—¡Ya ha llegado! —anunció George—. ¡Papá está en casa! Corrieron hasta la casa.

El señor Weasley se había dejado caer en una silla de la cocina, con los anteojos quitados y los ojos cerrados. Era un hombre delgado, bastante calvo, pero el escaso pelo que le quedaba era tan rojo como el de sus hijos. Llevaba una larga túnica verde polvorienta y estropeada de viajar.

—¡Qué noche! —farfulló, buscando a tientas la tetera mientras los chicos se sentaban a su alrededor—. Nueve redadas. ¡Nueve! Y el viejo Mundungus Fletcher intentó hacerme un maleficio cuando le volví la espalda.

El señor Weasley tomó un largo sorbo de té, y suspiró.

—¿Encontraste algo, papá? —preguntó Fred con miedo.

—Sólo unas llaves que se achican y una tetera que muerde —bostezó el señor Weasley—. Ha habido, sin embargo, algunas cosas bastante feas que no pertenecían a mi departamento. A Mortlake lo sacaron para interrogarlo sobre unos hurones muy raros, pero eso es del Comité de Encantos Experimentales, gracias a Dios.

—¿Para qué se molesta nadie en achicar unas llaves? —preguntó George.

—Para atormentar a los *muggles* —suspiró el señor Weasley—. Se les vende una llave que se achica hasta hacerse diminuta para que no la puedan encontrar nunca cuando la necesitan... Naturalmente, es muy difícil castigar a nadie porque ningún *muggle* admitiría que sus llaves se achican: siempre insisten en que las han perdido. Benditos, no sé qué no harían para negar la existencia de la magia, aunque la tengan delante de los ojos... pero ustedes no creerían las cosas que a nuestra gente le ha dado por encantar...

—¿COMO COCHES, POR EJEMPLO?

La señora Weasley había aparecido blandiendo un atizador como si fuera una espada. El señor Weasley abrió los ojos de golpe. Dirigió a su mujer una mirada de culpabilidad.

—¿Co... coches, Molly, cielo?

—Sí, Arthur, coches —dijo la señora Weasley, con los ojos iluminados—. Imagínate que un mago se compra un viejo coche oxidado y que le dice a su mujer que quiere llevárselo para ver cómo funciona, cuando *en realidad* lo está encantando para que *vuele*.

El señor Weasley parpadeó.

—Bueno, querida, creo que en ese caso te darías cuenta de que él, al hacer eso, no ha hecho nada en contra de la ley, aunque quizá debería haberle dicho la verdad a su mujer... Te darías cuenta de que existe una laguna jurídica... en tanto él no *intente* volar en el coche. El hecho de que el coche *pueda* volar no constituye en sí...

—¡Señor Weasley, ya se encargó usted de que existiera esa laguna jurídica cuando usted redactó esa ley! —gritó la señora Weasley—. ¡Sólo para poder seguir jugando con toda esa basura *muggle* que tienes en el cobertizo! ¡Y, para tu información, Harry ha llegado esta mañana en ese coche en el que tú no intentabas volar!

—¿Harry? —dijo el señor Weasley mirando a su esposa sin comprender—. ¿Qué Harry?

Miró a su alrededor, vio a Harry y se sobresaltó.

—¡Dios mío! ¿Es Harry Potter? Encantado de conocerte. Ron nos ha hablado tanto de ti...

—¡*Esta noche, tus hijos han ido volando en ese coche hasta la casa de Harry y han vuelto!* —gritó la señora Weasley—. ¿No tienes nada que comentar al respecto?

—¿Es verdad que hicieron eso? —preguntó el señor Weasley, nervioso—. ¿Fue bien la cosa? Qui... quiero decir —titubeó, al ver que a la señora Weasley parecía que le salían chispas de los ojos—, que eso ha estado muy mal, muchachos, verdaderamente muy mal...

—Dejémoslos —le murmuró Ron a Harry, al ver que la señora Weasley podía estallar de rabia—. Ven, quiero enseñarte mi habitación.

Salieron sigilosamente de la cocina y, recorriendo un estrecho pasillo, llegaron a una escalera irregular, que subía atravesando la casa en zigzag. En el tercer rellano había una puerta entornada. Antes de que la puerta se cerrara de golpe, Harry pudo ver un instante un par de brillantes ojos castaños que lo estaban mirando.

—Ginny —dijo Ron—. No sabes lo raro que es que se muestre así de tímida. Normalmente nunca se encierra.

Subieron dos tramos más de escalera hasta llegar ante una puerta con la pintura medio levantada y una placa pequeña que decía: HABITACIÓN DE RONALD.

Harry entró, con la cabeza casi pegando en el techo en pendiente, y cerró un instante los ojos. Era como entrar en un horno: casi todo en la habitación era de color naranja fuerte: la colcha, las paredes, incluso el techo. Luego Harry comprendió que Ron había forrado casi cada centímetro del viejo papel pintado de la pared con posters repetidos de los mismos siete magos y brujas, que tenían puestas túnicas de color naranja brillante, llevaban escobas y saludaban con entusiasmo.

—¿Tu equipo de *quidditch*? —le preguntó Harry.

—Los Chudley Cannons —confirmó Ron, señalando la colcha naranja, que estaba blasonada con dos letras C gigantes y una bala de cañón disparada—. Son los novenos en la liga.

Ron tenía los libros de magia del colegio apilados desordenadamente en un rincón, junto a una pila de historietas que parecían pertenecer todas a la serie *Las aventuras de Martin Miggs, el muggle loco*. Su varita mágica estaba encima de una pecera llena de huevos de rana en el alféizar de la ventana, cerca de Scabbers, su gorda rata gris, que dormitaba en un trocito en el que daba el sol.

Harry caminó pisando un mazo de cartas autobarajables esparcidas por el suelo, y echó un vistazo por la diminuta ventana. Abajo, en el campo, podía ver a un grupo de gnomos, que volvía a entrar de uno en uno, a hurtadillas, atravesando el seto de los Weasley. Luego se volvió hacia Ron, que miraba casi nervioso, esperando que emitiera su opinión:

—Es un poco pequeña —se apresuró a decir Ron—. No como esa habitación que tenías tú con los *muggle*. Y estoy justo debajo del espíritu del desván, que se pasa todo el tiempo golpeando en las tuberías y gimiendo...

Pero Harry le dijo con una amplia sonrisa:

—Es la mejor casa en la que nunca haya estado.

A Ron se le pusieron rojas las orejas.

Capítulo cuatro

En Flourish y Blotts

La vida en La Madriguera era tan diferente de la vida en Privet Drive como cabe imaginar. Los Dursley querían todo limpio y ordenado; la casa de los Weasley estaba llena de sorpresas y cosas extrañas. Harry se llevó un buen susto la primera vez que se miró en el espejo que había sobre la chimenea de la cocina, y el espejo le gritó: "*¡Métete bien la camisa, no seas desaliñado!*". El espíritu del desván aullaba y golpeaba en las tuberías cada vez que le parecía que las cosas estaban demasiado tranquilas, y las explosiones en el cuarto de Fred y George se consideraban completamente normales. Lo que Harry encontraba más raro en casa de Ron, sin embargo, no era el espejo parlante ni el ruidoso espíritu: era el hecho de que allí todos parecieran quererlo.

La señora Weasley se preocupaba por el estado de sus medias, e intentaba obligarlo a comer cuatro raciones en cada comida. Al señor Weasley le agradaba que Harry se sentara a su lado en la mesa para someterlo a un interrogatorio sobre la vida con los *muggles*, y preguntarle cómo funcionaban cosas tales como los enchufes o el servicio de correos.

—*¡Fascinante!* —decía, cuando Harry le explicaba cómo se usaba el teléfono—. Son *ingeniosas* de verdad las cosas que inventan los *muggles* para arreglárselas sin magia.

Una mañana soleada, cuando llevaba más o menos una semana en La Madriguera, Harry los oyó hablar sobre Hogwarts. Cuando Ron y él bajaron a desayunar, encontraron al señor y la señora Weasley y a Ginny ya sentados a la mesa de la cocina. Al ver a Harry, Ginny, sin querer, le dio un golpe al bol de avena, y éste se cayó al suelo haciendo un gran estrépito. Ginny solía tropezar con las cosas cada vez que Harry entraba en la habitación en que estaba ella. Se metió debajo de la mesa para buscar el bol, y se levantó con la cara tan colorada y brillante como el sol poniente. Haciendo como que no lo notaba, Harry se sentó y tomó la tostada que le pasaba la señora Weasley.

—Han llegado cartas del colegio —dijo el señor Weasley, entregando a Harry y a Ron dos sobres idénticos de pergamino amarillento, con la dirección escrita en tinta verde—. Dumbledore ya sabe que estás aquí, Harry, no se le escapa una a ése. También han llegado cartas para ustedes dos —añadió, al ver entrar tranquilamente a Fred y George, todavía en pijama.

Hubo unos minutos de silencio mientras leían las cartas. A Harry le indicaban que tomara el tren a Hogwarts el 1° de septiembre, como de costumbre, en la estación de King's Cross. Se adjuntaba una lista de los libros que necesitaría para el curso siguiente:

Los estudiantes de segundo curso necesitarán:
Libro reglamentario de hechizos, curso 2°, de Miranda Goshawk.
*Recreo con la banshee,** de Gilderoy Lockhart.
Una vuelta con los espíritus malignos, de Gilderoy Lockhart.
Vacaciones con las brujas, de Gilderoy Lockhart.
Recorridos con los duendes, de Gilderoy Lockhart.
Viajes con los vampiros, de Gilderoy Lockhart.
Paseo con los hombres-lobo, de Gilderoy Lockhart.
Un año con el Yeti, de Gilderoy Lockhart.

Fred, que había acabado de leer su propia lista, le echó un vistazo a la de Harry.

—¡También a ti te han indicado todos los libros de Lockhart! —exclamó—. El nuevo profesor de Defensa contra las

_____
* En la mitología irlandesa y escocesa, las *banshees* son espíritus femeninos que anuncian la muerte de alguien (*N. de los TT.*)

Artes Tenebrosas debe de ser su admirador: apuesto a que es una bruja.

En ese instante, Fred vio que su madre lo miraba severamente, y trató de disimular untándose mermelada.

—Todos estos libros no resultarán baratos —observó George, mirando fugazmente a sus padres—. Los libros de Lockhart son verdaderamente caros...

—Bueno, ya nos arreglaremos —repuso la señora Weasley, aunque parecía preocupada—. Espero que a Ginny le puedan servir muchas de las cosas de ustedes.

—¿Entonces ya vas a empezar en Hogwarts este año? —le preguntó Harry a Ginny.

Ella afirmó con un gesto de la cabeza, enrojeciendo hasta la raíz de su pelo, color rojo encendido, y metió el codo en el plato de la manteca. Afortunadamente, el único que se dio cuenta fue Harry, porque Percy, el hermano mayor de Ron, entró precisamente en ese momento. Ya se había vestido, y llevaba la insignia de prefecto de Hogwarts puesta en su chaleco tejido.

—Buenos días a todos —saludó Percy con voz segura—. Hermoso día.

Se sentó en la única silla que quedaba, pero inmediatamente se levantó dando un brinco, y sacó de debajo de él un plumero gris estropeado. Al menos, eso es lo que Harry pensó que era, hasta que vio que respiraba.

—¡Errol! —dijo Ron, quitándole a Percy la lechuza derrengada y sacándole una carta que llevaba debajo del ala—. ¡Por fin! Aquí está la respuesta de Hermione. Yo le escribí a ella contándole que te íbamos a rescatar de los Dursley.

Llevó a Errol hasta una percha que había junto a la puerta de atrás, por el lado de adentro, e intentó ponerlo en ella, pero Errol volvió a caerse, así que lo dejó en el escurridero, murmurando "¡Patético!". Luego, abrió la carta de Hermione y la leyó en voz alta:

Querido Ron, y Harry, si estás ahí:
Espero que todo haya salido bien y que Harry esté estupendamente, y que no hayas tenido que hacer nada ilegal para sacarlo, Ron, porque eso le traería problemas también a Harry. He estado muy preocupada, y si Harry está bien, te ruego que me escribas lo

antes posible contándomelo, aunque quizá sería mejor que usaras otra lechuza, porque creo que un viaje más podría acabar con ésta.

Por supuesto, estoy muy atareada con los deberes escolares. "(¿Cómo puede ser eso?", se preguntó Ron horrorizado. "¡Estamos en vacaciones!", *y el próximo miércoles nos vamos a Londres a comprar los nuevos libros. ¿Por qué no nos vemos en el callejón Diagon?*

Cuéntenme qué ha pasado en cuanto puedan. Un beso de Hermione

—Bueno, eso nos viene bien, podemos ir a comprar las cosas que precisan —dijo la señora Weasley, comenzando a desocupar la mesa—. ¿Qué van a hacer hoy?

Harry, Ron, Fred y George planeaban subir la colina hasta un pequeño prado que tenían los Weasley. Estaba rodeado de árboles que lo ponían a cubierto de los que pudieran mirar desde el pueblo que había abajo, y eso quería decir que podían practicar el *quidditch* allí, con tal de que tuvieran cuidado de no volar muy alto. No podían usar verdaderas pelotas de *quidditch*, que resultarían inexplicables si les diera por escapar y sobrevolar el pueblo; en su lugar se arrojaban manzanas. Se turnaban para montar en la *Nimbus 2000* de Harry, que era con mucho la mejor escoba; a la vieja *Estrella Fugaz* de Ron se le adelantaban las mariposas con frecuencia.

Cinco minutos después se encontraban subiendo la colina, con las escobas a los hombros. Le habían preguntado a Percy si quería ir con ellos, pero les había dicho que estaba ocupado. Harry sólo había visto a Percy a las horas de comer: el resto del tiempo se lo pasaba encerrado en su cuarto.

—Me gustaría saber qué pretende —dijo Fred, frunciendo el ceño—. No parece el mismo. Los resultados de sus exámenes llegaron el día antes de que lo hicieras tú: doce M. H. B. y apenas se alegró.

—Matrículas de Honor en Brujería —explicó George, viendo la cara de incomprensión de Harry—. Bill también sacó doce. Si no nos andamos con cuidado, tendremos otro Premio Anual en la familia. Creo que no podría soportar la vergüenza.

Bill era el mayor de los hermanos Weasley. Él y el segundo, Charlie, habían terminado ya en Hogwarts. Harry no había visto nunca a ninguno de los dos, pero sabía que Charlie estaba en Rumania estudiando los dragones, y Bill en Egipto, trabajando para el Banco de los magos, Gringotts.

—No sé cómo se las van a arreglar papá y mamá para comprarnos todo lo que necesitamos para este curso —dijo George después de una pausa—. ¡Cinco lotes de los libros de Lockhart! Y Ginny necesitará la túnica y una varita mágica y todo eso...

Harry no decía nada. Se sentía un poco incómodo. En Gringotts, en Londres, guardada en una cámara acorazada subterránea, tenía una pequeña fortuna que le habían dejado sus padres. Naturalmente, sólo tenía dinero en el mundo mágico: no se podían utilizar galones, *sickles* ni *knuts* en los negocios *muggle*. A los Dursley nunca les había dicho una palabra sobre su cuenta bancaria en Gringotts. Y la verdad es que no creía que su aversión a todo lo concerniente al mundo de la magia se hiciera extensiva a un buen montón de oro.

Al domingo siguiente, la señora Weasley los despertó a todos temprano. Después de comer rápidamente media docena de sándwiches de panceta cada uno, se pusieron las chaquetas y la señora Weasley, tomando una maceta de la repisa de la chimenea de la cocina, echó un vistazo dentro.

—Ya casi no nos queda, Arthur —dijo con un suspiro—. Tenemos que comprar hoy un poco más... ¡bueno, los huéspedes primero! ¡Después de ti, Harry, cielo!

Y le ofreció la maceta.

Harry vio que todos lo miraban.

—¿Que... qué es lo que tengo que hacer? —tartamudeó.

—Él nunca ha viajado con polvos *flu* —dijo Ron de pronto—. Lo siento, Harry, no me acordaba.

—¿Nunca? —le preguntó el señor Weasley—. Pero ¿cómo llegaste al callejón Diagon el año pasado para comprar las cosas que necesitabas?

—En subte...

—¿De verdad? —inquirió muy interesado el señor Weasley—. ¿Había *escaleras mecánicas*? ¿Cómo exactamente...?

—*Ahora* no, Arthur —lo interrumpió la señora Weasley—. Los polvos *flu* son mucho más rápidos, pero la verdad es que si no los has usado nunca...

—Lo hará bien, mamá —dijo Fred—. Harry, primero míranos a nosotros.

Tomó de la maceta una pizca de polvos brillantes, se acercó al fuego, y la arrojó a las llamas.

Produciendo un estruendo como el de un rayo, la hoguera se volvió de color verde esmeralda y se elevó por encima de la estatura del propio Fred, que penetró en ella, gritó "¡A la calleja Diagon!", y desapareció.

—Tienes que hablar claro, cielo —le dijo a Harry la señora Weasley, mientras George introducía la mano en la maceta—, y ten cuidado de llegar a la chimenea correcta...

—¿Qué? —preguntó Harry nervioso al tiempo que la hoguera volvía a tronar y se tragaba a George.

—Bueno, ya sabes, hay una cantidad tremenda de chimeneas de magos entre las que hay que elegir, pero con tal de que pronuncies claro...

—Lo hará bien, Molly, no te preocupes —le dijo el señor Weasley, sirviéndose también polvos *flu*.

—Pero, querido, si Harry se perdiera, ¿cómo se lo íbamos a explicar a sus tíos?

—A ellos les daría igual —la tranquilizó Harry—. Si yo me perdiera aspirado por una chimenea, a Dudley le parecería una broma estupenda, así que no se preocupe por eso.

—Bueno, está bien... ve después de Arthur —dijo la señora Weasley—. Y cuando entres en el fuego, di adónde vas.

—Y mantén los codos pegados a los costados —le aconsejó Ron.

—Y los ojos cerrados —le dijo la señora Weasley—. El hollín...

—Y no te muevas —añadió Ron—. O podrías salir en una chimenea equivocada...

—Pero no te asustes y vayas a salir demasiado pronto. Espera a ver a Fred y George.

Haciendo un considerable esfuerzo por acordarse de todas esas cosas, Harry tomó una pizca de polvos *flu* y se acercó hasta el borde del fuego. Respiró hondo, arrojó los polvos a las llamas, y dio unos pasos hacia adelante; el fuego parecía una brisa cálida; abrió la boca, y de inmediato tragó un montón de ceniza caliente.

—Ca... ca... callejón Diagon —dijo tosiendo.

Parecía como si hubiera sido succionado por el agujero de un enchufe gigante. Daba la impresión de que estaba girando a notable velocidad... el bramido era ensordecedor... intentaba mantener los ojos abiertos, pero el remolino de llamas verdes lo mareaba... algo duro le golpeó en el codo, así que lo apretó contra el costado, sin dejar de dar vueltas y vueltas... luego fue como si unas manos frías le pegaran bofetadas en la cara... a través de los anteojos y por los ojos entornados, vio una borrosa sucesión de chimeneas y vislumbró imágenes de las salas que había más allá... los sándwiches de panceta se le revolvían dentro... Cerró los ojos de nuevo deseando que la cosa cesara, y entonces... cayó, de cara, sobre una piedra fría, y notó que los anteojos se le hacían añicos.

Mareado y magullado, cubierto de hollín, se puso de pie con cuidado, quitándose los anteojos rotos de los ojos. Estaba completamente solo, y no tenía ni idea de *dónde* se encontraba. Lo único que sabía es que estaba en la chimenea de piedra de lo que parecía el local apenas iluminado de un mago, pero no parecía que nada de lo que había allí fuera a encontrarse en la lista escolar de Hogwarts.

Un estante de cristal cercano sostenía una mano cortada puesta sobre un almohadón; un mazo de cartas manchadas de sangre y un ojo de cristal que miraba fijamente; máscaras de aspecto malvado lanzaban desde arriba miradas malévolas; sobre el mostrador había una gran variedad de huesos humanos; y del techo colgaban unos instrumentos herrumbrosos, llenos de pinchos. Y, lo que era peor, estaba claro que el oscuro y angosto callejón que Harry podía ver a través del polvoriento cristal de la vidriera no era el callejón Diagon.

Cuanto antes saliera de allí, mejor. Con la nariz aún dolorida en el sitio en que había pegado contra la chimenea, Harry se dirigió rápida y sigilosamente hacia la puerta, pero antes de que hubiera salvado la mitad de la distancia, aparecieron al otro lado de la vidriera dos personas, y una de ellas era la última persona a la que Harry hubiera querido encontrarse estando perdido, cubierto de hollín y con los anteojos rotos: Draco Malfoy.

Harry repasó apresuradamente con los ojos lo que había en el negocio, y encontró a su izquierda un gran armario negro; se metió en él y cerró las puertas, dejando una pequeña rendija para echar un vistazo. Unos segundos más tarde sonó un timbre, y Malfoy entró en el local.

El hombre que iba detrás de él no podía ser sino su padre. Tenía la misma cara pálida y puntiaguda, y los mismos ojos de un frío color gris. El señor Malfoy cruzó el negocio, mirando vagamente los artículos expuestos, y apretó un timbre que había en el mostrador antes de volverse a su hijo y decirle:

—No toques nada, Draco.

Malfoy, que se había acercado al ojo de cristal, le dijo:

—Creía que me ibas a comprar un regalo.

—Te dije que te compraría una escoba de carreras —le dijo su padre, tamborileando con los dedos en el mostrador.

—¿Y para qué la quiero si no estoy en el equipo de la casa? —preguntó Malfoy, enfurruñado y de mal humor—. Harry Potter tenía el año pasado una *Nimbus 2000*. Y obtuvo un permiso especial de Dumbledore para poder jugar en el equipo de Griffindor. Ni siquiera es tan bueno, sólo es porque es *famoso*... famoso por tener esa ridícula *cicatriz* en la frente...

Malfoy se inclinó para examinar un estante lleno de calaveras:

—...a todos les parece que Potter está tan bien, tan *maravilloso* con su *cicatriz* en la frente y su *escoba* mágica...

—Me lo has dicho ya una docena de veces por lo menos —repuso el padre de Malfoy dirigiéndole a su hijo una mirada cortante—, y te quiero recordar que resultaría... prudente... dar la impresión de que tú también lo admiras, cuando la mayor parte de los de nuestra clase lo miran como al héroe que hizo desaparecer al Tenebroso Señor... ¡ah, señor Borgin!

Tras el mostrador había aparecido un hombre encorvado, alisándose el grasiento cabello por detrás de la cabeza.

—¡Señor Malfoy, qué placer verlo de nuevo! —respondió el señor Borgin con una voz tan aceitosa como su cabello—. ¡Qué honor...! Y ha venido también el señor Malfoy junior. Encantado. ¿En qué puedo servirles? Precisamente hoy puedo enseñarles, y a un precio muy razonable...

—Hoy no vengo a comprar, señor Borgin, sino a vender —anunció el padre de Malfoy.

—¿A vender? —De la cara del señor Borgin se desdibujó sutilmente la sonrisa.

—Usted habrá oído, por supuesto, que el ministro está preparando más redadas —empezó el padre de Malfoy, sacando de su bolsillo interior un pergamino y desenrollándolo para que el señor Borgin pudiera leerlo—. Tengo en casa algunos... artículos que podrían ponerme en un aprieto, si el ministro fuera a llamar a...

El señor Borgin se puso unos anteojos y examinó la lista:

—Pero me imagino que el ministro no se atreverá a molestarlo, señor.

El padre de Malfoy hizo una mueca con los labios:

—Aún no me han visitado. El apellido Malfoy todavía inspira un poco de respeto, pero el ministro cada vez se entromete más. Hay rumores sobre una nueva Ley de Defensa de los *Muggles*... sin duda ese mugriento Arthur Weasley, ese loco amante de los *muggles*, anda detrás...

Harry tuvo un acceso de rabia.

—...Y, como ve, algunos de estos venenos podrían hacerlo *aparecer*...

—¿Puedo quedarme con *esto*? —interrumpió Draco, señalando la mano cortada que estaba sobre el almohadón.

—¡Ah, la mano de la Gloria! —dijo el señor Borgin, olvidando la lista del padre de Malfoy y yendo hacia Draco—. ¡Si se introduce una vela, alumbrará las cosas sólo para el que la sostiene! ¡El mejor aliado de los ladrones y saqueadores! Su hijo tiene un gusto muy fino, señor.

—Espero que mi hijo llegue a ser algo más que un ladrón o un saqueador, Borgin —repuso fríamente el padre de Malfoy.

Y el señor Borgin se apresuró a decir:

—No he pretendido ofenderle, señor, en absoluto...

—Aunque si no mejoran sus notas en el colegio —añadió el padre de Malfoy, aún más fríamente—, puede, claro está, que sólo sirva para eso.

—No es mi culpa —replicó Draco—. Todos los profesores tienen favoritos. Esa Hermione Granger...

—Pensé que te daría vergüenza que una chica que no es de familia de magos te superara en todos los exámenes —dijo el señor Malfoy bruscamente.

—¡Ja! —hizo Harry para sus adentros, encantado de ver a Draco tan avergonzado y furioso.

—En todas partes pasa lo mismo —dijo el señor Borgin,

con su voz untuosa—. Cada vez tiene menos importancia pertenecer a una estirpe de magos.

—No para mí —repuso el señor Malfoy, resoplando de enfado.

—No, señor, ni para mí, señor —convino el señor Borgin, con una inclinación.

En ese caso, quizá podamos volver a fijarnos en mi lista —dijo el señor Malfoy, lacónicamente—. Tengo un poco de prisa, Borgin, hoy tengo importantes asuntos que atender en otro lugar.

Se pusieron a regatear. Harry espiaba poniéndose cada vez más nervioso conforme Draco se acercaba a su escondite, curioseando los objetos que estaban a la venta. Se detuvo a examinar un rollo grande de cuerda de ahorcado y a leer, sonriendo, la tarjeta que estaba apoyada contra un magnífico collar de ópalos:

Cuidado: no tocar. Collar embrujado.

Hasta la fecha se ha cobrado las vidas de diecinueve propietarias muggles.

Draco se volvió y vio frente a él el armario. Se dirigió hacia él... Alargó la mano para agarrar la manija...

—De acuerdo —dijo el señor Malfoy en el mostrador—. ¡Vamos, Draco!

Cuando Draco se volvió, Harry se pasó la manga por la frente.

—Que tenga un buen día, señor Borgin. Lo espero en mi mansión mañana para recoger las cosas.

En cuanto se cerró la puerta, el señor Borgin abandonó sus modales almibarados.

—Quédese los buenos días, *señor* Malfoy, y si es cierto lo que cuentan, usted no me ha vendido ni la mitad de lo que tiene oculto en su *mansión*.

Murmurando cosas incomprensibles, el señor Borgin se metió en la trastienda. Harry aguardó un minuto por si volvía, y luego, tan sigilosamente como pudo, salió del armario y, pasando las estanterías de cristal, salió por la puerta del negocio.

Sujetándose en la cara los anteojos rotos, miró en torno. Había salido a un lúgubre callejón que parecía estar lleno de negocios dedicados a las artes tenebrosas. El que acababa de abandonar, *Borgin y Burkes,* parecía el más grande, pero enfrente había una horrorosa vidriera que mostraba cabezas reducidas, y dos puertas más abajo había una jaula plagada de arañas negras gigantes. Dos brujos de aspecto miserable lo miraban desde el umbral de una puerta, murmurando algo entre ellos. Harry se apartó asustado, tratando de sujetarse los anteojos y esperando, desesperadamente, poder salir de allí.

Un letrero viejo de madera que colgaba en la calle sobre un negocio en que se vendían velas envenenadas, le indicó que estaba en el callejón Knockturn. Eso no le podía servir de ayuda, dado que Harry no había oído nunca el nombre de aquel lugar. Imaginó que no había pronunciado claramente en la chimenea de los Weasley con la boca llena de cenizas. Intentó tranquilizarse y pensar qué debía hacer.

—¿No estarás perdido, querido? —le dijo una voz en su misma oreja, haciéndole dar un salto.

Ante él estaba una bruja vieja, sosteniendo una bandeja de algo que se parecía horriblemente a uñas humanas enteras. Lo miraba con una mirada malévola, mostrando sus dientes llenos de sarro. Harry se echó atrás.

—Estoy bien, gracias —respondió—. Yo sólo...

—¡HARRY! ¿Qué demonios estás haciendo aquí?

El corazón le dio un brinco. Igual que la bruja: a quien muchas de las uñas se le cayeron a los pies, y echó una maldición cuando la mole de Hagrid, el guardián de Hogwarts, se acercó a ellos con paso decidido, con los ojos de un negro azabache destellando sobre la hirsuta barba.

—¡Hagrid! —dijo Harry, con la voz enronquecida de la emoción—. Me perdí... los polvos *flu...*

Hagrid aferró a Harry por el pescuezo y lo separó de la bruja, tirándole la bandeja. Sus gritos los siguieron a lo largo del retorcido callejón hasta que llegaron a un lugar iluminado por la luz del sol. Harry vio a la distancia un edificio que le resultaba conocido, de mármol blanco como la nieve: era el Banco de Gringotts. Hagrid lo había llevado hasta el callejón Diagon.

—¡No tienes remedio! —le dijo Hagrid de mal modo, sacudiéndole el hollín con tanto ímpetu que casi lo tira contra un barril de excrementos de dragón que había a la entrada de una farmacia—. Merodeando por el callejón Knockturn, no sé... es un mal sitio, Harry... mejor que nadie te vea por ahí...

—Ya me di cuenta —dijo Harry, agachándose cuando Hagrid hizo ademán de volver a sacudirle el hollín—. Ya te he dicho que me había perdido... ¿Y tú, qué hacías por allí?

—Buscaba un repelente contra las babosas carnívoras —gruñó Hagrid—. Están echando a perder las berzas. ¿Estás solo?

—He venido con los Weasley, pero nos hemos separado —explicó Harry—. Tengo que ir a buscarlos...

Bajaron juntos por la calle.

—¿Por qué no has respondido a ninguna de mis cartas? —le preguntó a Harry, que iba a su lado, casi corriendo (tenía que dar tres pasos por cada una de las zancadas de las grandes botas de Hagrid). Harry le explicó todo sobre Dobby y los Dursley.

—¡Condenados *muggles*! —gruñó Hagrid—. Si no los hubiera conocido...

—¡Harry!, ¡Harry! ¡Allí!

Harry miró y vio a Hermione Granger en lo alto de las escaleras de Gringotts. Ella corrió hacia ellos, con su espesa cabellera castaña volando detrás.

—¿Qué les ha pasado a tus anteojos? Hola, Hagrid... ¡Ah, qué estupendo volver a verlos...! ¿Vienes a Gringotts, Harry?

—Tan pronto como encuentre a los Weasley —respondió Harry.

—No tendrás que esperar mucho —dijo Hagrid con una sonrisa.

Harry y Hermione miraron alrededor: corriendo por la abarrotada calle llegaban Ron, Fred, George, Percy y el señor Weasley.

—Harry —dijo el señor Weasley jadeando—. *Esperábamos* que sólo te hubieras pasado una chimenea... —Se secó su calva brillante. —Molly está desesperada... ahora viene.

—¿Dónde has salido? —preguntó Ron.

—En el callejón Knockturn —respondió Harry, serio.

—¡*Admirable*! —exclamaron Fred y George a un tiempo.

—A nosotros nunca nos han dejado entrar —añadió Ron, con envidia.

—Y han hecho bien —gruñó Hagrid.

La señora Weasley apareció en ese momento a todo correr, agitando violentamente en una mano el bolso, y sujetando a Ginny con la otra.

—¡Ay, Harry... ay, cielo... podías haber salido en cualquier parte...!

Respirando con dificultad, sacó del bolso un cepillo grande para la ropa, y comenzó a quitarle a Harry el hollín con el que no había podido Hagrid. El señor Weasley tomó los anteojos de Harry, les dio un golpecito con la varita mágica, y se los devolvió como nuevos.

—Bueno, tengo que irme —dijo Hagrid, al que la señora Weasley le estaba estrujando la mano ("¡La calleja Knockturn! ¡Si usted no lo hubiera encontrado, Hagrid!"). —¡Los veré en Hogwarts! —Y se alejó a grandes zancadas. Su cabeza y sus hombros sobresalían de la multitud.

—¿A que no adivinan con quién me he encontrado en Borgin y Burkes? —les preguntó Harry a Ron y Hermione mientras subían las escaleras de Gringotts—. A Malfoy y su padre.

—¿Y compró algo Lucius Malfoy? —preguntó el señor Weasley, con acritud.

—No, quería vender.

—Así que está preocupado —comentó el señor Weasley con ceñuda satisfacción—. ¡Ah, me gustaría pescar a Lucius Malfoy por algo...!

—Ten cuidado, Arthur —le dijo severamente la señora Weasley mientras pasaban al Banco por una puerta en la que un duende les hacía reverencias—. Esa familia es de temer, no vayas a dar pasos en falso.

—¿Así que no crees que yo esté a la altura de Lucius Malfoy? —preguntó indignado el señor Weasley, pero casi en ese mismo momento se distrajo al ver a los padres de Hermione, que, azorados, aguardaban, ante el mostrador que se extendía por toda la longitud del gran salón de mármol, a que Hermione los presentara.

—¡Pero ustedes son *muggles*! —observó encantado el señor Weasley—. ¡Tenemos que tomar una copa! ¿Qué tienen ahí? ¡Ah, están cambiando dinero *muggle*! ¡Mira, Molly! —dijo, señalando emocionado el billete de diez libras esterlinas que el señor Granger tenía en la mano.

—Nos vemos aquí luego —le dijo Ron a Hermione, cuando otro duende de Gringotts se disponía a conducir a los Weasley y a Harry hacia las cámaras acorazadas en que guardaban su dinero.

Se llegaba a las cámaras en unos carros pequeños, conducidos por duendes, que circulaban velozmente por unos carriles de tren de miniatura, por los túneles que había debajo del Banco. Harry disfrutó el vertiginoso descenso hasta la cámara acorazada de los Weasley, pero en el momento en que abrieron la cámara se sintió mal, bastante peor que cuando se había encontrado en el callejón Knockturn. Dentro había un montoncito muy pequeño de *sickles* de plata, y tan sólo un antiguo galeón de oro. La señora Weasley repasó las esquinas de la cámara antes de echar todas las monedas en su bolso. Harry se sintió aun peor cuando llegaron a su cámara. Intentó impedir que vieran el contenido mientras a toda prisa metía en una bolsa de cuero unos puñados de monedas.

Cuando salieron a las escaleras de mármol, se separaron todos. Percy musitó vagamente que necesitaba una nueva pluma. Fred y George habían visto a su amigo de Hogwarts, Lee Jordan. La señora Weasley y Ginny fueron a un negocio de túnicas de segunda mano. El señor Weasley insistía en invitar a los Granger a tomar algo en el Caldero Chorreante.

—Nos vemos dentro de una hora en Flourish y Blotts para comprar sus libros de texto —dijo la señora Weasley, yéndose con Ginny—. ¡Y no se acerquen al callejón Knockturn! —les gritó a los gemelos, que ya se alejaban.

Harry, Ron y Hermione pasearon por la tortuosa calle de adoquines. La bolsa de monedas de oro, plata y bronce que tintineaban alegremente dentro del bolsillo de Harry estaba pidiendo a gritos que se le diera uso, así que compró tres grandes helados de frutilla y manteca de maní que devoraron a grandes lametones mientras subían por el callejón, contemplando las fascinantes vidrieras. Ron se quedó mirando un conjunto completo de túnicas de los jugadores del Chudley Cannon en la vidriera de *Artículos de calidad para el juego de quidditch*, hasta que Hermione se los llevó a rastras a la puerta de al lado para comprar tinta y pergamino. En el negocio de artículos para bromas Gambol y Japes, encontraron a Fred, George y Lee Jordan, que se estaban abasteciendo de las Fabulosas bengalas del doctor Filibuster, que no necesitan fuego porque se prenden con la humedad, y en un local muy pequeño de trastos usados, repleto de varitas rotas, balanzas de bronce torcidas y capas viejas llenas de manchas de pociones, encontraron a Percy, completamente absorto en la lectura de un libro absolutamente aburrido que se titulaba *Prefectos que conquistaron poder*.

—*Un estudio de los prefectos de Hogwarts y sus trayectorias profesionales* —leyó Ron en voz alta de la contracubierta—. Suena *fascinante*...

—Váyanse —les dijo Percy de mal humor.

—Desde luego, Percy es muy ambicioso, tiene todo planeado... quiere llegar a ministro de la Magia... —les dijo Ron a Harry y Hermione en voz baja, cuando salieron dejando allí a Percy.

Una hora después, se encaminaron a Flourish y Blotts. No eran, ni mucho menos, los únicos que iban hacia la librería. Al acercarse, vieron para su sorpresa a una multitud que se empujaba en la puerta tratando de entrar. La razón de esto la proclamaba una gran pancarta extendida en las vidrieras superiores:

GILDEROY LOCKHART
firmará ejemplares de su autobiografía
EL ENCANTADOR
hoy, de 12:30 a 16:30

—¡Podemos conocerlo en persona! —chilló Hermione—. ¡Quiero decir que ha escrito casi todos los libros de la lista!

La multitud parecía conformada principalmente por brujas de la edad de la señora Weasley. En la puerta había un mago aparentemente abrumado, que decía:

—Por favor, señoras, tengan calma... no empujen... cuidado con los libros...

Harry, Ron y Hermione entraron con dificultad. Una larga cola serpenteaba hasta la parte de atrás de la librería, en la que Gilderoy Lockhart estaba firmando libros. Cada uno tomó un ejemplar de *Recreo con la banshee* y se acercó sigilosamente a la fila en la que ya se había colocado el resto de los Weasley con los padres de Hermione.

—Ah, bien, ya están aquí —dijo la señora Weasley. Parecía que le faltaba el aliento, y se retocaba el cabello con las manos. —Lo veremos dentro de un minuto...

Gilderoy Lockhart se fue haciendo visible poco a poco. Estaba sentado a una mesa, rodeado de grandes fotografías con su rostro, fotografías en las que guiñaba un ojo y exhibía ante la multitud sus deslumbrantes dientes blancos. El Lockhart real vestía una túnica de color nomeolvides, que combinaba perfectamente con sus ojos; llevaba su sombrero puntiagudo de mago desenfadadamente ladeado sobre su pelo ondulado.

Un hombre bajo, aparentemente irritable, merodeaba por allí sacando fotos con una gran cámara negra que echaba humaredas de color púrpura con cada uno de los destellos cegadores del flash.

—Fuera de aquí —le gruñó a Ron, retrocediendo para atrás para captar una vista mejor—. Es para el diario *El Profeta*.

—¡Fíjate! —exclamó Ron, frotándose el pie en el sitio en que el fotógrafo lo había pisado.

Gilderoy Lockhart lo oyó. Levantó la vista. Vio a Ron, y luego vio a Harry. Se fijó en él. Entonces se puso de pie de un salto y gritó con voz atronadora:

—¿*No será* ése Harry Potter?

La multitud se hizo a un lado, cuchicheando emocionada. Lockhart bajó hacia él, lo tomó del brazo, y lo llevó hacia adelante. La multitud aplaudió. A Harry la cara le ardía cuando Lockhart le estrechó la mano ante el fotógrafo, que no paraba un segundo de sacar fotos, ahumando a los Weasley.

—Y ahora sonríe, Harry —le pidió Lockhart, con su propia sonrisa deslumbrante—. Tú y yo juntos nos merecemos la primera página.

Cuando soltó la mano de Harry, a éste los dedos se le habían quedado entumecidos. Quiso volver con los Weasley, pero Lockhart le pasó el brazo por los hombros y lo sujetó a su lado:

—Damas y caballeros —dijo en voz alta, pidiendo silencio con un gesto de la mano—. ¡Qué extraordinario momento! ¡El momento ideal para que les anuncie algo que he mantenido oculto durante algún tiempo!

"Cuando el joven Harry entró hoy en Flourish y Blotts, sólo pensaba comprar mi autobiografía, que estaré muy contento de regalarle —la multitud aplaudió de nuevo—. Él no tenía ni *idea* —continuó Lockhart, dándole a Harry un sacudón que hizo que los anteojos se le cayeran hasta la punta de la nariz— de que en breve iba a recibir de mí mucho más que mi libro, *El encantador*. ¡Sí, damas y caballeros, tengo el gran placer y el orgullo de anunciarles que este mes de septiembre asumiré el puesto de profesor de Defensa contra las Artes Tenebrosas en el Colegio Hogwarts de Magia!

La multitud aplaudió y vitoreó, y Harry fue obsequiado con todos los libros de Gilderoy Lockhart. Tambaleándose un poco bajo su peso, logró abrirse camino desde la mesa de Gilderoy, en que se centraba la atención del público, hasta el final del negocio, donde Ginny aguardaba de pie, junto a su caldero nuevo.

—Tenlos tú —le farfulló Harry, metiendo los libros en el caldero—. Yo compraré los míos...

—A que te gusta, ¿eh, Potter? —dijo una voz que Harry no tuvo ninguna dificultad en reconocer. Se enderezó y se encontró cara a cara con Draco Malfoy, que adoptaba su habitual aire despectivo.

—El *famoso* Harry Potter —dijo Malfoy—. Ni siquiera en una *librería* puedes dejar de ser el protagonista.

—¡Déjalo en paz, él no buscaba todo eso! —replicó Ginny. Era la primera vez que hablaba delante de Harry. Con la mirada, estaba fulminando a Malfoy.

—¡Potter, tienes *novia*! —dijo Malfoy arrastrando las palabras. Ginny se puso roja mientras Ron y Hermione trataban de acercarse, con sendos montones de los libros de Lockhart.

—¡Ah, eres tú! —dijo Ron, mirando a Malfoy como se mira un chicle que se le ha pegado a uno en la suela del zapato—. ¿A que te sorprende ver aquí a Harry, eh?

—No me sorprende tanto como verte a ti en un negocio, Weasley —replicó Malfoy—. Supongo que tus padres pasarán hambre durante un mes para pagarte esos libros.

Ron se puso tan rojo como Ginny. Dejó los libros en el caldero, y se fue hacia Malfoy, pero Harry y Hermione lo sujetaron de la chaqueta.

—¡Ron! —dijo el señor Weasley, abriéndose camino a duras penas con Fred y George—. ¿Qué haces? Esto es una locura, vamos afuera.

—Bueno, bueno, bueno... ¡si es Arthur Weasley!

Era el padre de Malfoy. Le había puesto la mano a Draco en el hombro, y miraba con la misma expresión de desprecio que él.

—Lucius —dijo el señor Weasley, asintiendo fríamente.

—Mucho trabajo en el ministerio, me han dicho —comentó el señor Malfoy—. Todas esas redadas... Espero que cobres horas extras.

Se acercó al caldero de Ginny y sacó de él, entre los libros de Lockhart impresos en papel satinado, un ejemplar muy viejo y muy estropeado de la *Guía de la Transfiguración para principiantes*.

—Obviamente no —rectificó—. Querido amigo, ¿de qué sirve deshonrar el nombre de mago si ni siquiera te pagan bien por ello?

El señor Weasley se puso aún más rojo que Ron y Ginny.

—Tenemos una idea diferente de qué es lo que deshonra el nombre de mago, Malfoy —contestó.

—Es evidente —dijo Malfoy, desviando sus ojos claros hacia los padres de Hermione, que lo miraban con aprensión—. Las compañías que frecuentas, Weasley... yo creía que no podías caer todavía más bajo.

Al salir volando el caldero de Ginny, se oyó un estruendo metálico; el señor Weasley se lo había arrojado al señor Malfoy, y éste al caer había golpeado contra un estante. Docenas de pesados libros de conjuros cayeron sobre sus cabezas. Hubo un grito de "¡Dale, papá!", proveniente de Fred y George; la señora Weasley gritaba "¡No, Arthur, no!", la multitud retrocedió en desbandada, derribando a su vez otros estantes.

—¡Señores, por favor... por favor! —gritó un empleado.

Y luego, por encima de todas las voces, se oyó:

—¡Basta ya, señores, basta ya!

Hagrid vadeaba el océano de libros acercándose a ellos. En un instante, había separado a los señores Weasley y Malfoy. El primero tenía un labio partido, y al segundo, una *Enciclopedia de setas no comestibles* le había pegado en un ojo. Todavía sujetaba en las manos el viejo libro de Ginny sobre transfiguración. Se lo entregó a ella, con la maldad brillándole en los ojos:

—Toma, niña, ten tu libro, es el mejor que puede darte tu padre.

Librándose de Hagrid, que lo sujetaba, le hizo una seña a Draco y salieron de la librería.

—No debería hacerle caso, Arthur —dijo Hagrid, casi levantándolo del suelo mientras le alisaba la túnica—: Todos en esa familia están podridos hasta las entrañas, eso lo sabe todo el mundo. Son una mala estirpe. Vamos, salgamos de aquí.

Dio la impresión de que el empleado quería impedirles la salida, pero apenas le llegaba a Hagrid a la cintura, y lo pensó mejor. Se apresuraron hacia la calle. Los padres de Hermione temblaban de miedo, y la señora Weasley, que iba a su lado, estaba furiosa.

—¡Qué *buena* enseñanza para tus hijos... *peleando* en público... *qué* habrá pensado Gilderoy Lockhart...!

—Estaba encantado —repuso Fred—. ¿No lo oyeron cuando salíamos de la librería? Le preguntaba al tipo ese de *El Profeta* si podría incluir la pelea en la nota. Decía que todo era publicidad.

Pero iban cabizbajos al regresar a la chimenea de El Caldero Chorreante, donde Harry, los Weasley y toda su compra volvieron a La Madriguera utilizando los polvos *flu*. Se despidieron de los Granger, que abandonaron el bar hacia la calle *muggle* que había al otro lado. El señor Weasley iba a preguntarles cómo era el funcionamiento de una parada del autobús, pero se detuvo en cuanto vio la expresión de la cara de su mujer.

Harry se quitó los anteojos y los guardó en su bolsillo antes de utilizar los polvos *flu*. Decididamente, no era aquél su medio de transporte favorito.

CAPÍTULO CINCO

El sauce boxeador

El final del verano llegó más rápido de lo que Harry hubiera querido. Estaba deseando volver a Hogwarts, pero por otro lado, el mes pasado en La madriguera había sido el más feliz de su vida. Le resultaba difícil no sentir envidia de Ron cuando se acordaba de los Dursley y el tipo de bienvenida que cabía esperar cuando volviera a Privet Drive.

La última noche, la señora Weasley hizo aparecer, por medio de un conjuro, una cena suntuosa que incluía todas las cosas favoritas de Harry y que terminó con un suculento budín de melaza. Fred y George redondearon la noche con una exhibición de las bengalas del doctor Filibuster; llenaron la cocina con chispas azules y rojas que rebotaron del techo a las paredes durante al menos media hora. Después de eso, llegó el momento de tomar una última taza de chocolate caliente e ir a la cama.

A la mañana siguiente, llevó mucho rato ponerse en marcha. Se levantaron con el canto del gallo, pero parecía que quedaban muchas cosas por preparar. La señora Weasley, de mal humor, iba de aquí para allá como una exhalación, buscando tan pronto unas medias como una pluma. Algunos se chocaban en las escaleras, medio vestidos, sosteniendo en la mano el trozo de una tostada, y el señor Weasley, llevando el baúl de Ginny al coche a través del patio, casi se rompe el cuello al tropezar con una gallina despistada.

A Harry no le entraba en la cabeza que ocho personas, seis baúles grandes, dos lechuzas y una rata pudieran caber en un pequeño Ford Anglia. Claro que no había contado con las prestaciones especiales que le había añadido el señor Weasley.

—No le digas a Molly ni media palabra —le susurró a Harry al abrir el baúl del coche y enseñarle cómo lo había expandido mágicamente para que pudiera caber el equipaje con toda facilidad.

Cuando por fin estuvieron todos en el coche, la señora Weasley echó un vistazo al asiento trasero, en el que Harry, Ron, Fred, George y Percy estaban confortablemente sentados, uno junto a otro, y dijo:

—Los *muggles* saben más de lo que uno creería, ¿verdad? —Ella y Ginny iban en el asiento delantero, que había sido alargado hasta tal punto que parecía un banco del parque. —Quiero decir que desde fuera uno nunca diría que el coche es tan espacioso, ¿verdad?

El señor Weasley arrancó el motor y salieron del patio. Harry se volvió para echarle a la casa una última mirada. Apenas le había dado tiempo a preguntarse cuándo volvería a verla, cuando ya estaban de regreso: a George se le había olvidado su caja de bengalas del doctor Filibuster. Cinco minutos después, el vehículo se detuvo, tras dar una patinada, para que Fred pudiera entrar a buscar su escoba. Ya estaban en la autopista cuando Ginny gritó que se había olvidado su diario. Para cuando ella volvió a subir al coche, tenían muchísimo retraso, y los ánimos estaban alterados.

El señor Weasley miró primero su reloj y luego a su mujer:

—Molly, querida...

—*No*, Arthur.

—Nadie nos vería. Este botón de aquí es un accionador de invisibilidad que he instalado. Ascenderíamos en el aire, luego volaríamos por encima de las nubes, y llegaríamos en diez minutos. Nadie se daría cuenta...

—He dicho que *no*, Arthur, no a plena luz del día.

Llegaron a King's Cross a las once menos cuarto. El señor Weasley cruzó la calle a toda velocidad para hacerse con unos carritos para cargar los baúles, y entraron todos corriendo en la estación.

Harry ya había tomado el expreso de Hogwarts el año anterior. La dificultad estaba en llegar al andén 9 3/4, que no era visible para los ojos de los *muggles*. Lo que había que hacer era atravesar caminando la gruesa barrera que separaba el andén 9 del 10. No era doloroso, pero había que hacerlo con cuidado para que ningún *muggle* notara la desaparición.

—Percy primero —dijo la señora Weasley, mirando con inquietud el reloj que había en lo alto, que indicaba que sólo tenían cinco minutos para desaparecer disimuladamente a través de la barrera.

Dándose prisa, Percy avanzó hasta desaparecer. A continuación fue el señor Weasley. Lo siguieron Fred y George.

—Yo pasaré con Ginny, y ustedes dos nos siguen —les dijo la señora Weasley a Harry y Ron, agarrando a Ginny de la mano y empezando a caminar. En un abrir y cerrar de ojos ya no estaban.

—Vamos juntos, sólo nos queda un minuto —le dijo Ron a Harry.

Harry se aseguró de que la jaula de Hedwig estuviera bien sujeta encima del baúl, y empujó el carrito contra la barrera. No le dio miedo: esto era mucho más seguro que usar los polvos *flu*. Se inclinaron sobre la barra de sus carritos y se encaminaron con determinación hacia la barrera, tomando velocidad. A un metro de la barrera, empezaron a correr y...

¡CRASH!

Los dos carritos chocaron contra la barrera y rebotaron hacia atrás. El baúl de Ron cayó contra el suelo con un sonoro golpe, Harry se cayó, y la jaula de Hedwig, al dar en el suelo reluciente, rebotó y salió rodando, con la lechuza dando unos terribles chillidos. Todo el mundo los miraba, y un guardia que había allí cerca les gritó:

—¿Qué demonios están haciendo?

—He perdido el control del carrito —dijo Harry entre jadeos, agarrándose las costillas mientras se levantaba. Ron salió corriendo detrás de la jaula de Hedwig, que estaba provocando tal escena que la multitud murmuraba cosas sobre la crueldad hacia los animales.

—¿Por qué no hemos podido pasar? —le preguntó Harry a Ron entre dientes.

—Ni idea.

Ron miró furioso a su alrededor. Todavía los miraba una docena de curiosos.

—Vamos a perder el tren —murmuró—. No comprendo por qué se nos ha cerrado el paso.

Harry miró el reloj gigante con una sensación de náuseas en la boca del estómago. Diez segundos... nueve segundos...

Fue hacia adelante con el carrito, con cuidado, hasta que llegó a la barrera, y empujó a continuación con todas sus fuerzas. La barrera permaneció allí, infranqueable.

Tres segundos... dos segundos... un segundo...

—Ha partido —anunció Ron, atónito—. Ha partido el tren. ¿Qué pasará si mis padres no pueden volver a recogernos? ¿Tienes algo de dinero *muggle*?

Harry soltó una risa sardónica:

—Hace seis años que los Dursley no me dan la paga semanal.

Ron pegó la oreja a la fría barrera:

—No oigo nada —dijo preocupado—. ¿Qué vamos a hacer? No sé cuánto tardarán mis padres en volver a buscarnos.

Echaron un vistazo a la estación. La gente todavía los miraba, principalmente a causa de los gritos ininterrumpidos de Hedwig.

—A lo mejor tendríamos que ir al coche y esperar allí —dijo Harry—. Estamos llamando demasiado la aten...

—¡Harry! —dijo Ron, con los ojos refulgentes—: ¡El coche!

—¿Qué pasa con él?

—¡Podemos llegar a Hogwarts volando!

—Pero yo creía...

—Estamos en un apuro, ¿verdad? Y tenemos que llegar al colegio, ¿verdad? E incluso a los magos menores de edad se les permite hacer uso de la magia si se trata de una verdadera emergencia, sección decimonovena o algo así de la Restricción de Chismes...

El pánico que sentía Harry se convirtió de repente en emoción:

—¿Sabes hacerlo volar?

—Por supuesto —dijo Ron, dirigiendo su carrito hacia la salida—: Ven, vamos, si nos damos prisa podremos seguir al expreso de Hogwarts.

Y se abrieron paso a través de la multitud de *muggles* curiosos, salieron de la estación y regresaron a la calle lateral en que habían estacionado el viejo Ford Anglia.

Ron abrió el grande y oscuro baúl con unos golpecitos de su varita mágica. Metieron otra vez dentro el equipaje, dejaron a Hedwig en el asiento de atrás, y ellos se sentaron en los delanteros.

—Comprueba que no nos vea nadie —le pidió Ron, arrancando el coche con otro golpe de su varita. Harry sacó la cabeza por la ventanilla: el tráfico retumbaba por la avenida que tenían delante de ellos, pero su calle estaba despejada.

—Nadie —dijo.

Ron apretó un diminuto botón plateado del tablero. El coche desapareció, y ellos también. Harry podía notar cómo vibraba el asiento debajo de él, podía oír el motor, notar sus propias manos en las rodillas y los anteojos en la nariz, pero, a juzgar por lo que podía ver, se había convertido en un par de ojos que flotaban a un metro por encima del suelo en una lúgubre calle llena de coches estacionados.

—¡En marcha! —dijo a su lado la voz de Ron.

El pavimento y los sucios edificios que había a cada lado empezaron a caer, perdiéndose de vista al ascender el coche; al cabo de unos segundos, todo Londres se extendía debajo de ellos, brillante y neblinoso.

Entonces se oyó un ligero estallido, y reaparecieron el coche, Ron y Harry:

—¡Caramba! —dijo Ron, apretando el botón del accionador de invisibilidad—. Se ha estropeado.

Los dos se pusieron a darle golpes. El coche desapareció, pero luego empezó a aparecer intermitentemente.

—¡Agárrate! —gritó Ron, y apretó el acelerador: como una bala, penetraron en las nubes algodonosas, y todo se volvió neblinoso y apagado.

—¿Y ahora qué? —preguntó Harry, pestañeando ante la masa compacta de nubes que los rodeaba por todos lados.

—Tenemos que ver el tren para saber qué dirección seguir —dijo Ron.

—Vuelve a descender, rápido.

Descendieron por debajo de las nubes, y se inclinaron en los asientos, mirando hacia la tierra con los ojos entornados.

—¡Lo veo! —gritó Harry—. ¡Todo recto, por allí!

El expreso de Hogwarts corría debajo de ellos como una serpiente roja.

—Derecho hacia el norte —dijo Ron, comprobando el indicador del tablero—. Bueno, tendremos que comprobarlo cada media hora más o menos. Agárrate...

Y volvieron a internarse en las nubes. Un minuto después, salían al resplandor de la luz solar.

Aquél era un mundo diferente. Las ruedas del coche rozaban el océano de esponjosas nubes, y el cielo era un azul brillante inacabable debajo de un cegador sol blanco.

—Ahora sólo tenemos que preocuparnos por los aviones —dijo Ron.

Se miraron el uno al otro y se rieron. Tardaron mucho en poder parar de reírse.

Era como si hubieran entrado en un sueño maravilloso. Aquélla, pensó Harry, era seguramente la manera ideal de viajar: pasando copos de nubes que parecían de nieve, en un coche inundado de luz solar cálida y luminosa, con una bolsa grande de caramelos en la guantera y la perspectiva de contemplar las caras de envidia de Fred y George cuando aterrizaran suave y espectacularmente en la amplia explanada de césped delante del castillo de Hogwarts.

Hacían regulares comprobaciones del rumbo del tren según volaban hacia el norte, y cada vez que bajaban por debajo de las nubes, veían un paisaje diferente. Londres quedó atrás enseguida, reemplazado por campos verdes que daban paso a brezales de color púrpura, a aldeas con diminutas iglesias en miniatura y a una gran ciudad animada por coches como hormigas de variados colores.

Sin embargo, después de varias horas sin sobresaltos, Harry tenía que admitir que parte de la diversión se había esfumado. Los caramelos les habían dado una sed tremenda, y no tenían nada que beber. Él y Ron se habían despojado de sus suéteres, pero a Harry se le pegaba la camiseta al respaldo del asiento, y los anteojos se le deslizaban todo el tiempo hasta la punta de la nariz, empapada de sudor. Había dejado de maravillarse con las sorprendentes formas de las nubes, y se acordaba todo el tiempo del tren que circulaba miles de metros más abajo, donde se podía comprar jugo de calabaza frío como el hielo que llevaba en un carrito una bruja gordita. ¿Por qué motivo no habrían podido entrar en el andén 9 3/4?

—No puede quedar muy lejos, ¿verdad? —dijo Ron, con

la voz ronca, horas más tarde, cuando el sol se hundía en el lecho de nubes, tiñéndolas de un rosa intenso—. ¿Listo para otra comprobación del tren?

Continuaba debajo de ellos, abriéndose camino por una montaña coronada de nieve. Estaba mucho más oscuro bajo el dosel de nubes.

Ron apretó el acelerador y volvieron a ascender, pero al hacerlo, el motor empezó a chirriar.

Harry y Ron intercambiaron miradas nerviosas.

—Seguramente es porque está cansado —dijo Ron—, nunca antes había hecho un viaje tan largo...

Y ambos hicieron como que no se daban cuenta de que el chirrido se hacía más intenso al tiempo que el cielo se oscurecía. Las estrellas iban apareciendo en el cielo nocturno. Harry se volvió a poner el suéter, tratando de no dar importancia al hecho de que los limpiaparabrisas se movían despacio, como en protesta.

—Ya queda poco —dijo Ron, dirigiéndose más al coche que a Harry—. Ya queda poco, —y dio unas palmadas en el tablero, preocupado.

Cuando, un poco más allá, volvieron a descender por debajo de las nubes, tuvieron que aguzar la vista en busca de algo que pudieran reconocer:

—¡Allí! —gritó Harry de forma que Ron y Hedwig dieron un salto—. ¡Justo delante!

En el acantilado que se elevaba sobre el lago, las numerosas torres y atalayas del castillo de Hogwarts se recortaban contra el oscuro horizonte.

Pero el coche había empezado a dar sacudidas y a perder velocidad.

—¡Vamos! —dijo Ron para animarlo, dándole una pequeña sacudida al volante—. ¡Vamos, ya llegamos!

El motor chirriaba. Finos chorros de vapor surgían del capó. Harry se agarró muy fuerte al asiento cuando se orientaron hacia el lago.

El coche osciló de manera preocupante. Mirando por la ventana, Harry vio la superficie calma, negra y cristalina del agua, un par de kilómetros por debajo. Al aferrar el volante, a Ron se le quedaban blancos los nudillos de las manos. El coche volvió a tambalearse.

—¡Vamos! —murmuró Ron.

Estaban sobre el lago... el castillo estaba justo delante de ellos... Ron apretó el pedal.

Se produjo un estruendo metálico, seguido de un chisporroteo, y el motor se paró completamente.

—¡Oh! —exclamó Ron, en medio del silencio.

El coche inclinó el hocico hacia abajo. Caían, cada vez más rápido, directamente contra el sólido muro del castillo.

—¡*Noooooo!*—gritó Ron, girando el volante; esquivaron la oscura piedra por unos centímetros cuando el coche viró describiendo un pronunciado arco, planeando sobre los oscuros invernaderos y luego sobre la huerta y el oscuro césped, perdiendo altura sin cesar.

Ron soltó el volante y sacó del bolsillo de atrás la varita mágica:

—¡ALTO! ¡ALTO! —gritó, dando unos golpes en el tablero y el parabrisas, pero todavía estaban cayendo en picada, y el suelo se precipitaba contra ellos...

—¡CUIDADO CON ESE ÁRBOL! —gritó Harry, tomando el volante, pero era demasiado tarde.

¡PUM!

Provocando un estruendo de metal y madera, chocaron contra el grueso tronco del árbol y cayeron al suelo con un duro golpe. Del abollado capó salió más humo; Hedwig gritaba aterrorizada, a Harry, en el lugar de la cabeza en que se había golpeado contra el parabrisas, le había salido un doloroso chichón del tamaño de una pelota de golf; y, a su lado, Ron dejaba salir un gemido bajo de desesperación.

—¿Estás bien? —le preguntó Harry inmediatamente.

—Mi varita mágica —dijo Ron, con voz temblorosa—. Mira mi varita.

Se había partido prácticamente en dos pedazos: la punta oscilaba lánguidamente, sujeta por unas pocas astillas.

Harry abrió la boca para decir que estaba seguro de que podrían recomponerla en el colegio, pero no llegó a decir nada. En ese mismo momento, algo golpeó contra su lado del coche con la misma fuerza de un toro que los hubiera embestido, y lo arrojó de lado contra Ron, al mismo tiempo que el techo del coche recibía otro golpe igual de fuerte.

—¿Qué ha pasado?

Ron ahogó un grito, mirando por el parabrisas, y Harry echó un vistazo en torno de ellos, justo a tiempo de ver una rama, del grueso de una serpiente pitón, que golpeaba en el coche destrozándolo. El árbol contra el que habían chocado los atacaba. El tronco se había inclinado casi el doble de lo que estaba antes, y azotaba, con sus nudosas ramas que tenían la contundencia del plomo, cada centímetro del coche que quedaba a su alcance.

—¡Aaaaag! —gritó Ron, cuando una rama retorcida golpeó en su puerta produciendo otra gran abolladura; el parabrisas tembló entonces bajo una lluvia de golpes de ramitas como nudillos, y una rama tan gruesa como un ariete aporreó con furia el techo, que parecía que se hundía.

—¡Escapemos! —gritó Ron, echando todo su peso contra la puerta, pero inmediatamente el salvaje latigazo de otra rama lo arrojó hacia atrás, contra el regazo de Harry.

—¡Estamos perdidos! —gimió, viendo combarse el techo, pero de repente el suelo del coche comenzó a vibrar: el motor se ponía de nuevo en funcionamiento.

—¡*Marcha atrás!* —gritó Harry, y el coche salió disparado. El árbol aún trataba de golpearlos, pudieron oír crujir sus raíces cuando casi se arranca él mismo, en un intento de arremeter contra ellos mientras escapaban.

—Por poco —jadeó Ron—. ¡Muy bien hecho, coche!

El coche, sin embargo, había agotado sus fuerzas. Con dos golpes secos, las puertas se abrieron y Harry sintió que su asiento se inclinaba hacia un lado: la siguiente cosa de la que se dio cuenta fue de que se encontraba sentado en el húmedo césped. Unos ruidos sordos le indicaron que el coche estaba expulsando su equipaje del baúl; la jaula de Hedwig salió volando por el aire, y se abrió de golpe: la lechuza salió de ella emitiendo un chillido fuerte de enojo, y voló apresuradamente en dirección al castillo, sin mirar atrás. A continuación, el coche, abollado, rayado y echando humo, se perdió en la oscuridad, haciendo un ruido sordo y con las luces de atrás encendidas de enfado.

—¡Vuelve! —le gritó Ron, blandiendo su varita rota—. ¡Mi padre me matará!

Pero el coche desapareció de la vista con un último bufido de su tubo de escape.

—¿Es posible que tengamos esta suerte? —preguntó Ron tristemente mientras se inclinaba para recoger a la rata Scabbers—. De todos los árboles con los que podíamos haber chocado, tuvimos que dar contra el único que nos iba a devolver el golpe.

Miró por encima del hombro al viejo árbol, que todavía agitaba sus ramas pavorosamente.

—Vamos —dijo Harry cansinamente—. Lo mejor que podemos hacer es ir al colegio...

No era la llegada triunfal que habían imaginado. Con el cuerpo agarrotado, frío y magullado, agarraron los extremos de sus baúles y comenzaron a arrastrarlos subiendo la ladera cubierta de césped, hacia las grandes puertas principales de roble.

—Me parece que ya ha comenzado el banquete —dijo Ron, dejando caer su baúl al principio de los escalones y acercándose sigilosamente para echar un vistazo a través de una ventana iluminada—. ¡Eh, Harry, ven y mira... es la Selección!

Harry se acercó aprisa, y juntos, Ron y él contemplaron el Gran Salón.

Por encima de cuatro mesas abarrotadas de gente, se mantenían en el aire innumerables velas, haciendo brillar los platos y las copas. Por encima de las cabezas, el techo encantado que siempre reflejaba el cielo exterior estaba cuajado de estrellas.

A través de la maraña de negros sombreros puntiagudos de Hogwarts, Harry vio una larga fila de alumnos de primer curso, de aspecto asustado, que iban entrando en el Salón. Ginny estaba entre ellos, fácil de distinguir a causa de su intenso cabello de miembro de la familia Weasley. Mientras tanto, la profesora McGonagall, una bruja con anteojos y el pelo recogido en un apretado rodete, colocaba el famoso Sombrero Seleccionador de Hogwarts sobre un taburete, delante de los recién llegados.

Cada año, este sombrero viejo, remendado, raído y sucio, seleccionaba a los nuevos estudiantes que pasarían a pertenecer a cada una de las cuatro casas de Hogwarts (Gryffindor, Hufflepuff, Ravenclaw y Slytherin). Harry se acordaba bien de cuando se lo había puesto, un año antes, y había esperado, petrificado, la decisión que el sombrero pronunció en alta voz en su oído. Durante unos escasos y horribles segundos, había tenido miedo de que lo fuera a destinar a Slytherin, la casa que había dado más magos y brujas tenebrosos que ninguna otra, pero había acabado en Gryffindor, con Ron, Hermione y el resto de los Weasley. En el último trimestre, Harry y Ron habían contribuido a que Gryffindor ganara el Campeonato de Casas, venciendo a Slytherin por primera vez en siete años.

Habían llamado a un chico muy pequeño, de pelo castaño, para que se colocara el sombrero en la cabeza. Los ojos de Harry pasaron de él al lugar en que se sentaba el profesor Dumbledore, el director, contemplando la Selección desde la mesa de los profesores, con su larga barba plateada y sus anteojos de media luna brillando a la luz de las velas. Varios asientos más allá, Harry vio a Gilderoy Lockhart, vestido con una túnica color aguamarina. Y al final estaba Hagrid, grande y peludo, bebiendo hasta el fondo el contenido de su copa.

—Espera... —le murmuró Harry a Ron—. Hay una silla vacía en la mesa de los profesores... ¿Dónde está Snape?

Severus Snape era el profesor que menos le gustaba a Harry. También Harry resultó ser el alumno que menos le gustaba a Snape. Cruel, sarcástico y con aversión hacia todos los alumnos que no fueran de su propia casa (Slytherin), Snape daba clase de Pociones.

—¡A lo mejor está enfermo! —dijo Ron, esperanzado.

—¡Quizá se haya *ido* —dijo Harry—, porque *tampoco* esta vez ha conseguido el puesto de Defensa contra las Artes Tenebrosas!

—O podrían haberlo *echado* —dijo Ron con entusiasmo—. Como todo el mundo lo odia...

—O tal vez —dijo una voz muy fría justo detrás de ellos—, quiera averiguar por qué no han llegado ustedes dos en el tren escolar.

Harry se dio media vuelta. Allí, con su túnica negra ondeando a la fría brisa, estaba Severus Snape. Era un hombre delgado de piel cetrina, nariz ganchuda y un pelo negro grasiento que le llegaba hasta los hombros, y en ese momento sonreía de un modo que indicaba con claridad a Ron y a Harry que se encontraban en un serio problema.

—Síganme —dijo.

Sin atreverse a mirarse el uno al otro, Harry y Ron siguieron a Snape escaleras arriba hasta el gran vestíbulo, iluminado con antorchas, en que las palabras producían eco. Un delicioso olor de comida flotaba en el Gran Salón, pero Snape los alejó de la calidez y la luz y los condujo bajando por una estrecha escalera de piedra hasta las mazmorras.

—¡Adentro! —dijo, abriendo una puerta que se encontraba a mitad del frío corredor, y señalando hacia adentro.

Entraron en el despacho de Snape, temblando. Los sombríos muros estaban recorridos por estantes con grandes tarros de cristal, dentro de los cuales flotaba todo tipo de cosas asquerosas, cuyo nombre en ese momento no le interesaba a Harry. La chimenea estaba apagada y vacía. Snape cerró la puerta y se volvió hacia ellos:

—Así que —dijo con voz melosa—, el tren no es un medio de transporte digno para el famoso Harry Potter y su fiel adlátere Weasley. Querían hacer una llegada *a lo grande*, ¿eh, muchachos?

—No, señor, fue la barrera en la estación de King's Cross...

—¡Silencio! —dijo Snape con frialdad—. ¿Qué han hecho con el coche?

Ron tragó saliva. No era la primera vez que a Harry le daba la impresión de que Snape era capaz de leer el pensamiento. Pero comprendió al momento siguiente, cuando Snape desenrolló un ejemplar de *El Profeta Vespertino* de ese día.

—Los han visto —les dijo entre dientes, mostrándoles el titular:

MUGGLES DESCONCERTADOS
POR UN FORD ANGLIA VOLANTE

Comenzó a leer en voz alta:

—En Londres, dos *muggles* convencidos de que habían visto un viejo coche que volaba sobre la torre del edificio de Correos (...) al mediodía en Norfolk, la señora Hetty Bayliss, al tender la ropa (...) y el señor Angus Fleet, de Peebles, informaron a la policía (...) en total seis o siete *muggles*. Tengo entendido que tu padre trabaja en el Departamento contra el Uso Incorrecto de los Objetos *Muggle* —dijo, mirando a Ron y sonriendo de manera aún más desagradable—: Vaya, vaya... su propio hijo...

Harry sintió como si una de las ramas más grandes del furioso árbol le acabara de golpear en el estómago. Si alguien averiguara que el señor Weasley había encantado el coche... no se le había ocurrido pensar en eso...

—He percibido, en mi examen del parque, que hay un ejemplar muy valioso de sauce boxeador que parece haber sido dañado de manera considerable —prosiguió Snape.

—Ese árbol nos ha hecho más daño a nosotros que nosotros a... —se le escapó a Ron.

—¡*Silencio!* —interrumpió de nuevo Snape—. Por desgracia, ustedes no pertenecen a mi Casa, y la decisión de expulsarlos no me corresponde a mí. Voy a ir a buscar a las personas a las que les compete esa dichosa decisión. Esperen aquí.

Ron y Harry se miraron, pálidos. Harry ya no sentía hambre. Lo que sentía era un tremendo mareo. Trató de no mirar hacia una cosa grande y delgada que flotaba en medio de un líquido verde sobre un estante que había detrás del escritorio de Snape. Si Snape había ido en busca de la profesora McGonagall, jefa de la casa Gryffindor, su situación no iba a mejorar mucho. Ella podía ser mejor que Snape, pero era extremadamente estricta.

Diez minutos después, Snape volvió, y quedó claro que era la profesora McGonagall quien lo acompañaba. Harry había visto en varias ocasiones a la profesora McGonagall enojada, pero, o bien había olvidado lo tensos que podía poner los labios, o es que nunca la había visto antes tan enojada. Ella levantó su varita al entrar. Harry y Ron se estremecieron, pero ella simplemente apuntaba hacia la chimenea, donde las llamas empezaron a brotar al instante.

—Siéntense —dijo ella, y los dos retrocedieron hacia dos sillas que había al lado del fuego—. Explíquense —añadió. Sus anteojos brillaban inquietantemente.

Ron empezó a narrar toda la historia, empezando por la barrera de la estación, que no los había dejado pasar.

—...así que no teníamos otra posibilidad, profesora, no pudimos tomar el tren.

—¿Y por qué no enviaron una carta por medio de una lechuza? Imagino que tienen alguna lechuza —le dijo la profesora McGonagall a Harry, fríamente.

Harry se quedó mirándola con la boca abierta. Ahora que ella lo mencionaba, parecía que era lo que razonablemente tenían que haber hecho.

—No... no pensé...

—Eso —observó la profesora McGonagall— es evidente.

Llamaron a la puerta del despacho y Snape la abrió, con aspecto de estar más contento que nunca: allí se encontraba el director, el profesor Dumbledore.

Harry tenía todo el cuerpo agarrotado. La expresión de Dumbledore era de una severidad inusitada. Los miró inclinando su nariz curvadísima y de pronto Harry sintió que habría preferido encontrarse aún recibiendo con Ron los golpes del sauce boxeador.

Hubo un prolongado silencio. Entonces Dumbledore pidió:

—Por favor, explíquenme por qué lo hicieron.

Habría sido preferible que hubiera gritado. A Harry le pareció horrible el tono decepcionado de su voz. Por alguna razón, fue incapaz de mirar a Dumbledore a los ojos, y en vez de eso habló con la mirada clavada en sus rodillas. Se lo contó todo a Dumbledore, salvo lo de que el señor Weasley era el propietario del coche encantado, dando la impresión de que Ron y él habían encontrado un coche volador a la salida de la estación. Supuso que Dumbledore los interrogaría inmediatamente a ese respecto, pero Dumbledore no preguntó nada sobre el coche. Cuando Harry acabó, él simplemente siguió mirándolos a través de sus anteojos.

—Iremos a recoger nuestras cosas —dijo Ron en un tono de voz desesperado.

—¿Qué quieres decir, Weasley? —bramó la profesora McGonagall.

—Bueno, nos van a expulsar, ¿no? —dijo Ron.

Harry miró de inmediato a Dumbledore.

—No hoy, señor Weasley —dijo Dumbledore—. Pero debo dejarles clara la gravedad de lo que han hecho. Esta noche escribiré a sus familias. Debo advertirles también que si vuelven a hacer algo parecido a esto, no tendré más remedio que expulsarlos.

Por la expresión de Snape, parecía como si se hubieran suprimido las navidades. Se aclaró la garganta y dijo:

—Profesor Dumbledore, estos muchachos han desacatado el decreto para la restricción de la magia en menores de edad, han causado daños graves a un antiguo y valioso árbol... creo que actos de esta naturaleza...

—Corresponderá a la profesora McGonagall imponer castigos a estos muchachos, Severus —dijo Dumbledore con tranquilidad—. Pertenecen a su casa y están por tanto bajo su responsabilidad. —Se volvió hacia la profesora McGonagall: —Tengo que regresar al banquete, Minerva, debo comunicar unas cosas. Vamos, Severus, hay una tarta de crema de aspecto delicioso y quiero probarla.

Snape dirigió a Ron y Harry una mirada envenenada al salir de su despacho, dejándolos con la profesora McGonagall, que todavía los miraba como un águila enfurecida:

—Lo mejor será que vayas a la enfermería, Weasley, estás sangrando.

—No es nada —dijo Ron, restregándose deprisa con la manga la herida que tenía sobre un ojo—. Profesora, yo quisiera ver la selección de mi hermana.

La Ceremonia de Selección ya ha concluido —dijo la profesora McGonagall—. Tu hermana está también en Gryffindor.

—¡Bien! —dijo Ron.

—Y hablando de Gryffindor... —empezó a decir severamente la profesora McGonagall.

Pero Harry la interrumpió:

—Profesora, cuando nosotros tomamos el coche, el curso aún no había comenzado, así que, en realidad, a Gryffindor no habría que quitarle puntos, ¿no? —acabó, mirándola con temor.

La profesora McGonagall le dirigió una mirada penetrante, pero Harry estaba seguro de que ella había estado a punto de sonreír. Tenía los labios menos tensos, eso era evidente.

—No le quitaremos puntos a Gryffindor —dijo ella, y Harry se sintió muy aliviado—. Pero ustedes dos sufrirán una detención.

Eso era menos malo de lo que Harry había temido. En cuanto a que Dumbledore escribiera a los Dursley, daba lo mismo. Harry sabía perfectamente que los Dursley lamentarían que el sauce boxeador no lo hubiera aplastado.

La profesora McGonagall volvió a levantar su varita y

apuntó con ella al escritorio de Snape. Sonó un "¡plop!" y apareció un plato grande de sándwiches, dos copas de plata y una jarra de jugo helado de calabaza.

—Comerán aquí y luego se irán directamente al dormitorio —indicó—. Yo también tengo que volver al banquete.

Cuando la puerta se cerró detrás de ella, Ron profirió un silbido suave y prolongado.

—Creí que no nos salvábamos —dijo, tomando un sándwich.

—Y yo también —contestó Harry, haciendo lo mismo.

—Pero ¿cómo es posible que tengamos tan mala suerte? —dijo Ron con la boca llena de pollo y jamón—. Fred y George deben de haber volado en ese coche cinco o seis veces y *nunca* los ha visto ningún *muggle*. —Tragó y volvió a morder otro bocado: —¿Y *por qué* no podíamos atravesar la barrera?

Harry se encogió de hombros:

—Tendremos que andarnos con mucho cuidado de ahora en adelante —dijo, tomando un agradable trago de jugo de calabaza—. Si hubiéramos podido subir al banquete...

—Ella no quería que hiciéramos ningún alarde —dijo Ron inteligentemente—. No quiere que nadie llegue a pensar que está bien eso de llegar volando en un coche.

Cuando hubieron comido todos los sándwiches que podían (en el plato iban apareciendo más conforme ellos se los comían), se levantaron y salieron del despacho, y tomaron el conocido camino que llevaba a la torre de Gryffindor. El castillo estaba en calma. Parecía que el banquete había concluido. Pasaron al lado de retratos parlantes, de armaduras que chirriaban, y subieron escaleras de piedra hasta que llegaron finalmente al corredor que ocultaba la entrada secreta a la torre de Gryffindor, detrás de una pintura al óleo que representaba a una mujer gorda vestida con un vestido de seda rosa:

—¿La contraseña? —exigió ella, al verlos acercarse.

—Ee... —dijo Harry.

No conocían la contraseña del nuevo curso, porque aún no habían visto a ningún prefecto, pero casi inmediatamente les llegó la ayuda; detrás de ellos oyeron unos pasos veloces y al volverse vieron a Hermione que corría a ayudarlos.

—¡Aquí están! ¿Dónde se habían *metido*? Corren los rumores más *absurdos*... alguien decía que los habían expulsado por haberse dado un golpe con un *coche* volador.

—Bueno, no nos han expulsado —le garantizó Harry.

—¿Quieres decir que han venido hasta aquí volando? —preguntó Hermione, en un tono de voz casi tan duro como el de la profesora McGonagall.

—Sáltate el sermón —dijo Ron impaciente—, y dinos cuál es la nueva contraseña.

—Es "anthochaera carunculata" —dijo Hermione con impaciencia—, pero ésa no es la cuestión...

No pudo terminar lo que estaba diciendo, sin embargo, porque el retrato de la dama gorda se abrió y se oyó una repentina salva de aplausos. Parecía que todos en la casa de Gryffindor estaban todavía despiertos, abarrotando la sala circular común, de pie sobre las mesas torcidas y los desvencijados butacones, esperando a que ellos llegaran. Algunos brazos se asomaban por el orificio del retrato, para tirar hacia adentro de Ron y Harry, dejando que Hermione penetrara a continuación.

—¡Formidable! —gritó Lee Jordan—. ¡Soberbio! ¡Qué llegada! Volando en un coche hasta el sauce boxeador. ¡La gente hablará de esto durante años!

—¡Bravo! —dijo un estudiante de quinto curso con quien Harry no había hablado nunca.

Alguien le daba palmadas en la espalda como si acabara de ganar una maratón. Fred y George se abrieron camino hasta la primera fila de la multitud y dijeron al mismo tiempo:

—¿Por qué no nos llamaron?

Ron estaba colorado, y sonreía azorado, pero Harry pudo ver a alguien que no estaba en absoluto contento. Por encima de las cabezas de los emocionados estudiantes de primero, podían ver a Percy, que parecía que trataba de acercarse lo suficiente para reprenderlos. Harry le dio a Ron con el codo en las costillas y señaló hacia donde estaba Percy con un gesto de la cabeza. Inmediatamente, Ron entendió lo que le quería decir.

—Tenemos que subir... estamos algo cansados —dijo, y los dos comenzaron a abrirse camino hacia la puerta que había al otro lado de la habitación, que daba a una escalera de caracol y a los dormitorios.

—Buenas noches —le dijo Harry a Hermione, volviéndose. Ella tenía la misma cara de enojo que Percy.

Consiguieron llegar al otro extremo de la habitación común, recibiendo palmadas en la espalda, y llegaron a la tranquilidad de la escalera. La subieron aprisa, derecho hasta el final, hasta la puerta de su antiguo dormitorio, que ahora lucía un letrero en el que indicaba SEGUNDO CURSO. Penetraron en la habitación familiar, de forma circular, con sus cinco camas adoseladas con terciopelo rojo y sus ventanas elevadas y estrechas. Les habían subido los baúles y los habían dejado a los pies de sus camas.

Ron sonrió a Harry con una expresión de culpabilidad:

—Sé que no tendría que haber disfrutado de este recibimiento, pero la verdad es que...

La puerta del dormitorio se abrió y entraron los demás chicos del segundo curso de la casa Gryffindor: Seamus Finnigan, Dean Thomas y Neville Longbottom:

—¡*Increíble!* —dijo Seamus sonriendo.

—Formidable —dijo Dean.

—Alucinante —dijo Neville, sobrecogido.

Harry no pudo evitarlo. Él también sonrió.

Capítulo seis

Gilderoy Lockhart

Al día siguiente, sin embargo, Harry apenas sonrió ni una vez. Las cosas fueron de mal en peor desde el desayuno en el Gran Salón. Las cuatro grandes mesas correspondientes a las cuatro casas estaban repletas de soperas llenas de avena, fuentes de arenques ahumados, montículos de tostadas y platos con huevos y panceta, bajo el techo encantado (que ese día estaba de un gris nublado y triste). Harry y Ron se sentaron en la mesa de Gryffindor junto a Hermione, que tenía su ejemplar de *Viajes con los vampiros* abierto y apoyado contra una taza de leche. Hubo una cierta frialdad en la manera en que ella dijo "buenos días", que le hizo pensar a Harry que todavía les reprochaba la manera que habían tenido de llegar. Neville Longbottom, por el contrario, los saludó alegremente. Neville era un muchacho de cara redonda, propenso a los accidentes, y tenía peor memoria que ninguna otra persona que Harry hubiera conocido nunca.

—El correo llegará en cualquier momento... supongo que mi abuela me enviará las cosas que me he olvidado.

Harry acababa de empezar su avena cuando, efectivamente, unas cien lechuzas más o menos penetraron con gran estrépito, volando por encima de sus cabezas, dando vueltas por la habitación y dejando caer cartas y paquetes sobre la alborotadora multitud. Un paquete grande e irregular rebotó en la cabeza de Neville, y un segundo después, algo grande y gris cayó dentro de la taza de Hermione, salpicándolos a todos de leche y plumas.

—¡*Errol!* —dijo Ron, sacando por las patas a la empapada lechuza. Errol se desplomó, sin sentido, sobre la mesa, con las patas en el aire y un sobre rojo y mojado en el pico.

—¡No...! —exclamó Ron.

—No te preocupes, no se ha muerto —dijo Hermione, tocando a Errol con la punta de un dedo.

—No es por eso... es por *esto.*

Ron señalaba el sobre rojo. A Harry no le parecía que tuviera nada de particular, pero Ron y Neville lo miraban como si pudiera estallar en cualquier momento.

—¿Qué pasa? —preguntó Harry.

—Me han enviado un *howler* —dijo Ron con un hilo de voz.

—Será mejor que lo abras, Ron —dijo Neville, en un tímido susurro—. Si no lo hicieras, sería peor. Mi abuela una vez me envió uno, y yo no lo abrí y... —tragó saliva— fue horrible.

Harry contempló sus rostros petrificados y luego el sobre rojo.

—¿Qué es un *howler*? —dijo.

Pero Ron fijaba toda su atención en la carta, que había comenzado a humear por las esquinas.

—Ábrela —urgió Neville—. Será cuestión de unos minutos.

Ron alargó una mano temblorosa, le quitó a Errol el sobre del pico con mucho cuidado, y lo abrió. Neville se tapó los oídos con los dedos. Harry comprendió por qué lo había hecho una fracción de segundo después. Por un momento, creyó que había estallado: en el salón se oyó un bramido tan potente que desprendió polvo del techo.

—...ROBAR EL COCHE, NO ME HUBIERA EXTRAÑADO QUE TE EXPULSARAN, ESPERA A QUE TE ATRAPE, SUPONGO QUE NO TE HAS PARADO A PENSAR LO QUE PASAMOS TU PADRE Y YO CUANDO VIMOS QUE EL COCHE NO ESTABA...

Los gritos de la señora Weasley, cien veces más fuertes de lo normal, hacían que los platos y las cucharas tintinearan en la mesa y reverberaran en los muros de piedra de manera ensordecedora. En el salón, todo el mundo se volvía hacia todas partes para ver quién era el que había recibido el *howler*, y Ron se encogió tanto en su asiento que sólo se le podía ver la frente colorada.

—...ESTA NOCHE LA CARTA DE DUMBLEDORE, CREÍ QUE

TU PADRE SE MORÍA DE LA VERGÜENZA, NO TE HEMOS CRIA-
DO PARA QUE TE COMPORTES ASÍ, HARRY Y TÚ PODRÍAN HA-
BERSE MATADO...

Harry se había estado preguntando cuándo aparecería su
nombre. Trataba de hacer como que no oía la voz que le estaba perforando los tímpanos.

—...COMPLETAMENTE DISGUSTADO, EN EL TRABAJO DE TU
PADRE ESTÁN HACIENDO INDAGACIONES, TODO POR TU CUL-
PA, Y SI VUELVES A HACER LA MÁS MÍNIMA TE SACAREMOS DEL
COLEGIO.

Se hizo un silencio en el que resonaban las palabras de la
carta. El sobre rojo, que se le había caído a Ron de la mano, se
prendió fuego y se convirtió en cenizas. Harry y Ron se quedaron aturdidos, como si les hubiera pasado por encima un
maremoto. Algunos se rieron y poco a poco el habitual alboroto retornó al salón.

Hermione cerró el libro *Viajes con los vampiros* y miró desde arriba a Ron, que seguía encogido.

—Bueno, no sé lo que esperabas, Ron, pero tú...

—No me digas que me lo merezco —atajó Ron.

Harry apartó su plato de avena. El sentimiento de culpabilidad le revolvía las entrañas. El señor Weasley tenía que afrontar
una investigación en su trabajo. Después de todo lo que los
padres de Ron habían hecho por él durante el verano...

Pero Harry no tuvo demasiado tiempo para pensar en
aquello. La profesora McGonagall recorría la mesa de Gryffindor entregando los horarios. Harry tomó el suyo, y vio que
ellos tenían en primer lugar dos horas de Botánica con los de
la casa de Hufflepuff.

Harry, Ron y Hermione abandonaron juntos el castillo,
cruzaron la huerta por el camino, hacia los invernaderos, donde
crecían las plantas mágicas. El *howler* había tenido al menos
un aspecto positivo: parecía que Hermione consideraba que
ellos ya habían tenido suficiente castigo y volvía a mostrarse
amable.

Al aproximarse a los invernaderos, vieron al resto de la
clase congregada a la puerta, esperando a la profesora Sprout.
Harry, Ron y Hermione acababan de llegar cuando se la vio
acercarse con paso decidido a través de la explanada, acompa-
ñada por Gilderoy Lockhart. La profesora Sprout llevaba un

montón de vendas en los brazos, y con otra punzada de remordimiento, Harry vio en la distancia que el sauce boxeador tenía varias de sus ramas en cabestrillo.

La profesora Sprout era una bruja pequeña y rechoncha con un sombrero remendado puesto sobre su suelta cabellera; generalmente llevaba la ropa llena de tierra, y si la tía Petunia hubiera visto cómo tenía las uñas, se habría desmayado. Gilderoy Lockhart, sin embargo, iba inmaculado con su túnica amplia color turquesa y su pelo dorado que brillaba bajo un sombrero igualmente turquesa con ribetes de oro, perfectamente colocado.

—¡Hola, qué tal! —saludó Lockhart, sonriendo al grupo de estudiantes—, sólo le estaba explicando a la profesora Sprout la manera en que hay que curar a un sauce boxeador. ¡Pero no quiero que piensen que sé más que ella de botánica! Lo que pasa es que en mis viajes me he encontrado varias de estas especies exóticas...

—¡Hoy al Invernadero 3, muchachos! —dijo la profesora Sprout, que parecía claramente disgustada, en absoluto con el buen humor que era habitual en ella.

Hubo murmullos de interés. Hasta ese momento, sólo habían trabajado en el Invernadero 1. En el Invernadero 3 había plantas mucho más interesantes y peligrosas. La profesora Sprout tomó una llave grande que llevaba en el cinturón y abrió con ella la puerta. A Harry le llegó el olor de la tierra húmeda y el abono mezclados con el perfume intenso de unas flores gigantes, del tamaño de un paraguas, que pendían del techo. Se disponía a entrar detrás de Ron y Hermione cuando Lockhart lo detuvo sacando la mano rapidísimamente.

—¡Harry! Quería hablar contigo... Profesora Sprout, no le importa si retengo a Harry un par de minutos, ¿verdad?

A juzgar por la cara que puso la profesora Sprout, sí le importaba, pero Lockhart dijo:

—No necesito más —y le cerró en la cara la puerta del invernadero.

—Harry —dijo Lockhart. Sus dientes grandes y blancos brillaban al sol cuando movía la cabeza. —Harry, Harry, Harry.

Harry no dijo nada. Estaba completamente perplejo.

—Cuando oí... bueno, por supuesto, era todo por mi culpa. Me habría dado de puntapiés.

Harry no tenía ni idea de sobre qué le hablaba. Estaba a punto de decírselo, cuando Lockhart prosiguió:

—Nunca me había impresionado nada tanto como esto: ¡llegar a Hogwarts en un coche, volando! Bueno, por supuesto, enseguida supe por qué lo habías hecho. —Sonrió claramente. —Harry, Harry, *Harry*.

Era increíble cómo se las arreglaba para enseñar cada uno de sus dientes brillantes incluso cuando no estaba hablando.

—Te metí el gusanito de la publicidad, ¿no? —dijo Lockhart—. Le has encontrado el *gusto*. Te viste compartiendo conmigo la primera página del diario y no pudiste esperar a salir de nuevo.

—No, profesor, verá...

—Harry, Harry, Harry —dijo Lockhart, agarrándole el hombro—. Lo *comprendo*. Es natural querer probar un poco más una vez que uno le ha tomado el gusto. Y me avergüenzo de mí mismo por habértelo hecho probar, porque es lógico que se te subiera a la cabeza. Pero mira, muchacho, no puedes ir volando en coche para convertirte en noticia. Tienes que tranquilizarte, ¿de acuerdo? Ya tendrás tiempo para esas cosas cuando seas mayor. Sí, sí, ya sé lo que estás pensando: "¡Es muy fácil para él, siendo ya un mago de fama internacional!" Pero cuando yo tenía doce años, era tan poco importante como tú ahora. ¡De hecho, creo que era menos importante! Quiero decir que hay gente que ha oído hablar de ti, ¿no? ¡Por todo ese asunto con El Que No Debe Ser Nombrado! —contempló la cicatriz en forma de rayo que Harry tenía en la frente—. Lo sé, lo sé, no es tanto como ganar cinco veces seguidas el Premio a la Sonrisa más Encantadora concedido por la revista *Corazón de bruja*, como he hecho yo, pero es un comienzo, Harry, es un *comienzo*.

Le guiñó un ojo a Harry y se alejó con paso seguro. Harry se quedó atónito durante unos instantes, y luego, recordando que tenía que estar dentro del invernadero, abrió la puerta y entró.

La profesora Sprout estaba de pie, detrás de un banco de caballetes, en el centro del invernadero. Sobre el banco había unos veinte pares de orejeras de distintos colores. Cuando Harry ocupó su sitio entre Ron y Hermione, la profesora dijo:

—Hoy nos vamos a dedicar a replantar mandrágoras. Veamos, ¿quién me puede decir qué propiedades tiene la mandrágora?

Sin que nadie se sorprendiera, la mano de Hermione fue la primera en alzarse en el aire:

—La mandrágora, o mandrágula, es un reconstituyente muy potente —dijo, en un tono que daba la impresión, como de costumbre, de que se había tragado el libro de texto—. Se utiliza para volver a su estado original a la gente que ha sido transformada o encantada.

—Excelente, diez puntos para Gryffindor —dijo la profesora Sprout—. La mandrágora es una parte esencial en muchos antídotos. Pero, sin embargo, también es peligrosa. ¿Quién me puede decir por qué?

La mano de Hermione, al levantarse de nuevo velozmente, pasó rozando los anteojos de Harry:

—El llanto de la mandrágora es fatal para quien lo oye —dijo Hermione instantáneamente.

—Justo. Otros diez puntos —dijo la profesora Sprout—. Bueno, las mandrágoras que tenemos aquí son todavía muy jóvenes.

Mientras hablaba, señalaba una fila de fuentes hondas, y todos se echaron hacia adelante para ver mejor. Unas cien pequeñas plantas con sus hojas, de color verde violáceo, crecían en fila. A Harry, que no tenía ni idea de lo que Hermione había querido decir con "el llanto de la mandrágora" le parecían completamente vulgares.

—Tomen un par de orejeras cada uno —dijo la profesora Sprout.

Hubo un forcejeo porque todos querían tener el único par que no era ni esponjoso ni de color rosa.

—Cuando les diga que se las pongan, asegúrense de que sus oídos quedan *completamente* tapados —dijo la profesora Sprout—. Cuando se las puedan quitar, levantaré el pulgar. De acuerdo, pónganse las orejeras.

Harry se las puso rápidamente. Insonorizaban completamente. La profesora Sprout se puso un par esponjoso y rosa en los oídos, se remangó la túnica, agarró firmemente una de las plantas, y tiró con fuerza.

Harry dejó escapar un grito de sorpresa que nadie pudo oír.

En lugar de raíces, surgió de la tierra un niño recién nacido, pequeño, lleno de barro y extremadamente feo. Las hojas le salían directamente de la cabeza. Tenía una piel de color verde claro, con manchas, y obviamente estaba llorando con toda la fuerza de sus pulmones.

La profesora Sprout sacó una maceta grande de debajo de la mesa, metió dentro la mandrágora y la cubrió con una tierra abonada oscura y húmeda hasta que sólo quedaron visibles las hojas. Se sacudió las manos, levantó el pulgar y se quitó ella también las orejeras.

—Como nuestras mandrágoras son sólo plantones pequeños, sus llantos todavía no son mortales —dijo con toda tranquilidad, como si lo que acababa de hacer no fuera más impresionante que regar una begonia—. Sin embargo, los dejarían inconscientes durante varias horas, y como estoy segura de que ninguno de ustedes quiere perderse su primer día de colegio, asegúrense de que se colocan perfectamente las orejeras mientras trabajan. Ya les avisaré cuando sea hora de retirarse.

—Cuatro por bandeja. Hay suficientes macetas aquí. La tierra abonada está en aquellos sacos. Y tengan cuidado con los *Tentacula Venenosa*, les están saliendo los dientes.

Mientras hablaba, le dio un fuerte palmetazo a una planta roja con espinas, haciendo que retirara los largos tentáculos que se habían acercado a su hombro muy disimulada y lentamente.

Harry, Ron y Hermione compartieron su bandeja con un muchacho de Hufflepuff que Harry conocía de vista, pero con quien no había hablado nunca.

—Justin Finch-Fletchley —dijo alegremente, dándole la mano a Harry—. Por supuesto, sé quién eres, el famoso Harry Potter... Y tú eres Hermione Granger, siempre la primera en todo... —Hermione sonrió al estrecharle la mano—, y Ron Weasley. ¿No era tuyo el coche volador?

Ron no sonrió. Obviamente, todavía se acordaba del *howler*.

—Ese Lockhart es famoso, ¿verdad? —dijo contento Justin, cuando comenzaron a llenar sus macetas con estiércol de dragón—. ¡Qué tipo más valiente! ¿Han leído sus libros? Yo me habría muerto de miedo si un hombre lobo me hubiera acorralado en una cabina de teléfonos, pero él se mantuvo frío y ¡zas! *Formidable*.

—Me habían anotado para matricularme en Eton, ya sabes, y no te puedo decir lo contento que estoy de haber venido aquí en vez de allá. Naturalmente, mi madre estaba algo disgustada, pero desde que le hice leer los libros de Lockhart, empezó a comprender lo útil que puede resultar tener en la familia un mago bien instruido...

Después, ya no tuvieron muchas posibilidades de charlar. Se habían vuelto a poner las orejeras, y tenían que concentrarse en las mandrágoras. Para la profesora Sprout había resultado muy fácil, pero en realidad no lo era. A las mandrágoras no les gustaba salir de la tierra, pero tampoco parecía que quisieran volver a ella. Se retorcían, pataleaban, sacudían sus pequeños puños y rechinaban los dientes; Harry se pasó diez minutos enteros intentando meter una que era especialmente gorda dentro de la maceta.

Al final de la clase, Harry, al igual que los demás, estaba empapado en sudor, le dolían varias partes del cuerpo y estaba lleno de tierra. Volvieron al castillo para lavarse un poco, y los de Gryffindor marcharon corriendo a la clase de Transfiguración.

Las clases de la profesora McGonagall eran siempre muy duras, pero ese día resultó especialmente difícil. Todo lo que Harry había aprendido el año anterior parecía habérsele escapado de la cabeza durante el verano. Se suponía que tenía que convertir un escarabajo en un botón, pero todo lo que lograba era darle al escarabajo mucho trabajo cada vez que, evitando la varita mágica, se caía de la mesa del pupitre.

A Ron aun le iba peor. Había recompuesto su varita con un poco de cinta adhesiva que le habían dejado, pero parecía que la reparación no había sido suficiente. Crujía y echaba chispas en los momentos más raros, y cada vez que Ron intentaba transformar su escarabajo, se veía envuelto en un espeso humo gris que olía a huevos podridos. Incapaz de ver lo que hacía, aplastó su escarabajo con el codo sin querer y tuvo que pedir otro. A la profesora McGonagall no le hizo mucha gracia.

Harry se sintió aliviado al oír la campana de la comida. Sentía el cerebro como una esponja escurrida. Todos salieron en fila de la clase salvo él y Ron, que estaba dando golpes furiosos en el pupitre con su varita.

—Cosa inútil... estúpida...

—Pídeles otra a tus padres —sugirió Harry cuando la varita hizo una descarga de disparos, como una ristra de cohetes.

—Sí, y recibir como respuesta otro *howler* —dijo Ron, metiendo en la bolsa la varita, que en esos momentos estaba silbando—. *Es tu culpa que se te haya partido la varita.*

Bajaron a comer, y Ron no mejoró de humor cuando Hermione le mostró el puñado de botones que había conseguido en la clase de Transformación.

—¿Qué hay esta tarde? —dijo Harry, cambiando de tema rápidamente.

—Defensa contra las Artes Tenebrosas —dijo Hermione de inmediato.

—¿*Por qué* —preguntó Ron, apoderándose del horario— has rodeado todas las clases de Lockhart con corazoncitos?

Hermione le quitó el horario. Se había puesto roja.

Terminaron de comer y salieron al patio. Estaba nublado. Hermione se sentó en un peldaño de piedra y volvió a hundir la nariz en *Viajes con los vampiros*. Harry y Ron se pusieron a hablar de *quidditch*, y pasaron varios minutos antes de que Harry se diera cuenta de que alguien lo vigilaba estrechamente. Al levantar la vista, vio al muchacho pequeño y de pelo castaño que la pasada noche se había puesto el sombrero seleccionador. Lo miraba como paralizado. Tenía en las manos lo que parecía una ordinaria cámara de fotos *muggle*, y cuando Harry miró hacia él, enrojeció vivamente.

—¿Me dejas, Harry? Soy... soy Colin Creevey —dijo sin aliento, dando un indeciso paso hacia adelante—. Estoy en Gryffindor, también. ¿Yo podría... me dejas... que te haga una foto? —dijo, levantando la cámara expectante.

—¿Una foto? —repitió Harry sin comprender.

—Con ella podré demostrar que te he visto —dijo Colin Creevey con impaciencia, acercándose un poco más, como sin atreverse—. Sé todo sobre ti. Todos me lo han contado. Cómo sobreviviste cuando Quien Tú Sabes intentó matarte y cómo desapareció él y todo eso, y que conservas en la frente la cicatriz en forma de rayo —sus ojos recorrieron la línea del pelo de Harry—, y me ha dicho un compañero del dormitorio que si revelo el negativo en la poción adecuada, la foto saldrá con movimiento. —Colin exhaló un soplido de emoción y continuó: —Esto es estupendo, ¿verdad? Yo no tenía ni idea de que las cosas raras que hacía eran magia, hasta que recibí la carta de Hogwarts. Mi padre es lechero, y tampoco podía creerlo. Así que me dedico a tomar montones de fotos para enviárselas a casa. Y sería estupendo hacerte una. —Miró a Harry como rogándole. —¿Tal vez tu amigo querría sacárnosla para que yo pudiera salir a tu lado? ¿Y me la podrías firmar luego?

—¿*Firmar fotos?* ¿Te dedicas a *firmar fotos*, Potter?

En todo el patio resonó la voz potente y cáustica de Draco Malfoy. Se había parado justo detrás de Colin, flanqueado, como siempre en Hogwarts, por Crabbe y Goyle, sus amigotes.

—¡Todo el mundo a la cola! —gritó Malfoy a la multitud—. ¡Harry Potter firma fotos!

—No, en absoluto —dijo Harry de mal humor, apretando los puños—. ¡Cállate, Malfoy!

—Lo que te pasa es que le tienes envidia —prorrumpió Colin, cuyo cuerpo, entero, no era más grueso que el cuello de Crabbe.

—¿*Envidia?* —dijo Malfoy, que ya no necesitaba seguir gritando, porque la mitad del patio lo escuchaba—. ¿De qué? No quiero tener una cicatriz mierdosa en la frente, gracias. No creo que tener la cabeza abierta por una cicatriz sea tan importante.

Crabbe y Goyle se estaban riendo con una risita idiota.

—Échate al inodoro y aprieta el botón, Malfoy —dijo Ron con malas pulgas. Crabbe dejó de reír y empezó a restregarse de manera amenazadora los nudillos, que eran del tamaño de castañas.

—Weasley, ten cuidado —dijo Malfoy con un aire despectivo—. No te metas en problemas o vendrá tu mamá y te sacará del colegio. —Luego imitó un tono de voz chillón y amenazante: —¡*Si vuelves a hacer la más mínima...!*

Varios alumnos de quinto curso de la casa de Slytherin que había por allí cerca festejaron la gracia a carcajadas.

—A Weasley le gustaría que le firmaras una foto, Potter —sonrió Malfoy—. Valdrá más que la casa de su familia entera.

Ron sacó velozmente su varita reparada con celo, pero Hermione cerró *Viajes con los vampiros* de un golpe y susurró:

—¡Cuidado!

—¿Qué pasa aquí, qué es lo que pasa aquí? —Gilderoy Lockhart caminaba hacia ellos a grandes zancadas, y la túnica color turquesa le hacía remolinos por detrás—. ¿Quién firma fotos?

Harry comenzó a hablar, pero Lockhart lo interrumpió pasándole un brazo por los hombros y diciéndole en tono alto y jovial:

—¡No sé por qué lo he preguntado! ¡De nuevo nos vemos, Harry!

Sujeto a un lado por Lockhart, y muerto de vergüenza, Harry vio que Malfoy se internaba sonriendo en la multitud.

—Vamos, señor Creevey —dijo Lockhart, sonriendo a Colin—. Una foto de los dos es lo mejor que puedes imaginar. Y te la firmaremos los dos.

Colin buscó su cámara a tientas y sacó la foto al mismo tiempo que la campana señalaba el inicio de las clases de la tarde.

—Adentro todos, vamos, por ahí —gritó Lockhart a la multitud, y se dirigió al castillo llevando agarrado a su lado a Harry, que hubiera deseado disponer de un buen conjuro para desaparecer.

—Un consejo, Harry —le dijo Lockhart paternalmente al penetrar en el edificio por una puerta lateral—: Te he cubierto con el joven Creevey... si me fotografiaba también a mí, tus compañeros no pensarían que te querías dar tanta importancia...

Sordo a los balbuceos de Harry, Lockhart lo llevó por un pasillo lleno de estudiantes que los miraban, y por una escalera por la que subieron:

—Sólo déjame que te diga que repartir fotos firmadas en este estadio de tu carrera puede que no sea muy sensato. Para serte franco, Harry, parece un poco engreído. Muy bien puede llegar el día en que necesites llevar un montón de fotos a mano a dondequiera que vayas, como me ocurre a mí, pero —rió— no creo que hayas llegado ya a eso.

Habían alcanzado el aula de Lockhart y dejó libre por fin a Harry. Éste se estiró la túnica y buscó un asiento al final del aula, donde se resguardó detrás de los siete libros de Lockhart, de forma que se evitaba la contemplación del Lockhart de carne y hueso.

El resto de la clase entró en el aula ruidosamente, y Ron y Hermione se sentaron a ambos lados de Harry.

—Podías haber freído un huevo en la cara —dijo Ron—. Más te vale que Creevey y Ginny no se conozcan, porque fundarían el club de fans de Harry Potter.

—Cállate —lo interrumpió Harry. Lo que le faltaba es que a oídos de Lockhart llegaran las palabras "club de fans de Harry Potter".

Cuando todos estuvieron sentados, Lockhart se aclaró sonoramente la garganta, y se hizo el silencio. Caminó hacia adelante, tomó el ejemplar de Neville Longbottom de *Recorridos con los duendes*, y lo sostuvo en alto para mostrar la portada, con su propia fotografía guiñando un ojo.

—Yo —dijo, señalando la foto y guiñando un ojo a su vez— soy Gilderoy Lockhart, Caballero de la Orden de Merlín, de tercera clase, Miembro Honorario de la Liga de Defensa contra las Fuerzas Oscuras, y ganador en cinco ocasiones del Premio a la sonrisa más encantadora, otorgado por la revista *Corazón de bruja*, pero no quiero hablar de eso. ¡No me libré con mi *sonrisa* de la *banshee* que presagiaba la muerte!

Esperó que se rieran todos. Hubo alguna sonrisa.

—Veo que todos ustedes han comprado todos mis libros: bien hecho. He pensado que podíamos comenzar hoy con un pequeño cuestionario. No tienen que preocuparse, sólo es para comprobar si los han leído bien, cuánto han asimilado...

Cuando terminó de repartir las hojas con el cuestionario, volvió al frente de la clase y anunció:

—Disponen de treinta minutos. Pueden comenzar... ¡ya!

Harry miró el papel y leyó:

1. *¿Cuál es el color favorito de Gilderoy Lockhart?*
2. *¿Cuál es la ambición secreta de Gilderoy Lockhart?*
3. *¿Cuál es, en tu opinión, el mayor logro hasta la fecha de Gilderoy Lockhart?*

Así seguía y seguía, durante tres páginas, hasta:

54. *¿Qué día es el cumpleaños de Gilderoy Lockhart, y cuál sería su regalo ideal?*

Media hora después, Lockhart recogió los papeles y los hojeó delante de la clase:

—Vaya, vaya... muy pocos de ustedes recuerdan que mi color favorito es el lila. Lo digo en *Un año con el Yeti*. Y algunos de ustedes tienen que volver a leer con mayor detenimiento *Paseo con los hombres-lobo*. En el capítulo doce establezco con claridad que mi regalo de cumpleaños ideal sería la armonía entre las comunidades mágica y no mágica. ¡Aunque tampoco rechazaría una botella mágnum de whisky añejado de Ogden!

Volvió a guiñarles un ojo pícaramente. Ron miraba a Lockhart con una expresión de incredulidad en el rostro; Seamus Finnigan y Dean Thomas, que se sentaban delante, se agitaban en una risa silenciosa. Hermione, por el contrario, escuchaba a Lockhart con embelesada atención, y dio un respingo cuando éste mencionó su nombre.

—...pero la señorita Hermione Granger sí conoce mi ambición secreta, que es librar el mundo del mal y comercializar mi propia gama de productos para el cuidado del cabello: ¡buena chica! De hecho —dio vuelta el papel— ¡está perfecto! ¿Dónde se encuentra la señorita Hermione Granger?

Hermione alzó una mano temblorosa.

—¡Excelente! —dijo Lockhart con una sonrisa—, ¡excelente! ¡Diez puntos para Gryffindor! Y, en cuanto a...

Se inclinó por detrás de su mesa y, levantando una jaula grande, cubierta, la colocó encima.

—Ahora, ¡cuidado! Es mi misión dotarlos de defensas contra las más horrendas criaturas del mundo mágico. En esta aula pueden encontrarse encarando las cosas que más temen. Pero sepan que no les ocurrirá nada malo mientras yo esté aquí. Todo lo que les pido es que conserven la calma.

En contra de lo que se había propuesto, Harry se inclinó hacia un lado de la pila de libros para ver mejor la jaula. Lockhart puso una mano sobre la funda de ésta. Dean y Seamus habían dejado de reír. Neville se encogía en su asiento de la primera fila.

—Tengo que pedirles que no griten —dijo Lockhart en voz baja—. Eso podría enfurecerlas.

Cuando toda la clase estaba con el corazón en un puño, Lockhart levantó la funda.

—Sí —dijo con entonación teatral—, *duendecillos de Cornualles* recién cazados.*

Seamus Finnigan no podía controlarse. Soltó una carcajada que ni siquiera Lockhart pudo interpretar como un grito de terror.

—¿Sí? —sonrió a Seamus.

—Bueno, es que no son, no soy muy... *peligrosos*, ¿no? —se explicó Seamus con dificultad.

—¡No estés tan seguro! —dijo Lockhart, apuntando a Seamus con un dedo acusador—. ¡Pueden ser unos seres endemoniadamente engañosos!

Los duendecillos eran de color azul eléctrico y medían unos veinte centímetros de altura, con rostros afilados y voces tan agudas y estridentes que era como escuchar a un montón de cotorritas discutiendo. En el instante en que había levantado la funda, comenzaron a parlotear y a moverse como locos, golpeando los barrotes para hacer ruido y haciéndoles caras a los más cercanos.

—Está bien —dijo Lockhart en voz alta—. ¡Veamos qué hacen con ellos! —Y abrió la jaula.

Se armó un pandemónium. Los duendecillos salieron disparados como cohetes en todas direcciones. Dos de ellos tomaron a Neville por las orejas y lo levantaron en el aire. Algunos salieron volando y atravesaron las ventanas, llenando de vidrios rotos a los de la fila de atrás. El resto se dedicó a destruir la clase con más facilidad de la que hubiera tenido un rinoceronte en estampida. Tomaron los tinteros y rociaron con ellos la clase, hicieron trizas los libros y los papeles, rasgaron los carteles de las paredes, volcaron la papelera, tomaron bolsas y libros y los arrojaron por las ventanas rotas; al cabo de unos pocos minutos, la mitad de la clase se había refugiado debajo de los pupitres, y Neville se balanceaba colgando de la lámpara del techo.

—Vamos, ya, rodéenlos, rodéenlos, sólo son duendecillos... —gritaba Lockhart.

Se remangó, blandió su varita mágica, y gritó:

*Una región de Inglaterra *(N. del T.)*

—Peskipiksi Pesternomi!

No sirvió absolutamente de nada; uno de los duendecillos agarró la varita de Lockhart y también la tiró por la ventana. Lockhart tragó saliva y se escondió debajo de su propia mesa, justo a tiempo de evitar ser aplastado por Neville, que cayó al suelo un segundo más tarde, al ceder la lámpara.

Sonó la campana, y todos corrieron hacia la salida. En la calma relativa que siguió, Lockhart se irguió, vio a Harry, Ron y Hermione y les dijo:

—Bueno, ustedes tres meterán en la jaula a los que quedan. —Salió y cerró la puerta detrás de él.

—¿Puedes *creerle*? —bramó Ron, cuando uno de los duendecillos que quedaban lo mordió en la oreja haciéndole daño.

—Sólo quiere que adquiramos alguna experiencia práctica —dijo Hermione, inmovilizando dos duendecillos a la vez con un útil hechizo congelador y metiéndolos en la jaula.

—¿*Experiencia práctica?* —dijo Harry, intentando atrapar un duendecillo que bailaba fuera de su alcance sacando la lengua—. Hermione, él no tenía ni idea de lo que hacía.

—Mentira —dijo Hermione—. Has leído sus libros, fíjate en todas las cosas asombrosas que ha hecho...

—Que él *dice* que ha hecho —murmuró Ron.

CAPÍTULO SIETE

Los "sangre sucia" y una voz misteriosa

Durante los días siguientes, Harry se pasó bastante tiempo esquivando a Gilderoy Lockhart cada vez que lo veía acercarse por un corredor. Más difícil era evitar a Colin Creevey, que parecía saberse de memoria el horario de Harry. Nada lo hacía tan feliz como poder preguntar "¿Va todo bien, Harry?" seis o siete veces al día, y oír "Hola, Colin" en respuesta, a pesar de que la voz de Harry en esas ocasiones sonaba irritada.

Hedwig seguía enfadada con Harry a causa del desastroso viaje en coche, y la varita de Ron, que todavía no funcionaba correctamente, se superó a sí misma el viernes por la mañana al escaparse de la mano de Ron en la clase de Hechizos y dispararse contra el pequeño y anciano profesor Flitwick, al que golpeó directamente entre los ojos, produciéndole un forúnculo grande, verde y palpitante en el lugar en que había impactado. Así que entre unas cosas y otras, Harry se alegró muchísimo cuando llegó el fin de semana. Ron, Hermione y él habían planeado hacerle una visita a Hagrid el sábado por la mañana. Sin embargo, el capitán del equipo de *quidditch* de Gryffindor, Oliver Wood, lo despertó zarandeándolo varias horas antes de lo que Harry hubiera deseado.

—¿Qué pasa? —preguntó Harry, atontado.

—¡Entrenamiento de *quidditch*! —respondió Wood—. ¡Vamos!

Harry miró hacia la ventana, entornando los ojos. Una neblina flotaba en el cielo de color dorado y arrebol. Una vez despierto, no pudo comprender cómo había podido dormir entre semejante alboroto de pájaros.

—Oliver —observó Harry con voz ronca—, es el alba.

—Exacto —respondió Wood. Era un muchacho alto y fornido de sexto curso, y en ese momento, sus ojos brillaban con un entusiasmo desmedido. —Forma parte de nuestro nuevo programa de entrenamiento. Bueno, toma tu escoba y vamos —dijo Wood entusiastamente—. Ninguno de los demás equipos ha empezado a entrenar todavía. Este año vamos a ser los primeros en empezar...

Bostezando y temblando un poco, Harry saltó de la cama e intentó encontrar su túnica de jugar al *quidditch*.

—¡Bravo! —dijo Wood—. Nos veremos en el campo dentro de quince minutos.

Después de encontrar su túnica escarlata del equipo de Gryffindor y de ponerse la capa para no pasar frío, Harry le garabateó a Ron una nota en la que le explicaba a dónde había ido, y bajó a la sala común por la escalera de caracol, con la *Nimbus 2000* sobre el hombro. Justo al llegar al retrato por el que se salía, oyó tras él unos pasos y vio que Colin Creevey bajaba las escaleras corriendo, con la cámara colgada del cuello que se balanceaba como loca y algo agarrado en la mano.

—¡Oí que alguien pronunciaba tu nombre en las escaleras, Harry! ¡Mira lo que tengo aquí! La he revelado y te la quería enseñar...

Desconcertado, Harry miró la fotografía que Colin sostenía debajo de su nariz.

Un Lockhart móvil en blanco y negro tiraba de un brazo que Harry reconoció como suyo. Le complació ver que en la fotografía él aparecía ofreciendo resistencia y rehusando entrar en la foto. Al mirar Harry, Lockhart soltó el brazo, jadeando, y se desplomó contra el margen blanco de la fotografía.

—¿Me la firmas? —le pidió Colin con fervor.

—No —dijo Harry rotundamente, mirando en torno para comprobar que realmente no había nadie en la sala—. Lo siento, Colin, tengo prisa. Tengo entrenamiento de *quidditch*.

Y atravesó el orificio del retrato.

—¡Guau! ¡Espérame! ¡Nunca he visto jugar al *quidditch*!

Colin se metió apresuradamente por el orificio, detrás de él.

—Será muy aburrido —dijo Harry, pero Colin no le hizo caso. La cara le brillaba de emoción.

—Tú has sido el jugador más joven de la casa en los últimos cien años, ¿verdad, Harry? ¿verdad? —le preguntó, corriendo a su lado—. Tienes que ser estupendo. Yo no he volado nunca. ¿Es fácil? ¿Esa es tu escoba? ¿Es la mejor que hay?

Harry no sabía cómo librarse de él. Era como tener una sombra parlante. Extremadamente parlante.

—No sé cómo es el *quidditch*, en realidad —reconoció Colin, sin aliento—. ¿Es verdad que hay cuatro pelotas? ¿Y que dos de ellas van por ahí volando, tratando de derribar a los jugadores de sus escobas?

—Sí —contestó Harry de mala gana, resignado a explicarle las complicadas reglas del juego del *quidditch*—. Se llaman *bludgers*. Hay dos golpeadores en cada equipo, con bates para golpear las *bludgers* y alejarlas de sus compañeros. Los golpeadores de Gryffindor son Fred y George Weasley.

—¿Y para qué sirven las otras pelotas? —preguntó Colin, dando un traspié porque iba mirando a Harry con la boca abierta.

—Bueno, la *quaffle*, que es una pelota grande y roja, es con la que se hacen los goles. Tres cazadores en cada equipo se pasan la *quaffle* de uno a otro e intentan hacerla pasar por los postes que están en el extremo del campo: son tres postes largos con aros al final.

—¿Y la cuarta?

—Es la *snitch* —dijo Harry—: es dorada, muy pequeña, muy rápida y muy difícil de atrapar. Ésa es la misión de los buscadores, porque el juego del *quidditch* no finaliza hasta que no se atrapa a la *snitch*. Y el equipo cuyo buscador la haya atrapado gana ciento cincuenta puntos.

—Y *tú* eres el buscador de Gryffindor, ¿verdad? —preguntó Colin emocionado.

—Sí —dijo Harry, mientras dejaban el castillo y comenzaban a cruzar el césped empapado de rocío—. También está el guardián. Guarda los postes. Prácticamente, en eso consiste el *quidditch*.

Pero Colin no dejó un momento de hacer preguntas durante todo el camino ladera abajo, hasta que llegaron al campo de *quidditch*, y Harry sólo se deshizo de él al entrar en los vestuarios. Colin le anunció en voz alta:

—¡Voy a buscar un buen sitio, Harry! —y se fue corriendo a las gradas.

El resto del equipo de Gryffindor ya estaba en los vestuarios. El único que parecía realmente despierto era Wood. Fred y George Weasley estaban sentados, con los ojos hinchados y despeinados, junto a Alicia Spinnet, de cuarto curso, que parecía que se estaba quedando dormida contra la pared. Sus compañeros Chasers, Katie Bell y Angelina Johnson, sentados los tres juntos, bostezaban enfrente de ellos.

—Por fin, Harry, ¿por qué te has demorado? —preguntó Wood enérgicamente—. Veamos, quiero decirles unas palabras antes de que salgamos al campo, porque me he pasado el verano diseñando un programa de entrenamiento completamente nuevo, que estoy seguro de que nos hará mejorar...

Wood sostenía un gran plano de un campo de *quidditch*, lleno de líneas, flechas y cruces en diferentes colores. Sacó la varita mágica, dio con ella un golpe en el tablero y las flechas comenzaron a moverse por el tablero como orugas. En el momento en que Wood se lanzó a soltar el discurso sobre sus nuevas tácticas, a Fred Weasley se le cayó la cabeza sobre el hombro de Alicia Spinnet y empezó a roncar.

Le llevó casi veinte minutos explicar el primer tablero, pero a continuación hubo otro, y después un tercero. Harry se adormecía mientras Wood seguía y seguía hablando.

—Entonces —dijo Wood, al final, haciendo que Harry despertara de un salto de su agradable fantasía sobre lo que podría estar desayunando en ese mismo instante en el castillo—, ¿está claro? ¿Alguna pregunta?

—Yo tengo una pregunta, Oliver —dijo George, que acababa de despertar dando un respingo—. ¿Por qué no nos contaste todo esto ayer cuando estábamos despiertos?

A Wood no le hizo gracia.

—Escúchenme todos —les dijo, con el ceño fruncido—, tendríamos que haber ganado la copa de *quidditch* el curso pasado. Éramos el mejor equipo con diferencia. Pero, por desgracia, y debido a circunstancias que escaparon a nuestro control...

Harry se movió en el asiento, con un sentimiento de culpa. Durante el partido final del año anterior, había permanecido inconsciente en la enfermería, con la consecuencia de que Gryffindor había contado con un jugador menos y había sufrido su peor derrota de los últimos trescientos años.

Wood tardó un momento en volver a dominarse. Era evidente que la última derrota todavía lo atormentaba:

—De forma que este año entrenaremos más que nunca... ¡Bien, salgan y pongan en práctica las nuevas teorías! —gritó Wood, tomando su escoba y saliendo el primero de los vestuarios. Con las piernas entumecidas y bostezando, lo siguió su equipo.

Habían permanecido tanto tiempo en los vestuarios, que el Sol ya estaba bastante alto, aunque sobre el estadio quedaba algo de niebla. Cuando Harry llegó al terreno de juego, vio a Ron y Hermione en las gradas:

—¿Aún no han terminado? —preguntó Ron perplejo.

—Aún no hemos comenzado —respondió Harry, mirando con envidia la tostada con mermelada que Ron y Hermione se habían traído del Gran Salón—. Wood nos ha estado enseñando nuevas estrategias.

Montó en su escoba y, dando una patada en el suelo, se elevó en el aire. El frío aire de la mañana le azotaba el rostro, y conseguía despertarlo bastante más que la larga exposición de Wood. Era maravilloso regresar al campo de *quidditch*. Dio una vuelta por el estadio a toda velocidad, corriendo una carrera con Fred y George.

—¿Qué es ese curioso traqueteo? —preguntó Fred, cuando doblaban la esquina a toda velocidad.

Harry miró las gradas. Colin estaba sentado en uno de los asientos superiores, con la cámara levantada, sacando una foto tras otra, y el sonido de la cámara se ampliaba extraordinariamente en el estadio vacío.

—¡Mira hacia acá, Harry! ¡Hacia acá! —chilló.

—¿Quién es ése? —preguntó Fred.

—Ni idea —mintió Harry, acelerando para alejarse lo más posible de Colin.

—¿Qué pasa? —dijo Wood frunciendo el ceño y volando por el aire hacia ellos. ¿Por qué saca fotos el nuevo aquél? No me gusta. Podría ser un espía de Slytherin que intentara averiguar en qué consiste nuestro programa de entrenamiento.

—Es de Gryffindor —dijo rápidamente Harry.

—Y los de Slytherin no necesitan espías, Oliver —observó George.

—¿Por qué dices eso? —preguntó Wood con irritación.

—Porque están aquí en persona —dijo George, señalando.

Varias personas vestidas con túnicas verdes caminaban hacia el campo, con las escobas en la mano.

—¡No lo creo! —dijo Wood indignado—. ¡He reservado el campo para hoy! ¡Veremos qué pasa!

Wood se dirigió velozmente hacia el suelo. Debido al enojo aterrizó más bruscamente de lo que hubiera querido, y al desmontar se tambaleó un poco. Harry, Fred y George lo siguieron.

—¡Flint! —le gritó Wood al capitán del equipo de Slytherin—, ¡es nuestro turno de entrenamiento! ¡Nos hemos levantado a propósito! ¡Así que pueden irse!

Marcus Flint aún era más grande que Wood. Con una expresión de astucia digna de un duende, replicó:

—Hay bastante sitio para todos nosotros, Wood.

Angelina, Alicia y Katie también se habían acercado. No había chicas entre los del equipo de Slytherin, que estaban hombro con hombro frente a los de Griffindor, mirando todos burlonamente a la misma persona.

—¡Pero yo he reservado el campo! —escupió Wood, con verdadera rabia—. ¡Lo he reservado!

—¡Ah! —dijo Flint—, pero nosotros traemos una hoja firmada por el profesor Snape. "Yo, el profesor S. Snape, concedo permiso al equipo de Slytherin para entrenar hoy en el campo de *quidditch* debido a su necesidad de dar entrenamiento al nuevo buscador."

—¿Tienen un buscador nuevo? —preguntó Wood, preocupado—. ¿Dónde?

Detrás de seis corpulentos jugadores, apareció ante ellos un séptimo, más pequeño, sonriendo con todo su rostro pálido y afilado: era Draco Malfoy.

—¿Tú no eres el hijo de Lucius Malfoy? —preguntó Fred, mirándolo con desagrado.

—Es curioso que menciones al padre de Malfoy —dijo Flint, mientras todo el conjunto de Slytherin sonreía aún más—. Déjame que te enseñe el generoso regalo que ha hecho al equipo de Slytherin.

Los siete presentaron sus escobas. Siete mangos muy pulidos, completamente nuevos, y siete letreros de oro que decían *Nimbus 2001* brillaron ante las narices de los de Gryffindor al temprano sol de la mañana.

—Ultimísimo modelo. Ha salido el mes pasado —dijo Flint al desgaire, quitando una mota de polvo del extremo de la suya—. Creo que deja muy atrás a la vieja serie 2000. En cuanto a las viejas Barredoras —sonrió mirando desagradablemente a Fred y George, que sujetaban sendas Barredora 5—, mejor que las utilicen para limpiar el pizarrón.

Durante un momento, a ninguno del grupo de Gryffindor se le ocurrió qué decir. Malfoy sonreía con tantas ganas que sus fríos ojos quedaban reducidos a una línea.

—Miren —dijo Flint—. Una invasión del campo.

Ron y Hermione estaban cruzando el césped para enterarse de qué pasaba.

—¿Qué ha ocurrido? —le preguntó Ron a Harry—. ¿Por qué no están jugando? ¿Y qué está haciendo *ése* aquí?

Miraba a Malfoy, vestido con su túnica del equipo de *quidditch* de Slytherin.

—Soy el nuevo buscador de Slytherin, Weasley —dijo Malfoy, con petulancia—. Estamos admirando las escobas que mi padre ha comprado para todo el equipo.

Ron miró boquiabierto las siete soberbias escobas que tenía delante.

—Son buenas, ¿no? —dijo Malfoy en tono suave—. Pero quizás el equipo de Gryffindor pueda conseguir algo de oro y comprar también escobas nuevas. Podrían subastar las Barredora 5. Cualquier museo pujaría por ellas.

El equipo de Slytherin estalló de risa.

—Pero en el equipo de Gryffindor nadie ha tenido que *comprar* su acceso —observó Hermione agudamente—. *Todos* entraron por su valía.

Del rostro de Malfoy se borró su mirada petulante.

—Nadie ha pedido tu opinión, asquerosa sangre sucia —espetó.

Harry comprendió de inmediato que lo que había dicho Malfoy era algo realmente grave porque sus palabras provocaron al instante una reacción tumultuosa. Flint tuvo que ponerse rápidamente delante de Malfoy para evitar que Fred y George saltaran sobre él; Alicia gritó "¡Cómo te atreves!"; y Ron se metió la mano en la túnica y, sacando su varita mágica, amenazó:

—¡Pagarás por esto, Malfoy! —y la dirigió, por debajo del brazo de Flint, al rostro de Malfoy.

Un estruendo resonó en todo el estadio y un rayo de luz verde surgió del extremo roto de la varita de Ron y, dándole en el estómago, lo echó hacia atrás sobre el césped.

—¡Ron! ¡Ron! ¿Estás bien? —chilló Hermione.

Ron abrió la boca para decir algo, pero no salió ninguna palabra. Por el contrario, resonó un tremendo eructo, y le salieron de la boca varias babosas que le cayeron en el regazo.

El equipo de Slytherin se partía de risa. Flint se desternillaba, apoyado en su escoba nueva. Malfoy, en cuatro patas, golpeaba el suelo con el puño. Los de Gryffindor rodeaban a Ron, que seguía vomitando babosas grandes y brillantes. Nadie se atrevía a tocarlo.

—Lo mejor será que lo llevemos a la cabaña de Hagrid, es lo que está más cerca —dijo Harry a Hermione, quien asintió valerosamente, y entre los dos tomaron a Ron por los brazos.

—¿Qué ha ocurrido, Harry? ¿Qué ha ocurrido? ¿Está enfermo? Pero podrás curarlo, ¿no? —Colin había bajado corriendo de su puesto e iba dando saltos al lado de ellos mientras salían del campo. Ron tuvo una horrible arcada y más babosas le cayeron por el pecho.

—¡Ah! —exclamó Colin, fascinado y levantando la cámara—, ¿puedes sujetarlo un poco sin que se mueva, Harry?

—¡Fuera de aquí, Colin! —dijo Harry, enfadado. Entre él y Hermione sacaron a Ron del estadio y cruzaron la explanada hacia el borde del bosque.

—Ya casi estamos, Ron —dijo Hermione, cuando la cabina del guardián estuvo a la vista—. Estarás bien dentro de un minuto... ya casi...

Los separaban siete metros de la casa de Hagrid cuando se abrió la puerta. Pero no fue Hagrid el que salió por ella: Gilderoy Lockhart, que ese día llevaba una túnica de color malva muy claro, se acercó con paso decidido.

—Rápido, aquí detrás —dijo Harry entre dientes, llevando a Ron detrás de un arbusto que había allí. Hermione lo siguió, de mala gana.

—¡Es muy sencillo si sabes hacerlo! —le decía Lockhart a Hagrid en voz alta—. ¡Si necesitas ayuda, ya sabes dónde estoy! Te dejaré un ejemplar de mi libro... me sorprende que tú no tengas todavía uno. Te firmaré uno esta noche y te lo enviaré. ¡Bueno, adiós! —Y se fue hacia el castillo a grandes zancadas.

Harry esperó a que Lockhart se perdiera de vista, y luego sacó a Ron del arbusto y lo llevó hasta la puerta principal de la casa de Hagrid. Llamaron a toda prisa.

Hagrid apareció inmediatamente, con aspecto de mal humor, pero se le iluminó la cara cuando vio de quién se trataba.

—Me estaba preguntando cuándo vendríais a verme... Entren, entren. Creía que sería el profesor Lockhart que volvía.

Harry y Hermione introdujeron a Ron por el umbral a la cabaña de una sola habitación, que tenía en un rincón una gran cama, y una hoguera que crepitaba alegremente en la otra. Hagrid no pareció preocuparse mucho por el problema de las babosas de Ron, que Harry explicó apresuradamente mientras lo sentaban en una silla.

—Mejor afuera que adentro —dijo ufano, poniéndole delante una palangana grande de cobre—. Vomítalas todas, Ron.

—No creo que se pueda hacer nada salvo esperar a que la cosa acabe —dijo Hermione, preocupada, contemplando a Ron inclinado sobre la palangana—. Es un hechizo difícil de realizar en las condiciones óptimas, pero con la varita rota...

Hagrid estaba ocupado preparando un té. Fang, su perro jabalinero, llenaba a Harry de babas.

—¿Qué quería Lockhart de ti, Hagrid? —preguntó Harry, rascándole las orejas a Fang.

—Enseñarme cómo me puedo librar de los duendes del pozo —gruñó Hagrid, quitando de la mesa limpia un gallo a medio pelar y poniendo la tetera en ella—. Como si no lo supiera. Y hablar sobre una *banshee* a la que venció. Si en todo eso hay una palabra de cierto, me como la tetera.

Era muy raro que Hagrid criticara a un profesor de Hogwarts, y Harry lo miró sorprendido. Hermione, sin embargo, dijo en voz algo más alta de lo normal:

—Creo que son un poco injustos. Obviamente, el profesor Dumbledore ha juzgado que era el mejor para el puesto...

—Era el *único* para el puesto —repuso Hagrid, ofreciéndoles un plato de caramelos de café con leche, mientras Ron tosía ruidosamente contra la palangana—. Y quiero decir el *único*. Es muy difícil encontrar a nadie que dé Artes Tenebrosas. Porque a nadie le entusiasma mucho. Da la impresión de que la asignatura está hechizada. Nadie ha durado mucho. Díganme —preguntó Hagrid, mirando a Ron—: ¿a quién intentaba hechizar?

—Malfoy le dijo algo a Hermione. Tiene que haber sido algo muy fuerte, porque todos se pusieron furiosos.

—*Fue* muy fuerte —dijo Ron con voz ronca, incorporándose por encima del nivel de la mesa, pálido y sudoroso—. Malfoy la llamó "sangre sucia"...

Ron se apartó cuando volvió a salirle una nueva tanda de babosas. Hagrid parecía indignado.

—¡No! —bramó volviéndose a Hermione.

—Sí —dijo ella—. Pero yo no sé qué significa. Claro que podría decir que fue muy grosero...

—Es lo más insultante que se le podría ocurrir —jadeó Ron, volviendo a incorporarse—. "Sangre sucia" es un nombre realmente repugnante con el que llaman a los nacidos de *muggles*, ya sabes, de padres que no son magos. Hay algunos magos, como la familia de Malfoy, que creen que son mejores que nadie porque tienen lo que ellos llaman "sangre limpia". —Soltó un leve eructo, y una babosa solitaria le cayó en la palma de la mano. La arrojó a la palangana y prosiguió: —Desde luego, el resto de nosotros sabe que eso no tiene ninguna importancia. Mira a Neville Longbottom... es de sangre limpia y apenas es capaz de sujetar el caldero correctamente.

—Y no han inventado un conjuro que nuestra Hermione no sea capaz de realizar —dijo Hagrid con orgullo, haciendo que Hermione se pusiera colorada.

—Es algo desagradable para decirle a alguien—dijo Ron, secándose el sudor de la frente con la mano—. Es como decir "sangre podrida". Sangre vulgar. Es de idiotas. Además, la mayor parte de los magos de hoy día tienen sangre mezclada. Si no nos hubiéramos casado con *muggles* nos habríamos extinguido.

Le dieron arcadas y volvió a agacharse de forma que dejó de vérselo por encima de la mesa.

—Bueno, no te culpo por intentar hacerle un hechizo, Ron —dijo Hagrid, en un tono fuerte que sonaba por encima de los golpes de las babosas al caer sobre la palangana—. Pero quizá haya sido una suerte que tu varita mágica fallara. Si hubieras conseguido hechizarlo, Lucius Malfoy habría venido a la escuela. Así no tendrás ese problema.

Harry quiso señalar que el problema no hubiera sido peor que estar echando babosas por la boca, pero no pudo hacerlo: el caramelo de café con leche de Hagrid se le había adherido a los dientes y era incapaz de separarlos.

—Harry —dijo Hagrid de repente, como acometido por un pensamiento repentino—, tengo que ajustar cuentas contigo. Me han dicho que has estado repartiendo fotos firmadas. ¿Por qué no me has dado una?

La rabia le permitió a Harry separar los dientes:

—*No* he estado repartiendo fotos —dijo enfadado—. Si Lockhart aún va diciendo eso por ahí...

Pero entonces vio que Hagrid se reía:

—Sólo bromeaba —explicó, dándole a Harry unas palmadas amistosas en la espalda, que lo arrojaron contra la mesa—. Sé que no es verdad. Le dije a Lockhart que no te hacía falta. Que sin proponértelo, eres más famoso que él.

—Apuesto a que no le hizo ninguna gracia —dijo Harry, levantándose y frotándose la barbilla.

—Supongo que no —admitió Hagrid, parpadeando—. Luego le dije que no había leído nunca ninguno de sus libros, y se marchó. ¿Un caramelo de café con leche, Ron? —añadió, cuando Ron volvió a incorporarse.

—No, gracias —dijo Ron con debilidad—. Mejor no correr riesgos.

—Vengan a ver lo que he estado cultivando —dijo Hagrid, cuando Harry y Hermione terminaron su té.

En la pequeña huerta que había detrás de la casa de Hagrid había una docena de las calabazas más grandes que Harry hubiera visto nunca. Eran del tamaño de grandes rocas.

—Van bien, ¿verdad? —dijo Hagrid contento. Son para la fiesta de Halloween. Deberán haber crecido lo bastante para ese día.

105

—¿Qué les has echado? —preguntó Harry.

Hagrid miró por encima de su hombro para comprobar que estaban solos:

—Bueno, les he echado... ya sabes... un poco de ayuda.

Harry vio el paraguas rosa estampado de Hagrid apoyado contra la pared trasera de la cabaña. Ya antes, Harry había sospechado que aquel paraguas no era lo que parecía; de hecho, tenía la impresión de que la vieja varita mágica del colegio estaba oculta dentro. Se suponía que Hagrid no podía hacer magia. Lo habían expulsado de Hogwarts en el tercer curso, pero Harry no sabía por qué. Cualquier mención del asunto bastaba para que Hagrid carraspeara sonoramente y sufriera de pronto una misteriosa sordera que le duraba hasta que se cambiaba de tema.

—¿Un hechizo fertilizante, me imagino? —preguntó Hermione, entre la desaprobación y el regocijo—. Bueno, has hecho un buen trabajo.

—Eso es lo que dijo tu hermana menor —observó Hagrid, dirigiéndose a Ron—. Ayer la encontré. —Hagrid miró a Harry de soslayo, la barba se le movía. —Dijo que estaba mirando el campo, pero me da la impresión de que esperaba encontrarse a alguien más en mi casa. —Le guiñó un ojo a Harry. —Si quieres mi opinión, creo que ella no rechazaría una foto fir...

—¡Cállate! —dijo Harry. A Ron le dio risa y llenó la tierra de babosas.

—¡Cuidado! —gritó Hagrid, y apartó a Ron de sus queridas calabazas.

Ya casi era la hora de comer, y como Harry sólo había comido un caramelo de café con leche desde el alba, tenía prisa por regresar al colegio para la comida. Se despidieron de Hagrid y regresaron al castillo, con Ron hipando de vez en cuando, pero vomitando sólo un par de babosas pequeñas.

Apenas habían puesto un pie en el fresco vestíbulo cuando oyeron una voz:

—Conque están ahí, Potter, Weasley. —La profesora McGonagall caminaba hacia ellos, con gesto severo. —Cumplirán su castigo esta noche.

—¿Qué debemos hacer, profesora? —preguntó Ron, reprimiendo asustado un eructo.

—*Tú* limpiarás la plata de la sala de copas con el señor Filch —dijo la profesora McGonagall—. Y nada de magia, Weasley... ¡restregando!

Ron tragó saliva. Argus Filch, el conserje, era detestado por todos los estudiantes del colegio.

—Y tú, Potter, ayudarás al profesor Lockhart a responder las cartas de sus admiradoras —dijo la profesora McGonagall.

—Oh, no... ¿no puedo ayudar con la plata? —preguntó Harry desesperado.

—Desde luego que no —dijo la profesora McGonagall, levantando las cejas—. El profesor Lockhart ha solicitado que seas precisamente tú. A las ocho en punto, tanto uno como otro.

Harry y Ron pasaron al Gran Salón completamente abatidos, y Hermione entró detrás de ellos, con su expresión de no-haber-infringido-las normas-del-colegio. Harry no disfrutó tanto como había creído su budín de carne y papas. Tanto Ron como él pensaban que les había tocado la peor parte.

Filch me tendrá allí toda la noche —dijo Ron apesadumbrado—. ¡Sin magia! Debe de haber más de cien copas en esa sala. Y la limpieza *muggle* no me sale bien.

—Te lo cambiaría de buena gana —dijo Harry con voz apagada—. He hecho muchas prácticas con los Dursley. Pero responder al correo de las admiradoras de Lockhart... será una pesadilla.

La tarde del sábado pareció desvanecerse, y antes de que se dieran cuenta, eran las ocho menos cinco, y Harry se dirigió al despacho de Lockhart por el pasillo del segundo piso arrastrando los pies. Llamó a la puerta apretando los dientes.

La puerta se abrió de inmediato. Lockhart lo recibió con una sonrisa.

—¡Aquí está el pícaro! —dijo—. Vamos, Harry, entra.

Reluciendo en los muros a la luz de las velas, había un sinfín de fotografías enmarcadas de Lockhart. Algunas estaban incluso firmadas. Tenía otra pila grande de ellas sobre la mesa.

—¡Puedes poner las direcciones en los sobres! —le dijo Lockhart a Harry, como si se tratara de un placer irresistible—. El primero es para Gladys Gudgeon, bendita ella, mi gran admiradora.

Los minutos pasaron tan despacio como si fueran horas. Harry dejó que Lockhart hablara sin hacerle ningún caso, diciendo de tanto en tanto "mmm" o "ya" o "vaya". De vez en cuando, captaba alguna frase del tipo "La fama es una amiga veleidosa, Harry" o "Serás célebre si te comportas como alguien célebre, que no se te olvide".

Las velas se fueron consumiendo, haciendo que la luz reverberara en los distintos gestos que Lockhart hacía mirándolo. Harry pasaba su dolorida mano sobre lo que le parecía que tenía que ser el milésimo sobre, anotando sobre él la dirección de Verónica Smethley. "Debe de ser casi hora de acabar", pensó Harry, lastimosamente, "por favor que falte poco..."

Y en ese momento oyó algo, algo que no tenía nada que ver con el chisporroteo de las mortecinas velas ni con la cháchara de Lockhart sobre sus admiradoras.

Era una voz, una voz capaz de helar la medula ósea, una voz ponzoñosa que dejaba sin aliento, fría como el hielo.

—*Ven... ven a mí... déjame que te rasgue... déjame que te rompa... déjame matarte...*

Harry dio un salto, y un manchón grande de color lila apareció en la calle de Verónica Smethley.

—¿*Qué*? —gritó.

—Pues eso —dijo Lockhart—: ¡Seis meses enteros encabezando la lista de los más vendidos! ¡Batí todos los récords!

—¡No! —dijo Harry asustado—: ¡la voz!

—¿Cómo dices? —preguntó Lockhart, extrañado—. ¿Qué voz?

—La... la voz que ha dicho... ¿no la ha oído?

Lockhart miró a Harry, desconcertado.

—¿De *qué* hablas, Harry? ¿No te estarías quedando dormido? ¡Por Dios... mira la hora que es! ¡Llevamos con esto casi cuatro horas! Nunca lo hubiera creído... el tiempo vuela, ¿verdad?

Harry no respondió. Aguzaba el oído tratando de oír de nuevo la voz, pero no oyó otra cosa que a Lockhart diciéndole que no tenía que esperar a tener tanta suerte cada vez que lo castigaran. Harry salió, aturdido.

Era tan tarde que la sala común de Gryffindor estaba prácticamente vacía. Harry se fue derecho al dormitorio. Ron no había regresado todavía. Se puso el pijama, y se echó en la cama a esperar. Media hora después llegó Ron, con el brazo derecho dolorido y llevando con él un fuerte olor a limpiametales.

—Tengo agarrotados todos los músculos —se quejó, echándose en la cama—. Me ha hecho sacarle brillo catorce veces a una copa de *quidditch* antes de dar el visto bueno. Y vomité otra tanda de babosas sobre el Premio Especial por Servicios al Colegio. Me llevó un siglo quitar las babas... ¿Qué tal con Lockhart?

En voz baja, para no despertar a Neville, Dean y Seamus, Harry le contó a Ron con toda exactitud lo que había oído.

—¿Y Lockhart dijo que no lo había oído? —dijo Ron. A la luz de la luna, Harry podía verlo fruncir el ceño. —¿Piensas que mentía? Pero no lo entiendo... aunque fuera alguien invisible, tendría que haber abierto la puerta.

—Lo sé —dijo Harry, recostándose en su cama de cuatro columnas y contemplando el dosel que tenía sobre él—. Yo tampoco lo entiendo.

CAPÍTULO OCHO

La fiesta del aniversario de muerte

Llegó octubre extendiendo un frío húmedo por los campos y el castillo. La señora Pomfrey, la enfermera, estaba atareadísima debido a una repentina epidemia de catarros entre profesores y alumnos. Su poción Pepperup hacía un efecto instantáneo, aunque dejaba al que la tomaba echando humo por las orejas durante varias horas. Como Ginny Weasley tenía mal aspecto, Percy le insistió hasta que la probó. El vapor que le salía de debajo de su pelo brillante producía la impresión de que toda su cabeza estaba ardiendo.

Unas gotas de lluvia del tamaño de balas tronaron contra las ventanas del castillo durante días y días; el nivel del lago subió, los arriates de flores se transformaron en arroyos de agua sucia, y las calabazas de Hagrid adquirieron el tamaño de cobertizos. El entusiasmo de Oliver Wood, sin embargo, no se enfrió, y por ese motivo Harry se encontraba, a última hora de una tormentosa tarde de sábado cuando faltaban pocos días para Halloween, volviendo a la torre de Gryffindor, calado hasta los huesos y salpicado de barro.

Aunque no hubiera habido ni lluvia ni viento, no se habría tratado de una sesión de entrenamiento agradable. Fred y George, que habían estado espiando al equipo de Slytherin, habían comprobado por sí mismos la velocidad de las nuevas *Nimbus 2001*. Dijeron que el equipo de Slytherin no era otra cosa que siete estelas verdosas que cruzaban el aire como cohetes.

Al caminar Harry por el corredor desierto con los pies

mojados, se encontró a alguien que parecía tan preocupado como él. Nick Casi Decapitado, el fantasma de la torre de Gryffindor, miraba por una ventana, murmurando para sí:

—...no cumplo con las características... un centímetro... si eso...

—Hola, Nick —dijo Harry.

—Hola, hola —respondió Nick Casi Decapitado, dando un respingo y mirando a su alrededor. Llevaba un sombrero elegante, de plumas, sobre su largo pelo ondulado, y una túnica con gorguera, que disimulaba el hecho de que su cuello estaba casi completamente seccionado. Era pálido como el humo, y a través de él Harry podía ver el cielo oscuro y la lluvia torrencial del exterior.

—Parecéis preocupado, joven Potter —dijo Nick, plegando una carta transparente mientras hablaba, y metiéndosela en el jubón.

—Igual que usted —dijo Harry.

—¡Ah! —Nick Casi Decapitado hizo un elegante gesto con la mano—, un asunto sin importancia... no es que realmente tuviera interés en pertenecer... aunque lo solicitara, pero por lo visto "no cumplo con las características".

A pesar de su tono displicente, había amargura en su rostro.

—Pero cualquiera pensaría, cualquiera —estalló de repente, volviendo a sacar la carta del bolsillo—, que cuarenta y cinco hachazos en el cuello dados con un hacha mal afilada debieran calificarlo a uno para pertenecer al Club de Cazadores Sin Cabeza.

—¡Oh, desde luego! —dijo Harry, que se dio cuenta de que el otro esperaba que le diera la razón.

—Por supuesto, nadie hubiera tenido más interés que yo en que todo hubiese resultado limpio y rápido y mi cabeza se hubiera desprendido adecuadamente, quiero decir que eso me habría ahorrado mucho dolor y mucho ridículo. Sin embargo... —Nick Casi Decapitado abrió la carta y leyó indignado:

Sólo nos es posible admitir cazadores cuyas cabezas estén separadas de sus respectivos cuerpos. Comprenderá que en caso contrario a los miembros del Club les resultaría imposible participar en actividades tales como los Juegos Malabares de Cabeza Sobre el

111

Caballo o el Cabeza Polo. Lamentándolo profundamente, por tanto, es mi deber informarle que usted no cumple con las características requeridas para pertenecer al Club. Con mis mejores deseos:

Sir Patrick Delaney-Podmore

Indignado, Nick Casi Decapitado volvió a guardar la carta.

—¡Un centímetro de piel y tendón sostiene mi cabeza, Harry! La mayor parte de la gente pensaría que estoy bastante decapitado, pero no, eso no es suficiente para Sir Bien Decapitado-Podmore.

Nick Casi Decapitado respiró varias veces, y dijo después, en un tono más tranquilo:

—Bueno, y ¿a vos qué os pasa? ¿Puedo ayudaros en algo?

—No —dijo Harry—. A menos que sepa dónde puedo conseguir siete escobas *Nimbus 2001* gratuitas para nuestro partido contra Sly...

El resto de la frase de Harry no se pudo oír porque la eclipsó un maullido estridente que llegó de algún lugar cercano a sus tobillos. Bajó la vista y se encontró un par de ojos amarillos que brillaban como luces. Era la Señora Norris, la gata gris esquelética que el conserje, Argus Filch, utilizaba como una especie de segundo de a bordo en su guerra sin fin contra los estudiantes.

—Será mejor que os vayáis, Harry —dijo Nick apresuradamente—. Filch no está de buen humor. Tiene gripe y unos de tercero pusieron por accidente el techo de la mazmorra cinco cubierto de cerebro de rana; se ha pasado la mañana limpiando, y si te ve a ti manchando el suelo de barro...

—Bien —dijo Harry, alejándose de la mirada acusadora de la Señora Norris, pero no fue lo suficientemente rápido. Argus Filch penetró repentinamente por un tapiz que había a la derecha de Harry, llamado por la misteriosa conexión que parecía tener con su repugnante gata, y buscó como un loco, faltándole el aliento, al infractor de las normas. Llevaba al cuello una gruesa bufanda de tela escocesa, y su nariz estaba de un color rojo que no era el habitual.

—¡Suciedad! —gritó, con la mandíbula temblando; los ojos se le salían de las órbitas horrorizados al tiempo que señalaba el charco de agua sucia que había goteado de la túnica de *quidditch* de Harry—. ¡Desorden y mugre por todas partes! ¡Hasta aquí hemos llegado, ya lo sabes! ¡Sígueme, Potter!

Así que Harry se despidió con un gesto de la mano de Nick Casi Decapitado, y siguió a Filch escaleras abajo, multiplicando por dos el número de las huellas de barro.

Harry no había entrado nunca antes en la conserjería de Filch: era un lugar que evitaban la mayoría de los estudiantes. Era una habitación lóbrega y desprovista de ventanas, iluminada por una solitaria lámpara de aceite que colgaba del techo. Un vago olor a pescado frito persistía en el lugar. En las paredes había archivos de madera; por las etiquetas, Harry pudo imaginar que contenían detalles de cada uno de los alumnos que Filch había castigado en alguna ocasión. Fred y George Weasley tenían para ellos solos un cajón entero. Detrás de la mesa de Filch, en la pared, colgaba una colección de cadenas y esposas muy brillantes. Era de dominio público que él le rogaba siempre a Dumbledore que le dejara colgar a los alumnos por los tobillos del techo.

Filch tomó una pluma de un pote que había en la mesa y empezó a revolver por allí en busca de pergamino.

—Estiércol... —murmuraba furioso— mocos secos de lagarto silbador gigante... cerebros de rana... intestinos de ratón... hasta aquí hemos llegado... hay que dar un *escarmiento*... dónde está el formulario... ajá...

Sacó un pergamino del cajón de su mesa y lo extendió delante de él. Mojó en el tintero su larga pluma negra.

—*Nombre:* Harry Potter. *Delito:* ...

—¡Sólo fue un poco de barro! —dijo Harry.

—¡Sólo es un poco de barro para ti, muchacho, pero para mí es una hora extra fregando! —gritó Filch. Una gota temblaba en el extremo de su nariz protuberante. —*Delito:* ensuciar el castillo. *Castigo propuesto:* ...

Secándose la nariz, Filch miró desagradablemente a Harry, entrecerrando los ojos. Harry aguardaba su sentencia conteniendo la respiración.

Pero cuando Filch bajó la pluma, se oyó un golpe tremendo en el techo de la conserjería que hizo temblar la lámpara de aceite.

—¡PEEVES! —bramó Filch, tirando la pluma en un acceso de rabia—. ¡Esta vez te voy a pescar, esta vez te pesco!

Y, olvidándose de Harry, salió de la oficina corriendo con sus pies planos y con la Señora Norris corriendo a su lado.

Peeves era el *poltergeist* del colegio, una amenaza sardónica y volante que vivía causando problemas y embrollos. A Harry no le gustaba nada Peeves, pero en aquella ocasión no pudo evitar sentirse agradecido. Era de esperar que lo que Peeves hubiera hecho y, a juzgar por el ruido, esta vez se debía de haber cargado algo realmente grande, haría que Filch se olvidara de Harry.

Pensando que tendría que aguardar a que Filch regresara, Harry se sentó en una silla apolillada que había junto a la mesa. Aparte del formulario a medio llenar, sólo había otra cosa sobre la mesa: un sobre grande, rojo y brillante con unas palabras escritas con tinta plateada. Echando a la puerta una rápida mirada para comprobar que Filch no volvía en ese momento, Harry tomó el sobre y leyó:

EMBRUJORAPID

Curso de magia por correspondencia
para principiantes

Intrigado, Harry abrió el sobre y sacó el fajo de pergaminos que contenía. En la primera página, la misma escritura color de plata con florituras decía:

¿Se siente perdido en el mundo de la magia moderna? ¿Se descubre a usted mismo buscando disculpas para no llevar a cabo sencillos conjuros? ¿Ha provocado alguna vez la hilaridad de sus amistades por su torpeza con la varita mágica?
¡Aquí tiene la solución!

Embrujorapid es un curso completamente nuevo, infalible, de rápidos resultados y fácil de estudiar. ¡Cientos de brujas y magos se han beneficiado ya con el método Embrujorapid!

La señora Z. Nettles, de Topsham, nos ha escrito lo siguiente: "¡Me había olvidado de todos los conjuros, y mis pociones provocaban la risa de mi familia! ¡Ahora, gracias al curso

114

Embrujorapid, soy el centro de atención en las reuniones, y mis amigos me ruegan que les dé la receta de mi solución chispeante!"

El brujo D. J. Prod, de Didsbury, escribe:
"Mi mujer despreciaba mis flojos encantamientos, pero, siguiendo durante un mes su fabuloso curso Embrujorapid ¡la he convertido en una vaca! ¡Gracias, Embrujorapid!"

Extrañado, Harry hojeó el resto del contenido del sobre. ¿Para qué demonios quería Filch un curso de Embrujorapid? ¿Eso quería decir que no era un mago de verdad? Harry leía: "Lección primera: cómo sostener la varita (consejos útiles)", cuando un ruido de pasos arrastrados le indicó que Filch regresaba. Metiendo los pergaminos en el sobre, volvió a dejarlo sobre la mesa y justo en ese momento se abrió la puerta.

Filch parecía triunfante.

—¡Ese armario que ya no existe era extraordinariamente valioso! —le decía con alegría a la Señora Norris—. Esta vez Peeves es nuestro, querida.

Sus ojos tropezaron con Harry y luego se dirigieron como una bala al sobre de Embrujorapid que, como Harry comprendió ya demasiado tarde, estaba a medio metro de distancia de donde se encontraba antes.

La cara pálida de Filch se puso de un rojo brillante. Harry se preparó para acometer un maremoto de furia. Filch se acercó a la mesa cojeando, tomó el sobre y lo metió en un cajón.

—¿Has... lo has leído? —farfulló.

—No —se apresuró a mentir.

Filch se retorcía sus manos nudosas:

—Si pensara que habías leído mi correspondencia privada... bueno, no es mía... es para un amigo... es que como... sin embargo...

Harry lo miraba alarmado; Filch nunca le había parecido tan alterado. Los ojos se le salían de las órbitas, había aparecido un tic en una de sus hinchadas mejillas, y la bufanda de tejido escocés no lo ocultaba.

—Muy bien, vete... y no digas una palabra... no es que...

sin embargo, si no lo has leído... vete, tengo que escribir el informe sobre Peeves... vete...

Asombrado de su buena suerte, Harry salió de la conserjería a toda prisa, subió por el corredor y volvió a las escaleras. Salir de la conserjería de Filch sin haber recibido ningún castigo era seguramente una especie de récord.

—¡Harry! ¡Harry! ¿Funcionó?

Nick Casi Decapitado salió de un aula deslizándose. Tras él, Harry podía ver los restos de un armario grande, de color negro y dorado, que parecía haber caído de una gran altura.

—Convencí a Peeves para que lo estrellara justo encima de la conserjería de Filch —dijo Nick emocionado—, pensé que eso lo podría distraer...

—¿Ha sido usted? —dijo Harry, agradecido—. Claro que funcionó, ni siquiera me van a castigar. ¡Gracias, Nick!

Empezaron a caminar juntos por el corredor. Nick Casi Decapitado, según notó Harry, sostenía aún la carta de rechazo de Sir Patrick.

—Me gustaría poder hacer algo para ayudarlo en el asunto del Club —dijo Harry.

Nick Casi Decapitado se detuvo de pronto y Harry pasó a través de él. Lamentó haberlo hecho: fue como pasar por debajo de una ducha de agua helada.

—Pero hay algo que podríais hacer por mí —dijo Nick emocionado—. Harry, ¿sería mucho pedir...? no, no vais a querer...

—¿Qué es? —preguntó Harry.

—Bueno, el próximo día de Todos los santos se cumplen quinientos años de mi muerte —dijo Nick Casi Decapitado, irguiéndose y poniendo aspecto de importancia.

—¡Ah! —exclamó Harry, no muy seguro de si tenía que alegrarse o entristecerse—. ¡Bueno!

—Voy a dar una fiesta en una de las mazmorras más amplias. Vendrán amigos míos de todas partes del país. Para mí sería un honor tan grande que vos pudierais asistir... Naturalmente, el señor Weasley y la señorita Granger también están invitados. Pero me imagino que preferiréis ir a la fiesta del colegio. —Miró a Harry sobre ascuas.

—No —dijo Harry de inmediato—, iré...

—¡Mi estimado muchacho! ¡Harry Potter en mi aniversario de muerte! Y... —dudó, aparentemente emocionado— ¿tal vez podríais mencionarle a Sir Patrick lo horrible y espantoso que os resulto?

—Por supuesto —contestó Harry.

Nick Casi Decapitado le dirigió una sonrisa.

—¿Un aniversario de muerte? —dijo Hermione entusiasmada, cuando Harry se hubo cambiado de ropa y reunido con ella y Ron en la sala común—. Estoy segura de que hay muy poca gente que pueda presumir de haber estado en una fiesta como esa: ¡será fascinante!

—¿Para qué quiere alguien celebrar el día en que ha muerto? —dijo Ron, que iba por la mitad de sus deberes de Pociones y estaba de mal humor—: Me suena a aburrimiento mortal...

La lluvia seguía azotando las ventanas, que estaban de color negro, pero dentro todo parecía brillante y alegre. La luz de la chimenea resplandecía sobre los mullidos butacones en que los estudiantes se sentaban a leer, a hablar, a hacer los deberes o, en el caso de Fred o George Weasley, a intentar averiguar qué es lo que sucede si se le da de comer a una salamandra una bengala del doctor Filibuster. Fred había "rescatado" aquel lagarto de color naranja brillante capaz de vivir en el fuego de una clase de Mantenimiento de Criaturas Mágicas y ahora ardía suavemente sobre una mesa, rodeado de un grupo de curiosos.

Harry estaba a punto de hablarles a Ron y Hermione sobre Filch y el curso Embrujorapid cuando de pronto la salamandra pasó por el aire zumbando, arrojando chispas y produciendo estallidos mientras daba vueltas por la sala. La imagen de Percy riñendo a Fred y George hasta enronquecer, la espectacular exhibición de chispas de color naranja que salían de la boca de la salamandra, y su caída en el fuego, con acompañamiento de explosiones, apartaron a Filch y el sobre de Embrujorapid de la mente de Harry.

Para cuando llegó Halloween, Harry se había arrepentido de su impetuosa promesa de ir a la fiesta de aniversario de muerte. El resto del colegio estaba preparando su fiesta de Halloween; habían decorado el Gran Salón con los usuales murciélagos vivos, las grandes calabazas de Hagrid habían sido convertidas en lámparas lo bastante grandes como para que tres hombres se sentaran dentro, y corrían rumores de que Dumbledore había contratado una compañía de esqueletos bailarines para la diversión.

—Lo prometido es deuda —le recordó Hermione a Harry en tono autoritario—. Y tú le *prometiste* ir a su fiesta de aniversario.

Así que a las siete en punto, Harry, Ron y Hermione cruzaron la puerta, entraron en el atiborrado Gran Salón, que brillaba tentadoramente con los platos dorados y las velas, y dirigieron sus pasos hacia las mazmorras.

También estaba iluminado con filas de velas el pasadizo que conducía a la fiesta de Nick Casi Decapitado, aunque el efecto estaba lejos de resultar alegre: éstas eran velas largas y delgadas, de color negro azabache, todas tenían una llama azul brillante y arrojaban una luz oscura y fantasmal incluso sobre sus propias caras de vivos. La temperatura descendía a cada paso que daban. Al tiempo que se apretaba la túnica, Harry oyó un sonido como de mil uñas arañando en un pizarrón.

—¿Se supone que eso es *música*? —murmuró Ron. Doblaron una esquina y vieron a Nick Casi Decapitado ante una puerta con colgaduras negras.

—Queridos amigos —dijo con profunda tristeza—: bienvenidos, bienvenidos... os agradezco que hayáis podido venir...

Hizo una floritura con su sombrero de plumas, y una reverencia señalando hacia el interior.

Fue una vista increíble. La mazmorra estaba llena de cientos de personas transparentes, de color blanco perla. La mayoría se movía sin ánimo por una sala de baile abarrotada, bailando el vals al horrible y trémulo son de treinta sierras tocadas por una orquesta sobre un escenario recubierto de tela negra. Por encima de las cabezas, había una lámpara que daba una luz azul medianoche. Su respiración formaba ante ellos una neblina: era como entrar en una heladera.

—¿Damos una vuelta? —propuso Harry, con la intención de calentarse los pies.

—Cuidado, no vayas a atravesar a nadie —advirtió Ron, nervioso, y comenzaron a bordear la sala de baile. Pasaron por delante de un grupo de monjas lúgubres, de un harapiento que arrastraba cadenas, y del Fraile Gordo, un alegre fantasma de Hufflepuff, que hablaba con un caballero que tenía una flecha en la frente. Harry no se sorprendió de que todos los demás fantasmas evitaran al Barón Sanguinario, un fantasma de Slytherin adusto, de mirada impertinente, con manchas de sangre que se habían vuelto plateadas.

—Oh, no —dijo Hermione, parándose de repente—. Volvamos, volvamos, no quiero hablar con Myrtle la Llorona...

—¿Con quién? —le preguntó Harry, retrocediendo rápidamente.

—Vive en uno de los cuartos de baño de chicas del primer piso —dijo Hermione.

—¿Vive en un cuarto de *baño*?

—Sí. No lo hemos podido utilizar en todo el curso porque siempre le dan rabietas e inunda el lugar con sus llantos. De todas maneras, nunca entro allí si puedo evitarlo, es horroroso ir al baño con ella llorando.

—¡Mira, comida! —dijo Ron.

Al otro lado de la mazmorra, había una mesa larga, cubierta también con terciopelo negro. Se acercaron con entusiasmo, pero un instante después se quedaron inmóviles, horrorizados. El olor era muy desagradable: sobre unas preciosas fuentes de plata había unos pescados grandes y podridos; los pasteles, completamente quemados, formaban montones en las bandejas; había un pastel de vísceras con gusanos, un queso cubierto de un esponjoso moho verde y, como orgullo de la mesa, un gran pastel gris con forma de sepulcro, con unas letras que parecían de alquitrán helado y que formaban las palabras:

Sir Nicholas de Mimsy-Porpington
falleció el 31 de octubre de 1492

Harry contempló, asombrado, que un fantasma corpulento se acercaba, se agachaba y avanzaba en cuclillas a través de la mesa con la boca abierta para que pasara por ella un salmón hediondo.

—¿Puedes saborearlo de esa manera? —le preguntó Harry.

—Casi —contestó con tristeza el fantasma, y se alejó como sin voluntad.

—Supongo que lo habrán dejado un poco podrido para que tenga más sabor —dijo Hermione con aire de entendida, tapándose la nariz e inclinándose para ver más de cerca el pastel de vísceras podrido.

—Vámonos, me dan náuseas —dijo Ron.

Pero apenas se habían dado vuelta cuando un hombrecito surgió de repente de debajo de la mesa y se detuvo frente a ellos, en el aire.

—Hola, Peeves —dijo Harry, con precaución.

A diferencia de los fantasmas que había alrededor, Peeves el *poltergeist* era lo opuesto de algo pálido y transparente. Llevaba un sombrero de fiesta de color naranja brillante, una corbata de moño de pésimo gusto y una gran sonrisa en su cara ancha y malvada.

—¿Quieren? —preguntó amablemente, ofreciéndoles un bol de maníes recubiertos de moho.

—No, gracias —dijo Hermione.

—Los he oído hablar de la pobre Myrtle —dijo Peeves, moviendo los ojos—. No has sido muy amable con la pobre Myrtle. —Tomó aliento y gritó:— ¡EH! ¡MYRTLE!

—No, Peeves, no le digas lo que he dicho, la afectará mucho —susurró Hermione, desesperada—. No quise decir eso, no me importa que ella... eh, hola, Myrtle.

Hasta ellos se había deslizado el fantasma de una chica rechoncha. Tenía la cara más triste que Harry hubiera visto nunca, medio oculta por un pelo lacio y grueso y unos anteojos nacarados.

—¿Qué? —preguntó enfurruñada.

—¿Cómo estás, Myrtle? —dijo Hermione, fingiendo un tono animado—. Me alegro de verte fuera del baño.

Myrtle sollozó.

—Ahora mismo la señorita Granger estaba hablando sobre ti —le dijo Peeves a Myrtle al oído, maliciosamente.

—Sólo comentábamos... comentábamos... lo bonita que estás esta noche —dijo Hermione, mirando a Peeves.

Myrtle le dirigió a Hermione una mirada recelosa:

—Te estás burlando de mí —dijo, y unas lágrimas plateadas asomaron inmediatamente a sus ojos pequeños, detrás de los anteojos.

—No, honestamente... ¿no es verdad que estaba comentando lo bonita que está Myrtle esta noche? —dijo Hermione, dándoles fuertemente a Harry y Ron con los codos en las costillas.

—Sí, sí...

—Claro...

—No me mientan —dijo Myrtle entre sollozos, con las lágrimas cayéndole por la cara, mientras Peeves, encima de su hombro, se reía entre dientes—. ¿Creen que no sé cómo me llama la gente a mis espaldas? ¡Myrtle la gorda! ¡Myrtle la fea! ¡Myrtle la desgraciada, la llorona, la triste!

—Se te ha olvidado "la llena de granos" —le susurró Peeves al oído.

Myrtle la Llorona estalló en sollozos angustiados y salió de la mazmorra corriendo. Peeves salió disparado detrás de ella, tirándole maníes mohosos y gritándole:

—¡La llena de granos!, ¡la llena de granos!

—¡Dios mío! —dijo Hermione con tristeza.

Nick Casi Decapitado iba por entre la multitud hacia ellos.

—¿Disfrutando?

—¡Sí! —mintieron.

—Ha venido bastante gente —dijo con orgullo Nick Casi Decapitado—. Mi Desconsolada Viuda ha venido desde Kent... Ya es casi la hora de mi discurso, así que voy a ir a avisar a la orquesta...

La orquesta, sin embargo, dejó de tocar en ese mismo instante. Tanto ellos como todos los demás en la mazmorra quedaron en silencio, mirando con curiosidad, al sonar un cuerno de caza.

—Ya estamos —dijo Nick Casi Decapitado con cierta amargura.

A través de uno de los muros de la mazmorra, penetraron una docena de caballos-fantasma, montados por sendos jinetes sin cabeza. Los asistentes aplaudieron con fuerza; Harry también empezó a aplaudir, pero se detuvo de inmediato al ver la cara de Nick.

Los caballos galoparon hasta mitad de la sala de baile, y

se detuvieron corcoveando y levantando las patas delanteras; un fantasma grande que iba delante, que llevaba bajo el brazo su cabeza barbada, soplando el cuerno, desmontó de un brinco, levantó la cabeza en el aire para poder mirar por encima de la multitud (todos se rieron) y se acercó con paso decidido a Nick Casi Decapitado, poniéndose la cabeza sobre el cuello.

—¡Nick! —bramó—, ¿cómo estás? ¿Todavía te cuelga la cabeza?

Rompió en una sonora carcajada, y le dio a Nick Casi Decapitado unas palmadas en el hombro.

—Bienvenido, Patrick —dijo Nick con frialdad.

—¡Vivos! —dijo Sir Patrick, viendo a Harry, Ron y Hermione y dando un salto tremendo pero fingido de sorpresa, de forma que su cabeza volvió a caerse (la gente volvió a reírse).

—Muy divertido —dijo Nick Casi Decapitado con voz apagada.

—¡No se preocupen por Nick! —gritó desde el suelo la cabeza de Sir Patrick—, ¡aunque no le guste, no lo dejaremos entrar en el Club! Pero quiero decir... miren al amigo...

—Creo —dijo Harry a toda prisa, a una mirada elocuente de Nick— que Nick es terrorífico y... eeeh...

—¡Ja! —gritó la cabeza de Sir Patrick—, apuesto a que Nick te pidió que dijeras eso.

—¡Si me conceden su atención, ha llegado el momento de mi discurso! —dijo en voz alta Nick Casi Decapitado, caminando hacia el estrado con paso decidido y subiendo hasta un chorro de luz de un azul glacial.

—Mis difuntos y afligidos señores y señoras, es para mí una gran tristeza...

Pero nadie lo escuchó mucho más. Sir Patrick y el resto del Club de Cazadores Sin Cabeza acababan de comenzar un juego de Cabeza Hockey y la gente se agolpaba para mirar. Nick Casi Decapitado trató en vano de recuperar la atención, pero desistió cuando la cabeza de Sir Patrick le pasó al lado entre vítores.

Harry sentía mucho frío, por no mencionar el hambre.

—No puedo aguantar más —murmuró Ron, castañeteando los dientes, cuando la orquesta volvió a tocar y los fantasmas volvieron al baile.

—Vámonos —accedió Harry.

Fueron hacia la puerta, sonriendo e inclinando la cabeza a todo el que los miraba, y un minuto más tarde subían a toda prisa por el pasadizo lleno de velas negras.

—Quizás aún quede budín —dijo Ron con esperanza, marcando el camino hacia la escalera del vestíbulo.

Y entonces Harry lo oyó:

—*...rasgarte... romperte... matarte...*

Fue la misma voz, la misma voz fría, asesina, que había oído en el despacho de Lockhart.

Dio un traspié al detenerse, agarrándose al muro de piedra y escuchando lo más atentamente que podía, al tiempo que miraba a ambos lados, con los ojos entrecerrados, el pasadizo pobremente iluminado.

—Harry, ¿qué...?

—Es de nuevo esa voz... cállense un momento...

—*...tan deseoso... durante tanto tiempo...*

—¡Escuchen! —dijo Harry, y Ron y Hermione se quedaron inmóviles, mirándolo.

—*...matar... la hora de matar...*

La voz se iba apagando. Harry estaba seguro de que se alejaba... hacia arriba. Al mirar el oscuro techo, se apoderó de él una mezcla de miedo y emoción; ¿cómo podía irse hacia arriba? ¿Se trataba de un fantasma, para quien no era obstáculo un techo de piedra?

—¡Por aquí! —gritó, y comenzó a correr, subiendo las escaleras, hasta el vestíbulo. Allí era imposible oír nada, debido al ruido de la fiesta de Halloween que tenía lugar en el Gran Salón. Harry aceleró al subir por la escalera que llevaba al primer piso. Ron y Hermione lo seguían taconeando.

—Harry ¿qué estamos...?

—¡SHH!

Harry aguzó el oído. En la distancia, proveniente del piso superior, y cada vez más débil, oyó la voz: *...huelo sangre... ¡Huelo sangre!*

Sintió una sacudida en el estómago.

—¡Va a matar a alguien! —gritó, y sin hacer caso de las caras de desconcierto de Ron y Hermione, subió el siguiente tramo de escalera de tres en tres escalones, intentando oír a pesar de sus propios estruendosos pasos.

Harry recorrió a toda velocidad todo el segundo piso, y Ron y Hermione lo seguían jadeando, sin parar hasta que doblaron la esquina del último corredor, también desierto.

—Harry, ¿*qué* pasaba? —le preguntó Ron, sacándose el sudor de la cara. Yo no oí nada...

Pero Hermione dio de repente un grito ahogado, y señaló el corredor:

—*¡Miren!*

Algo brillaba en el muro delante de ellos. Se aproximaron, despacio, mirando en la oscuridad con los ojos entornados. En el espacio entre dos ventanas, brillando a la luz que arrojaban las antorchas, había unas palabras pintarrajeadas de más de un palmo de altura:

LA CÁMARA DE LOS SECRETOS HA SIDO ABIERTA.
TEMED, ENEMIGOS DEL HEREDERO.

—¿Qué es lo que cuelga debajo? —preguntó Ron, con un leve temblor en la voz.

Al acercarse más, Harry casi resbala: en el suelo había un charco grande de agua. Ron y Hermione lo agarraron, y se aproximaron despacio a la pintada, con los ojos fijos en una sombra oscura que había debajo. Los tres comprendieron a la vez lo que era, y dieron un brinco hacia atrás.

La Señora Norris, la gata del conserje, estaba colgada por la cola de la argolla en que se fijaba una antorcha. Estaba rígida como una tabla, con los ojos abiertos y fijos.

Durante unos segundos, no se movieron. Luego Ron dijo:

—Vámonos de aquí.

—No deberíamos intentar ayudar... —comenzó a decir Harry, sin encontrar las palabras.

—Háganme caso —dijo Ron—, mejor que no nos encuentren aquí.

Pero era demasiado tarde. Un ruido, como de un trueno distante, les señaló que la fiesta acababa de terminar. De cada extremo del corredor en que se encontraban, llegaba el sonido de cientos de pies que subían las escaleras, y la charla sonora y alegre de gente que había comido bien. Un momento después, los estudiantes irrumpían en el corredor por ambos lados.

124

La charla, el bullicio y el ruido se apagaron de repente cuando vieron la gata colgada. Harry, Ron y Hermione estaban solos, en medio del corredor, cuando se hizo el silencio entre la masa de estudiantes, que presionaban hacia adelante para ver el truculento espectáculo.

Luego, alguien gritó en medio del silencio:

—¡Temed, enemigos del Heredero! ¡Los próximos seréis los sangre sucia!

Era Draco Malfoy. Había avanzado hasta la primera fila. Tenía los ojos alegres, y la cara, habitualmente pálida, enrojeció al sonreír ante el espectáculo de la gata que colgaba inmóvil.

— CAPÍTULO NUEVE —

La pintada en el muro

—¿Qué pasa aquí? ¿Qué está pasando?

Atraído sin duda por el grito de Malfoy, Argus Filch se abría paso a empujones. Vio a la señora Norris y se echó atrás. Se llevó las manos a la cara, horrorizado.

—¡Mi gata! ¡Mi gata! ¿Qué le ha pasado a la Señora Norris? —chilló.

Sus ojos, que se le salían de las órbitas, recalaron en Harry.

—¡*Tú!* —chilló—, *¡Tú!* ¡Tú has matado a mi gata! ¡Tú la has matado! ¡Y yo te mataré a ti! ¡Te...!

—*¡Argus!*

Había llegado Dumbledore, seguido de otros profesores. En unos segundos, pasó por delante de Harry, Ron y Hermione y sacó a la señora Norris de la argolla en que se fijaba la antorcha.

—Ven conmigo, Argus —le dijo a Filch—. Ustedes también, Potter, Weasley y Granger.

Lockhart se adelantó, algo asustado:

—Mi despacho es el más próximo, director... sólo hay que subir las escaleras... puede disponer de él.

—Gracias, Gilderoy —respondió Dumbledore.

La silenciosa multitud se apartó para dejarles paso. Lockhart, nervioso y dándose importancia, siguió a Dumbledore a paso rápido; lo mismo hicieron la profesora McGonagall y el profesor Snape.

Cuando entraron en el oscuro despacho de Lockhart, hubo gran revuelo en las paredes; Harry se dio cuenta de que algu-

126

nas de las fotos de Lockhart se escondían de la vista porque tenían el pelo con rulos. El Lockhart de carne y hueso encendió las velas de su mesa, y se apartó. Dumbledore dejó a la señora Norris sobre la pulida superficie y comenzó a examinarla. Harry, Ron y Hermione intercambiaron tensas miradas y, mirando a los demás, se sentaron en sillas que estaban fuera de la zona iluminada por las velas.

Dumbledore acercó la punta de su ganchuda y larga nariz a una distancia de apenas dos centímetros de la piel de la Señora Norris. La examinó de cerca con sus lentes de media luna, dándole golpecitos con sus largos dedos. La profesora McGonagall estaba inclinada casi tan cerca como él, con los ojos entornados. Snape estaba muy cerca detrás de ellos, con una expresión peculiar: era como si estuviera haciendo grandes esfuerzos para no sonreír. Y Lockhart rondaba alrededor de ellos, haciendo sugerencias.

—Puede concluirse que fue un hechizo lo que le produjo la muerte... quizá la Tortura Metamórfica. He visto muchas veces sus efectos. Es una pena que no me encontrara allí, porque conozco el contrahechizo que la habría salvado...

Los sollozos sin lágrimas, convulsivos, de Filch acompañaban los comentarios de Lockhart. Se desplomó en una silla junto a la mesa, con la cara en las manos, incapaz de dirigir la vista a la Señora Norris. Pese a lo mucho que detestaba a Filch, Harry no pudo evitar sentir compasión por él, aunque no tanta como la que sentía por sí mismo. Si Dumbledore creía a Filch, lo expulsarían sin ninguna duda.

Dumbledore murmuraba ahora extrañas palabras en voz casi inaudible. Golpeó a la Señora Norris con su varita, pero no sucedió nada: parecía como si acabara de ser disecada.

—...Recuerdo que sucedió algo muy parecido en Uagadugú —dijo Lockhart—, una serie de ataques. La historia completa está en mi autobiografía. Pude proveer al poblado con varios amuletos que acabaron con el peligro inmediatamente...

Todas las fotografías de Lockhart que había en las paredes movieron la cabeza de arriba abajo confirmando lo que éste decía. Una se había olvidado de quitarse la redecilla del pelo.

Finalmente, Dumbledore se incorporó.

—No está muerta, Argus —dijo suavemente.

Lockhart interrumpió de repente su cálculo del número de asesinatos evitados por él.

—¿Que no está muerta? —preguntó Filch entre sollozos, mirando por entre los dedos a la señora Norris—. ¿Y por qué está rígida?

—La han petrificado —explicó Dumbledore.

—¡Ah, ya me parecía a mí! —dijo Lockhart.

—Pero no podría decir cómo...

—¡Pregúntele! —chilló Filch, volviendo a Harry su cara con manchas y surcada por lágrimas.

—Ningún estudiante de segundo curso podría haber hecho esto —dijo Dumbledore con firmeza—. Es magia negra muy avanzada.

—¡Lo hizo él, lo hizo él! —escupió Filch, y su inflada cara enrojeció—: ¡Ha visto lo que escribió en el muro! Él encontró... en mi conserjería... sabe que soy, que soy un... —Filch hacía unos gestos horribles. —¡Sabe que soy un *squib*! —concluyó.

—¡No he *tocado* a la señora Norris! —dijo Harry con voz potente, incómodamente consciente de que todos lo miraban, incluyendo todos los Lockhart que había en las paredes—. Y ni siquiera sé lo que es un *squib*.

—¡Mentira! —gruñó Filch—. ¡Él vio la carta de Embrujorapid!

—Si se me permite hablar, señor director —dijo Snape desde la penumbra, y Harry se asustó aún más; estaba seguro de que Snape no tendría nada que decir que pudiera beneficiarlo—. Potter y sus amigos simplemente podrían haberse encontrado en el lugar menos adecuado en el momento menos adecuado —dijo, con una leve expresión de desprecio curvándole la boca, como si lo pusiera en duda—, pero nosotros tenemos aquí una serie de sospechosas circunstancias: ¿Por qué se encontraban ellos en el corredor del piso superior? ¿Por qué no estaban en la fiesta de Halloween?

Harry, Ron y Hermione se pusieron a dar a la vez una explicación sobre la fiesta de aniversario de muerte:

—...había cientos de fantasmas: testificarán que estábamos allí.

—Pero ¿por qué no se unieron a la fiesta después? —preguntó Snape. Sus ojos negros brillaban a la luz de las velas. —¿Por qué subieron al corredor?

Ron y Hermione miraron a Harry.

—Porque... porque... —dijo Harry, con el corazón latiéndole a toda prisa: algo le decía que parecería muy rebuscado si explicaba que lo había conducido hasta allí una voz que no salía de ningún sitio y que nadie sino él había podido oír— porque estábamos cansados y queríamos ir a la cama —dijo.

—¿Sin cenar nada? —preguntó Snape. Una sonrisa de triunfo había aparecido en su adusto rostro. —No sabía que los fantasmas dieran en sus fiestas comida adecuada para los vivos.

—No teníamos hambre —dijo Ron con voz potente, y sus tripas rugieron en ese preciso instante.

La desagradable sonrisa de Snape se intensificó.

—Tengo la impresión, señor director, de que Potter no está siendo completamente sincero —dijo—. Podría ser una buena idea privarlo de determinados privilegios hasta que se avenga a contarnos toda la verdad. Personalmente creo que debería ser apartado del equipo de *quidditch* de Gryffindor hasta que decida no mentir.

—Francamente, Severus —dijo la profesora McGonagall bruscamente—, no veo razón para que el chico deje de jugar al *quidditch*. Este gato no ha sido golpeado en la cabeza con el palo de una escoba. No tenemos ninguna prueba de que Potter haya hecho nada malo.

Dumbledore le dirigía a Harry una mirada inquisitiva. Sus brillantes ojos azul claro lo hacían sentirse como si fuera examinado por rayos X.

—Es inocente hasta que no se demuestre lo contrario, Severus —dijo con firmeza.

Snape parecía furioso. Igual que Filch.

—¡Han petrificado a mi gata! —gritó. Los ojos se le salían de las órbitas. — ¡Exijo que haya algún *castigo*!

—Podremos curarla, Argus —dijo Dumbledore con paciencia—. La señora Sprout ha conseguido mandrágoras recientemente. En cuanto hayan crecido, haré una poción con la que revivir a la Señora Norris.

—La haré yo —prorrumpió Lockhart—. Creo que la he preparado unas cien veces, podría hacerla hasta en sueños.

—Disculpe —dijo Snape con frialdad—, pero creo que el profesor de pociones de este colegio soy yo.

Hubo un silencio incómodo.

—Pueden irse —les dijo Dumbledore a Harry, Ron y Hermione.

Se fueron, tan rápido como podían sin llegar a correr. Cuando estuvieron un piso más arriba del despacho de Lockhart, entraron en un aula vacía y cerraron la puerta con cuidado tras ellos. Con los ojos entornados, Harry miró las caras ensombrecidas de sus amigos.

—¿Creen que tendría que haberles hablado sobre la voz que oí?

—No —dijo Ron, sin dudar—. Oír voces que ningún otro puede oír no es buena señal, ni siquiera en el mundo de los magos.

Había algo en la voz de Ron que hizo que Harry le preguntara:

—Tú me crees, ¿verdad?

—Por supuesto —contestó Ron rápidamente—. Pero... tienes que admitir que suena raro...

—Sé que suena raro —admitió Harry—. Todo el asunto suena raro. ¿Qué era lo que estaba escrito en el muro? "La Cámara ha sido abierta". ¿Qué querrá decir?

—El caso es que me suena un poco —dijo Ron despacio—. Creo que alguien me contó una vez una historia sobre una cámara secreta en Hogwarts... a lo mejor fue Bill...

—¿Y qué demonios es un *squib*? —preguntó Harry.

Para sorpresa suya, Ron ahogó una risita:

—Bueno, no es que sea divertido realmente... pero como es Filch... —dijo—. Un *squib* es alguien nacido en una familia de magos, pero que no tiene poderes mágicos. Justo lo contrario a los magos de familia *muggle*, sólo que los *squibs* son muy infrecuentes. Si Filch está tratando de aprender magia por un curso de Embrujorapid, seguro que es un *squib*. Eso explica muchas cosas. Como que odie tanto a los estudiantes. —Ron sonrió con satisfacción: —Es un amargado.

De algún lugar, llegó el sonido de un reloj.

—Es medianoche —señaló Harry—. Mejor nos vamos a dormir antes que Snape nos encuentre e intente acusarnos de algo más.

Durante unos días, en la escuela no se habló de otra cosa que de lo que le habían hecho a la señora Norris. Filch mantenía vivo el recuerdo en la memoria de todos haciendo guardia en el punto en que la habían encontrado, como si pensara que el culpable volvería al escenario del crimen. Harry lo había visto fregar la pintada del muro con el Quitamanchas mágico multiusos de la señora Skower, pero no había servido de nada: las palabras seguían brillando tanto como antes sobre la piedra. Cuando Filch no vigilaba el escenario del crimen, merodeaba por los corredores con los ojos enrojecidos, ensañándose con estudiantes que no tenían ninguna culpa e intentando castigarlos por faltas como "respirar demasiado fuerte" o "estar contento".

Ginny Weasley parecía muy afectada por el destino de la Señora Norris. Según Ron, era una gran amante de los gatos.

—Pero no conocías a la Señora Norris —le dijo Ron animándola—. La verdad es que estamos mucho mejor sin ella. —A Ginny le tembló el labio. —Cosas como éstas no suelen suceder en Hogwarts —le aseguró Ron—. Atraparán al que haya sido y lo echarán de aquí sin tardanza. Lo único que espero es que le dé tiempo a petrificar a Filch antes de que lo expulsen. Es una broma... —añadió apresuradamente, al ver que Ginny se ponía blanca.

La salvajada también había afectado a Hermione. Siempre había pasado mucho tiempo leyendo, pero ahora prácticamente no hacía otra cosa. Ni obtenían de ella mucha respuesta cuando le preguntaban qué pretendía ni pudieron averiguarlo por sí mismos hasta el miércoles siguiente.

Harry había tenido que quedarse después de terminada la clase de Pociones, porque Snape lo había mandado limpiar los gusanos de los pupitres. Tras comer apresuradamente, subió para encontrarse con Ron en la biblioteca, y vio a Justin Finch-Fletchey, el chico de la casa de Hufflepuff con el que coincidían en Botánica, que se acercaba hacia él. Harry acababa de abrir la boca para decir "hola" cuando Justin lo vio, cambió de repente su rumbo y se marchó de prisa en sentido opuesto.

Harry encontró a Ron al fondo de la biblioteca, midiendo sus deberes de Historia de la Magia. El profesor Binns les había mandado un trabajo de un metro de largo sobre "La Asamblea Medieval de Magos de Europa".

—No puede ser, todavía me quedan veinte centímetros... —dijo furioso Ron, quitando las manos de su pergamino, que recuperó su forma de rollo— y Hermione ha completado metro y medio con su letra *diminuta*.

—¿Dónde está? —preguntó Harry, tomando la cinta de medir y desenrollando su propio trabajo.

—En algún lado por allá —respondió Ron, señalando las estanterías—. Buscando otro libro. Creo que quiere leerse la biblioteca entera antes de Navidad.

Harry le contó a Ron lo de que Justin Finch-Fletchey lo había esquivado y se había alejado de él a toda prisa.

—No sé por qué te preocupa, ya pensabas que era un poco idiota —dijo Ron, escribiendo con la letra más grande que era capaz de hacer—. Todas esas tonterías sobre lo maravilloso que es Lockhart...

Hermione surgió de entre los estantes. Parecía disgustada pero dispuesta, por fin, a hablarles:

—No queda ni uno de los ejemplares que había en el colegio: se han llevado la *Historia* —dijo, sentándose junto a Harry y Ron—. Y hay una lista de espera de dos semanas. Lamento haberme dejado en casa mi ejemplar, pero con todos los libros de Lockhart, no me cabía en el baúl.

—¿Para qué lo quieres? —le preguntó Harry.

—Para lo mismo que el resto de la gente —contestó Hermione—. Para leer la leyenda de la Cámara de los Secretos.

—¿Qué es eso? —preguntó Harry de inmediato.

—Eso quisiera yo saber. Pero no lo recuerdo —contestó Hermione, mordiéndose un labio—. Y no consigo encontrar la historia en ningún otro lado.

—Hermione, déjame leer tu trabajo —le pidió Ron desesperado, mirando el reloj.

—No, no quiero —dijo Hermione, repentinamente severa—. Has tenido diez días para acabarlo.

—Sólo me faltan seis centímetros, vamos...

Sonó la campana. Ron y Hermione emprendieron el camino al aula de Historia de la Magia, discutiendo.

Historia de la Magia era lo más aburrido de todo el horario. El profesor Binns, que impartía la asignatura, era su único profesor fantasma, y lo más emocionante que sucedía en sus clases era su entrada en el aula, a través del pizarrón. Viejo y consumido, mucha gente decía de él que no se había dado cuenta de que se había muerto. Simplemente, un día se había levantado para ir a su clase, y se había dejado el cuerpo en un butacón, delante de la chimenea de la sala de profesores. Desde entonces, su rutina no había experimentado la más leve variación.

Ese día fue igual de aburrido. El profesor Binns abrió sus apuntes y comenzó a leerlos con un sonsonete monótono como el de una aspiradora vieja, hasta que casi todo el mundo en la clase entró en un sopor profundo, despertando de vez en cuando el tiempo suficiente como para tomar nota de un nombre o de una fecha, y volviendo a adormecerse. Llevaba una media hora hablando cuando ocurrió algo que no había ocurrido nunca: Hermione alzó la mano.

El profesor Binns, levantando la vista a mitad de una lección horrorosamente aburrida sobre la Convención Internacional de Brujos de 1289, parecía sorprendido.

—¿Señorita...?

—Granger, profesor. Pensaba que quizás usted pudiera hablarnos sobre la Cámara de lo Secretos —dijo Hermione con voz clara.

Dean Thomas, que había permanecido boquiabierto, mirando por la ventana, salió de su trance dando un respingo. Lavender Brown levantó la cabeza de las manos, y a Neville se le resbaló el codo de la mesa.

El profesor Binns parpadeó.

—Mi disciplina es la Historia de la Magia —dijo con su voz seca, jadeante—. Me ocupo de los hechos, señorita Granger, no de los mitos ni de las leyendas. —Se aclaró la garganta con un pequeño ruido que fue como un chirrido de tiza, y prosiguió: —"En septiembre de ese año, un subcomité de hechiceros sardos..."

Balbuceó y se detuvo. De nuevo, en el aire, se agitaba la mano de Hermione.

—¿Señorita Granger?

—Disculpe, señor, ¿no tienen siempre las leyendas una base real?

El profesor Binns la miraba con tal estupor, que Harry estuvo seguro de que ningún estudiante lo había interrumpido nunca antes, ni de vivo ni de muerto.

—Veamos —dijo lentamente el profesor Binns—, sí, creo que se podría argüir eso. —Miró a Hermione como si nunca antes hubiera visto bien a un estudiante. —Sin embargo, la leyenda por la que usted me pregunta es una patraña hasta tal punto *romántica*, yo diría incluso *absurda*...

Pero toda la clase estaba ahora pendiente de cada palabra del profesor Binns. Él los miraba a todos vagamente, y veía que todas las caras estaban vueltas hacia la suya. Harry estaba completamente desconcertado al ver unas muestras de interés tan inusitadas.

—Muy bien —dijo despacio—. Déjeme ver... la Cámara de los Secretos...

—Todos ustedes saben, naturalmente, que Hogwarts fue fundado hace unos mil años, no sabemos con certeza la fecha exacta, por los cuatro brujos más importantes de la época. Las cuatro casas del colegio reciben su nombre de ellos: Godric Gryffindor, Helga Hufflepuff, Rowena Ravenclaw y Salazar Slytherin. Los cuatro juntos construyeron este castillo, lejos de los curiosos ojos de los *muggles*, dado que aquella era una época en que la gente le tenía miedo a la magia, y los magos y las brujas sufrían persecución.

Se detuvo, miró a la clase con los ojos empañados, y continuó:

—Durante algunos años, los fundadores trabajaron conjuntamente en armonía, buscando jóvenes que dieran muestras de aptitud para la magia y trayéndolos al castillo para educarlos. Pero luego brotaron los desacuerdos entre ellos. Comenzó a producirse una ruptura entre Slytherin y los demás. Slytherin deseaba ser más *selectivo* con los estudiantes que se admitían en Hogwarts. Pensaba que la enseñanza de la magia debería reservarse para las familias de magos. Le desagradaba tener alumnos de familia *muggle*, juzgándolos indignos de confianza. Un día se produjo una seria disputa al respecto entre Slytherin y Gryffindor, y Slytherin abandonó el colegio.

El profesor Binns se detuvo de nuevo y frunció la boca, como una tortuga vieja llena de arrugas.

—Esto es lo que nos dicen las fuentes históricas fidedignas —dijo—, pero estos simples hechos han sido oscurecidos por la leyenda fantástica de la Cámara de los Secretos. La leyenda nos dice que Slytherin había construido en el castillo una cámara oculta, de la que no sabían nada los otros fundadores.

”Slytherin, según la leyenda, selló la Cámara de los Secretos para que nadie la pudiera abrir hasta que llegara al colegio su auténtico heredero. Sólo el heredero podría abrir la Cámara de los Secretos, desencadenar el horror que contiene, y usarlo para librar al colegio de todos los que no tienen derecho a aprender magia.

Cuando terminó de contar la historia, se hizo el silencio, pero no era el silencio habitual, soporífero, de las clases del profesor Binns. Flotaba en el aire un desasosiego, y todo el mundo seguía mirándolo, esperando que continuara. El profesor Binns parecía levemente molesto:

—Por supuesto, la historia entera es un completo disparate —añadió—. Naturalmente, el colegio entero ha sido registrado varias veces en busca de la Cámara, por los magos mejor preparados. No existe. Es un cuento inventado para asustar a los crédulos.

Hermione volvió a levantar la mano:

—Profesor... ¿a qué se refiere usted exactamente al decir "el horror que contiene" la Cámara?

—Se cree que es algún tipo de monstruo, al que sólo podrá dominar el heredero de Slytherin —explicó el profesor Binns con su voz seca y aflautada.

La clase intercambió miradas nerviosas.

—Pero ya les digo que no existe —añadió el profesor Binns, revolviendo en sus apuntes—. No hay tal Cámara ni tal monstruo.

—Pero, profesor —comentó Seamus Finnigan—, si sólo el auténtico heredero de Slytherin puede abrir la Cámara, nadie más *podría* encontrarla, ¿no?

—Tonterías, O'Flaherty —repuso el profesor Binns con peor tono—, si una larga sucesión de directores de Hogwarts no la han encontrado...

—Pero, profesor —prorrumpió Parvati Patil—, probablemente haya que emplear magia negra para abrirla.

—El hecho de que un mago *no* utilice la magia negra no quiere decir que *no pueda* emplearla, señorita Pennyfeather —le interrumpió el profesor Binns—. Insisto, si los predecesores de Dumbledore...

—Pero tal vez sea preciso estar relacionado con Slytherin, y por eso Dumbledore no podría... —comenzó Dean Thomas, pero el profesor Binns ya estaba saturado.

—Es suficiente —dijo bruscamente—. ¡Es un mito! ¡No existe! ¡No hay el más leve indicio de que Slytherin construyera nunca semejante cuarto secreto! ¡Lamento haberles relatado una leyenda tan absurda! ¡Volvamos, si les place, a la *historia*, a los *hechos* evidentes, creíbles y comprobables!

Y en cinco minutos, la clase se sumergió de nuevo en su sopor habitual.

—Ya sabía que Salazar Slytherin era un viejo loco retorcido —les dijo Ron a Harry y Hermione, mientras se abrían camino por los abarrotados corredores al término de las clases, para dejar las bolsas antes de ir a cenar—. Pero lo que no sabía es que hubiera sido él quien empezó con todo este asunto de la limpieza de sangre. No me quedaría en su casa aunque me pagaran. Sinceramente, si el sombrero seleccionador hubiera querido mandarme a Slytherin, yo me habría vuelto derecho a casa en el tren...

Hermione asintió con la cabeza fervientemente, pero Harry no dijo nada. Su estómago acababa de encogérsele de la angustia.

Harry no les había dicho nunca a Ron y Hermione que el sombrero seleccionador había considerado seriamente la posibilidad de enviarlo a Slytherin. Recordaba, como si hubiera ocurrido el día anterior, la vocecita que le había hablado al oído cuando, un año antes, se había colocado el sombrero: *Podrías ser muy grande, ¿sabes?, lo tienes todo en tu cabeza y*

Slytherin te ayudaría en el camino hacia la grandeza, de eso no cabe duda...

Pero Harry, que ya conocía la reputación de la casa de Slytherin en cuanto a los brujos de magia negra que salían de ella, había pensado desesperadamente "*¡Slytherin no!*", y el sombrero había terminado diciendo:

Bueno, si estás seguro... mejor que seas ¡GRYFFINDOR!

Mientras caminaban empujados por la multitud, pasó Colin Creevey:

—¡Eh, Harry!

—¡Hola, Colin! —dijo Harry maquinalmente.

—Harry, Harry... en mi clase un chico ha estado diciendo que tú eres...

Pero Colin era demasiado pequeño para luchar contra la marea de gente que lo llevaba hacia el Gran Salón; lo oyeron chillar:

—¡Hasta luego, Harry! —Y desapareció.

—¿Qué es lo que dice sobre ti un chico de su clase? —se preguntó Hermione.

—Que soy el heredero de Slytherin, supongo —dijo Harry, y su estómago volvió a encogérsele un poco más al recordar cómo lo había rehuido Justin Finch-Fletchley a la hora de la comida.

—La gente aquí puede creer cualquier cosa —dijo Ron, con disgusto.

La masa de gente se raleó, y consiguieron subir sin dificultad al siguiente rellano.

—¿Crees que *realmente* hay una Cámara de los Secretos? —le preguntó Ron a Hermione.

—No lo sé —respondió ella, frunciendo el ceño—. Dumbledore no fue capaz de curar a la señora Norris, y eso me hace sospechar que quienquiera que la atacara no debía de ser... bueno... humano...

Al tiempo que hablaban, doblaron la esquina y se encontraron en un extremo del mismo corredor en que había tenido lugar la agresión. Se detuvieron y miraron. El lugar estaba tal cual aquella noche, salvo que no había ningún gato tieso colgado de la argolla en que se fijaba la antorcha, y que había una silla apoyada contra la pared en que estaba el mensaje: "La Cámara ha sido abierta".

Aquí es donde Filch ha estado haciendo guardia —murmuró Ron.

Se miraron unos a otros. El corredor estaba desierto.

—No puede haber nada malo en echar un vistazo —dijo Harry, dejando caer la bolsa y poniéndose en cuatro patas para poder gatear en busca de alguna pista.

—¡Esto está chamuscado! —dijo—. ¡Aquí... y aquí!

—¡Ven y mira esto! —dijo Hermione—. Es extraño...

Harry se levantó y se acercó a la ventana más próxima a la pintada de la pared. Hermione señalaba el vidrio superior, de donde unas veinte arañas estaban escabulléndose, según parecía tratando de penetrar por una pequeña grieta en el vidrio. Un hilo largo y plateado colgaba como una soga, y daba la impresión de que todas lo habían utilizado para salir apresuradamente.

—¿Habían visto alguna vez que las arañas se comportaran así? —preguntó Hermione, perpleja.

—Yo no —dijo Harry—. ¿Y tú, Ron? ¿Ron?

Lo miró volviendo la cabeza hacia un lado. Ron había retrocedido, y parecía estar luchando contra el impulso de salir corriendo.

—¿Qué pasa? —le preguntó Harry.

—No... me... gustan... las arañas —dijo Ron, tenso.

—No lo sabía —dijo Hermione, mirando sorprendida a Ron—. Has usado arañas muchas veces en la clase de Pociones...

—No me importa si están muertas —explicó Ron, quien tenía la precaución de mirar a cualquier parte menos hacia la ventana—. No soporto la manera en que se mueven...

Hermione soltó una risita tonta.

—No tiene nada de divertido —dijo Ron, impetuosamente—. Si quieres saberlo, cuando yo tenía tres años, Fred convirtió mi... mi osito de peluche en una araña grande y asquerosa porque yo le había roto su escoba de juguete. A ti tampoco te harían gracia si estando con tu osito, le hubieran salido de repente muchas patas y...

Dejó de hablar, estremecido. Era evidente que Hermione seguía intentando no reírse. Pensando que sería mejor cambiar de tema, Harry dijo:

—¿Recuerdan toda aquella agua en el suelo? ¿De dónde habrá venido? Alguien ha pasado el lampazo.

—Estaba por aquí —dijo Ron, recobrándose y caminando unos pasos más allá de la silla de Filch y señalando—: al nivel de esta puerta.

Asió el pomo metálico de la puerta, pero retiró la mano inmediatamente, como si se hubiera quemado.

—¿Qué pasa? —preguntó Harry.

—No puedo entrar ahí —dijo Ron, bruscamente—, es un baño de chicas.

—Ron, no habrá nadie dentro —dijo Hermione, poniéndose derecha y acercándose—: es donde está Myrtle la Llorona. Vamos, echemos un vistazo.

Y sin hacer caso del letrero de NO FUNCIONA, Hermione abrió la puerta.

Era el cuarto de baño más triste, más deprimente, en que Harry hubiera puesto los pies nunca. Debajo de un espejo grande, quebrado y manchado, había una fila de lavatorios de piedra con saltaduras. El suelo estaba mojado y reflejaba la luz triste proporcionada por las llamas de unas pocas velas, que se consumían en sus candeleros. Las puertas de las cabinas estaban rayadas y rotas, y una de ellas pendía fuera de sus goznes.

Hermione se puso los dedos en los labios, y se fue hasta la última cabina. Cuando llegó, dijo:

—Hola, Myrtle, ¿qué tal?

Harry y Ron se acercaron a ver. Myrtle la Llorona estaba sobre el tanque del inodoro, reventándose un grano de la barbilla.

—Esto es un baño de *chicas* —dijo, mirando con recelo a Harry y Ron—. Y *ellos* no son chicas.

—No —confirmó Hermione—. Sólo quería enseñarles lo... bien que se está aquí.

Con la mano, indicó vagamente el espejo viejo y sucio y el suelo húmedo.

—Pregúntale si vio algo —le dijo Harry a Hermione, en silencio, para que le leyera los labios.

—¿Qué murmuras? —le preguntó Myrtle, mirándolo.

—Nada —se apresuró a decir Harry—. Queríamos preguntar...

—¡Me gustaría que la gente dejara de hablar a mis espaldas! —dijo Myrtle, con voz ahogada por las lágrimas—. *Tengo* sentimientos, ¿saben?, aunque *esté* muerta.

139

—Myrtle, nadie quiere molestarte —dijo Hermione—, Harry sólo...

—¡Nadie quiere molestarme! ¡Ésa sí que es buena! —gimió Myrtle—. ¡Mi vida no fue nada más que miseria en este lugar, y ahora la gente viene aquí a amargarme la muerte!

—Queríamos preguntarte si habías visto últimamente algo raro —dijo Hermione dándose prisa—. Porque la noche de Halloween agredieron a un gato justo al otro lado de tu puerta.

—¿Viste a alguien por aquí esa noche? —le preguntó Harry.

—No me fijé —dijo Myrtle, en tono dramático—. Me dolió tanto lo que dijo Peeves que me vine aquí e intenté *suicidarme*. Luego, claro, recordé que estoy... que estoy...

—Muerta ya —dijo Ron, con la intención de ayudar.

Myrtle sollozó trágicamente, se levantó en el aire, se volvió y sumergió de cabeza en la taza del inodoro, salpicándolos, y desapareció de la vista; a juzgar por la dirección de sus sollozos ahogados, debía de estar en algún lugar del sifón.

Harry y Ron se quedaron con la boca abierta, pero Hermione, harta, se encogió de hombros, y les dijo:

—Tratándose de Myrtle, esto es casi estar alegre. Bueno, vámonos...

Harry acababa de cerrar la puerta a los sollozos gorgoteantes de Myrtle, cuando una potente voz les hizo dar un respingo a los tres:

—¡RON!

Percy Weasley, con su resplandeciente insignia de prefecto, se había detenido justo al final de las escaleras, con una expresión de susto en la cara.

—¡Ésos son los baños de las *chicas*! —gritó ahogadamente—. ¿Qué estás haciendo...?

—Sólo echaba un vistazo —dijo Ron, encogiéndose de hombros—. Buscando pistas, ya sabes...

Percy se ofuscó de una forma que a Harry le recordó mucho a la señora Weasley.

—Váyanse... lejos... de aquí... —dijo, caminando hacia ellos con paso firme y agitando los brazos para echarlos—. ¿No se dan cuenta de lo que esto podría parecer, volver a este lugar mientras todos están cenando?

—¿Por qué no tendríamos que estar aquí? —respondió Ron acaloradamente, parándose de repente y enfrentándose a Percy—. ¡Escucha, nosotros no le hemos tocado un pelo a esa gata!

—Eso es lo que le dije a Ginny —dijo Percy con energía—, pero ella todavía parece creer que te van a expulsar. No la he visto nunca tan afectada, llorando amargamente. Podrías pensar un poco en ella, todos los de primero están asustados por este asunto.

—*A ti* no te preocupa Ginny —replicó Ron, enrojeciendo hasta las orejas—, *a ti* sólo te preocupa que yo eche a perder tus posibilidades de ser Representante del Colegio.

—¡Cinco puntos menos para Gryffindor! —dijo Percy secamente, llevándose una mano a su insignia de prefecto—. ¡Y espero que esto te enseñe la lección! ¡Se acabó el hacer de detective, o de lo contrario escribiré a mamá!

Y se marchó con el paso firme y la nuca tan colorada como las orejas de Ron.

Esa noche, en la sala común, Harry, Ron y Hermione eligieron los asientos más alejados del de Percy. Ron estaba todavía de muy mal humor y seguía emborronando sus deberes de Hechizos. Cuando, sin darse cuenta, tomó su varita mágica para quitar las manchas, el pergamino se prendió fuego. Casi tan acalorado como su trabajo, Ron cerró de golpe el *Libro reglamentario de hechizos, curso 2º*. Para sorpresa de Harry, Hermione lo imitó.

—Pero ¿quién podría ser? —dijo con voz tranquila, como si continuara una conversación que hubieran estado manteniendo—, ¿quién *querría* echar de Hogwarts a todos los *squibs* y los de familia *muggle*?

—Pensemos —dijo Harry con simulado desconcierto—. ¿Conocemos a alguien que piense que los que vienen de familia *muggle* son escoria?

Miró a Hermione. Hermione miró hacia atrás, poco convencida.

—Si te refieres a Malfoy...

—¡Naturalmente! —dijo Ron—. Ya lo oyeron: "¡Los próximos serán los *sangre sucia*!" Vamos, no hay más que verle su asquerosa cara de rata para saber que es él...

141

—¿Malfoy, el heredero de Slytherin? —dijo escépticamente Hermione.

—Fíjate en su familia —dijo Harry, cerrando también sus libros—. Todos han pertenecido a Slytherin, él siempre alardea de ello. Podrían perfectamente ser descendientes de Slytherin. Su padre es un verdadero malvado.

—¡Podrían haber conservado durante siglos la llave de la Cámara de los Secretos! —dijo Ron—. Pasándosela de padres a hijos...

—Bueno —dijo cautamente Hermione—, supongo que puede ser...

—Pero ¿cómo lo podríamos demostrar? —preguntó Harry, con tono de misterio.

—Habría una manera —dijo Hermione hablando despacio, bajando aún más la voz y echando una rápida mirada a Percy—. Por supuesto, sería difícil. Y peligroso, muy peligroso. Calculo que quebrantaríamos unas cincuenta normas del colegio.

—Si, dentro de un mes más o menos, te parece que podrías empezar a explicárnoslo, háznoslo saber, ¿quieres? —dijo Ron, irascible.

—De acuerdo —dijo fríamente Hermione—: lo que tendríamos que hacer es entrar en la sala común de Slytherin y hacerle a Malfoy algunas preguntas sin que sospeche que somos nosotros.

—Pero eso es imposible —dijo Harry, mientras Ron se reía.

—No, no lo es —repuso Hermione—. Lo único que nos haría falta es una Poción Multijugos.

—¿Qué es eso? —preguntaron a la vez Harry y Ron.

—Snape la mencionó en clase hace unas semanas.

—¿Piensas que no tenemos nada mejor que hacer en la clase de Pociones que escuchar a Snape? —murmuró Ron.

—Esa poción lo transforma a uno en otra persona. ¡Piensen en eso! Nos podríamos convertir en tres estudiantes de Slytherin. Nadie se daría cuenta de que éramos nosotros. Y seguramente Malfoy nos diría algo. Lo más probable es que ahora mismo esté alardeando de ello en la sala común de Slytherin, si pudiéramos oírlo.

—Esto del multijugos me suena un poco peligroso —dijo

Ron, frunciendo el ceño—. ¿Y si nos quedamos para siempre convertidos en tres de Slytherin?

—El efecto se pasa después de un rato —dijo Hermione, haciendo un gesto con la mano como para rechazar ese inconveniente—, pero lo que será difícil será conseguir la receta. Snape dijo que se encontraba en un libro llamado *Moste Potente Potions* que se encuentra en la Sección Prohibida de la biblioteca.

Sólo había una manera de conseguir un libro de la Sección Prohibida: con una nota de permiso de un profesor.

—Será difícil explicar para qué queremos ese libro si no es para hacer alguna de las pociones.

—Creo —dijo Hermione— que si consiguiéramos dar la impresión de que estábamos interesados únicamente en la teoría, tendríamos alguna posibilidad...

—No te molestes, ningún profesor se va a tragar eso —dijo Ron—. Tendría que ser muy tonto...

Capítulo diez

La bludger loca

Después del desastroso episodio de los duendecillos de Cornualles, el profesor Lockhart no había vuelto a traer a clase seres vivos. Por el contrario, se dedicaba a leerles pasajes de sus libros, y en ocasiones representaba alguno de los momentos más emocionantes. Habitualmente sacaba a Harry para que lo ayudara en aquellas reconstrucciones; hasta el momento, Harry había tenido que representar a un ingenuo pueblerino transilvano al que Lockhart había curado de una maldición que le hacía tartamudear, a un yeti resfriado y a un vampiro que, cuando Lockhart acabó con él, no pudo volver a comer otra cosa que lechuga.

Sacó a Harry en la siguiente clase de Defensa contra las Artes Tenebrosas, esta vez para representar a un hombre-lobo. Si no hubiera tenido una razón muy importante para no enfadar a Lockhart, se habría negado.

—Aúlla fuerte, Harry, eso es..., y en ese momento, créanme, yo salté así tirándolo contra el suelo, así, con una mano, y logré inmovilizarlo. Con la otra, le puse mi varita en la garganta y, reuniendo las fuerzas que me quedaban, llevé a cabo el dificilísimo hechizo Homorphus, él emitió un gemido lastimero, vamos, Harry... más fuerte... bien, y la piel desapareció... los colmillos se encogieron y... se convirtió en hombre. Sencillo y efectivo. Y otro pueblo que me recordará siempre como el héroe que los libró del terror mensual de los ataques de hombres-lobo.

Sonó el timbre y Lockhart se puso de pie.

—Deberes: componer un poema sobre mi victoria contra el hombre-lobo Wagga Wagga. ¡El autor del mejor poema será premiado con un ejemplar firmado de *El encantador*!

Empezaron a salir. Harry volvió al final de la clase, donde lo esperaban Ron y Hermione.

—¿Listos? —murmuró Harry.

—Espera que se hayan ido todos —dijo Hermione, asustada—. De acuerdo...

Se acercó a la mesa de Lockhart, agarrando firmemente en la mano un trozo de papel. Harry y Ron iban detrás de ella.

—Este... ¿Profesor Lockhart? —tartamudeó Hermione—. Yo quería... sacar este libro de la biblioteca. Sólo para una lectura preparatoria. —Le entregó el trozo de papel con mano ligeramente temblorosa. —Pero el problema es que está en la Sección Prohibida de la biblioteca, así que necesito que un profesor me firme un permiso. Estoy segura de que este libro me ayudaría a comprender lo que explica usted en *Una vuelta con los espíritus malignos* sobre venenos de efecto retardado.

—¡Ah, *Una vuelta con los espíritus malignos*! —dijo Lockhart, tomando la nota de Hermione y sonriéndole francamente—. Tal vez sea mi libro favorito. ¿Te gustó?

—¡Sí! —dijo Hermione emocionada—. Fue tan inteligente la forma de atrapar al último con el colador del té...

—Bueno, estoy seguro de que a nadie le parecerá mal que ayude un poco a la mejor estudiante del curso —dijo Lockhart calurosamente, sacando una pluma de pavo real—. Sí, es bonita, ¿verdad? —dijo, interpretando al revés la expresión de desagrado de la cara de Ron—. Normalmente la reservo para firmar libros.

Garabateó una firma llena de arabescos sobre el papel, y se lo devolvió a Hermione.

—Así que, Harry —dijo Lockhart, mientras Hermione plegaba la nota con dedos torpes y la metía en su bolsa—, mañana se juega el primer partido de *quidditch* de la temporada, ¿verdad? Gryffindor contra Slytherin, ¿no? He oído que eres un jugador valioso. Yo también fui buscador. Me pidieron que intentara entrar en la selección nacional, pero preferí dedicar mi vida a la erradicación de las Fuerzas Tenebrosas. De todas maneras, si necesitaras algo de entrenamiento privado, no dudes en decírmelo. Siempre me satisface dejar algo de mi experiencia a jugadores inferiores...

Harry hizo con la garganta un ruido indefinido, y luego salió del aula a toda prisa, detrás de Ron y Hermione.

—Es increíble —dijo ella, mientras examinaban los tres la firma en el papel—. Ni siquiera ha mirado de qué libro se trataba.

—Porque es un imbécil redomado —explicó Ron—. Pero ¿a quién le importa? Ya tenemos lo que necesitábamos.

—Él *no* es un imbécil redomado —chilló Hermione, mientras iban hacia la biblioteca medio corriendo.

—Ya, porque ha dicho que eres la mejor estudiante del curso...

Bajaron la voz al entrar en la envolvente quietud de la biblioteca.

La señora Pince, la bibliotecaria, era una mujer delgada e irascible que parecía un buitre mal alimentado.

—¿*Moste Potente Potions?* —repitió recelosa, tratando de tomar la nota de Hermione. Pero Hermione no la soltaba.

—Me preguntaba si podría verlo —dijo ella sin respirar.

—Vamos —dijo Ron, arrancándosela a Hermione y dejándosela a la señora Pince—. Te conseguiremos otro autógrafo. Lockhart firmará cualquier cosa que no se mueva.

La señora Pince levantó el papel a la luz, como dispuesta a detectar una posible falsificación, pero el papel pasó la prueba. Caminó orgullosamente por entre las elevadas estanterías, y regresó unos minutos después llevando con ella un libro grande de aspecto mohoso. Hermione lo metió en su bolsa con mucho cuidado, e intentó no caminar demasiado rápido ni parecer demasiado culpable.

Cinco minutos después, se encontraban de nuevo refugiados en los baños fuera de servicio de Myrtle la Llorona. Hermione había invalidado las objeciones de Ron argumentando que aquel sería el último lugar en el que entraría nadie en su sano juicio, así que allí tenían garantizada la privacidad. Myrtle la Llorona lloraba estruendosamente en su cabina, pero ellos la ignoraron a ella, y ella a ellos.

Hermione abrió con cuidado el *Moste Potente Potions*, y los tres se encorvaron sobre las páginas llenas de manchas de humedad. De un vistazo quedó patente por qué pertenecía a la Sección Prohibida. Algunas de las pociones tenían efectos demasiado horribles incluso para imaginarlos, y había ilustraciones desagradables, como la de un hombre que parecía vuelto de adentro afuera y una bruja con varios pares de brazos que le salían de la cabeza.

—¡Aquí está! —dijo Hermione emocionada, al dar con la página que llevaba por título *La poción multijugos*. Estaba decorada con dibujos de personas que iban transformándose en otras distintas. Harry imploró que la apariencia de dolor intenso que había en los rostros de esas personas fuera imaginación del artista.

—Ésta es la poción más complicada que he visto nunca —dijo Hermione, al mirar la receta—. Crisopos, sanguijuelas, *descurainia sophia* y centinodia —murmuró, pasando el dedo por la lista de los ingredientes—. Bueno, no son difíciles de encontrar, están en el armario de los estudiantes, podemos conseguirlos. ¡Vaya, miren, polvo de cuerno de un bicornio! No sé dónde vamos a encontrarlo... piel en tiras de serpiente arbórea africana... eso también será peliagudo... y por supuesto, algo de aquel en quien queremos convertirnos.

—Perdona —dijo Ron bruscamente—. ¿Qué quieres decir con "algo de aquel en quien queremos convertirnos"? Yo no me voy a beber nada que contenga las uñas de los pies de Crabbe...

Hermione continuó como si no lo hubiera oído.

—Todavía no tenemos que preocuparnos por nada de eso, porque esos ingredientes los echaremos al final.

Sin saber qué decir, Ron se volvió a Harry, que tenía otra preocupación.

—¿No te das cuenta de cuántas cosas vamos a tener que robar, Hermione? Piel de serpiente arbórea africana en tiras, desde luego eso no está en el armario de los estudiantes, ¿qué vamos a hacer, violar los armarios privados de Snape? No sé si es buena idea...

Hermione cerró el libro con un ruido seco.

—Bueno, si los dos van a acobardarse, está bien —dijo. Tenía los mofletes colorados y los ojos más brillantes de lo normal. —Yo no quiero saltarme las normas, ya lo saben, pero pienso que aterrorizar a los magos de familia *muggle* es mucho peor que elaborar un poco de poción. Pero si no tienen interés en averiguar si el heredero es Malfoy, iré derecho a la señora Pince y le devolveré el libro inmediatamente...

—No creí que fuera a verte nunca intentando persuadirnos de que infrinjamos las normas —dijo Ron—. Bueno, lo haremos, pero nada de uñas de los pies, ¿de acuerdo?

—Pero ¿cuánto nos llevará hacerlo? —preguntó Harry, cuando Hermione, satisfecha, volvió a abrir el libro.

—Bueno, como hay que recoger la *descurainia sophia* con luna llena, y los crisopos deben cocerse durante veintiún días... Yo diría que podríamos tenerla preparada en un mes, si podemos conseguir todos los ingredientes.

—¿Un mes? —dijo Ron—. ¡En ese tiempo, Malfoy puede atacar a la mitad de los nacidos de *muggle*! —Pero Hermione volvió a entornar los ojos peligrosamente, y él añadió de inmediato: —Pero es el mejor plan que tenemos, así que adelante a toda máquina.

Sin embargo, mientras Hermione comprobaba que no había moros en la costa para poder salir del baño, Ron le susurró a Harry:

—Sería mucho más sencillo que mañana tiraras a Malfoy de la escoba.

Harry se despertó pronto el sábado por la mañana, y se quedó un rato en la cama pensando en el partido de *quidditch*. Estaba nervioso, sobre todo al imaginar lo que diría Wood si Gryffindor perdía, pero también lo ponía nervioso la idea de enfrentarse a un equipo que iría montado en las escobas de carrera más veloces que el dinero podía comprar. Nunca había tenido tantas ganas de vencer a Slytherin. Después de estar tumbado media hora con las tripas revueltas, se levantó, se vistió, y bajó para desayunar temprano. Allí encontró al resto del equipo de Gryffindor, apiñado en torno a la gran mesa vacía. Todos parecían nerviosos y apenas hablaban.

Cuando faltaba poco para las once, el colegio en pleno empezó a dirigirse hacia el estadio de *quidditch*. Hacía un día bochornoso que amenazaba tormenta. Cuando Harry entraba en los vestuarios, Ron y Hermione se acercaron corriendo a desearle buena suerte. Los jugadores se pusieron sus túnicas de Gryffindor de color escarlata, y luego se sentaron a escuchar el habitual discurso de ánimo que Wood les dirigía antes de cada partido.

—Los de Slytherin tienen mejores escobas que nosotros —comenzó—, no se puede negar. Pero nosotros tenemos mejor gente sobre las escobas. Nos hemos entrenado más que ellos, y hemos volado bajo todas las circunstancias climatológicas.

—¡Y tanto! —susurró George Weasley—, no me he secado del todo desde agosto.

—...y vamos a hacer que se arrepientan del día en que dejaron que ese pequeño canalla, Malfoy, les comprara un puesto en el equipo.

Con la respiración agitada por la emoción, Wood se volvió a Harry:

—Es tu misión, Harry, demostrarles que un buscador tiene que tener algo más que un padre rico. Tienes que atrapar la *snitch* antes que Malfoy o perecer en el intento, porque hoy tenemos que ganar.

—Así que no te sientas presionado, Harry —le dijo Fred, guiñándole un ojo.

Cuando salieron al campo de juego, fueron recibidos estruendosamente; eran sobre todo aclamaciones, porque los de Hufflepuff y los de Ravenclaw estaban deseosos de ver derrotado al equipo de Slytherin, pero la afición de Slytherin también hizo oír sus abucheos y silbidos. La señora Hooch, que era la profesora de *quidditch*, pidió a Filch y Wood que se dieran la mano, lo que hicieron dirigiéndose miradas atemorizadoras y apretando bastante más de lo necesario.

—Cuando toque el silbato —anunció la señora Hooch—: tres... dos... uno...

Animados por un bramido de la multitud que los alentaba, los catorce jugadores se elevaron hacia el cielo plomizo. Harry ascendió más que ningún otro, aguzando la vista en busca de la *snitch*.

—¿Todo bien por ahí, cabeza rajada? —le gritó Malfoy, saliendo disparado por debajo de él como para mostrarle la velocidad de su escoba.

Harry no tuvo tiempo de replicar. En ese preciso instante, iba hacia él una *bludger* negra y pesada; faltó tan poco para que lo golpeara, que al pasar lo despeinó.

—¡Por qué poco, Harry! —le dijo George, pasando por su lado como un relámpago, con el bate en la mano, listo para devolver la *bludger* contra Slytherin. Harry vio que George le daba a la *bludger* un fuerte golpe, dirigiéndola hacia Adrian Pucey, pero la *bludger* cambió de dirección en medio del aire y se fue directa, otra vez, contra Harry.

Harry descendió rápidamente para evitarla, y George logró golpearla fuerte contra Malfoy. Una vez más, la *bludger* viró bruscamente como si fuera un bumerán y se encaminó como una bala hacia la cabeza de Harry.

Harry aumentó la velocidad y salió zumbando hacia el otro extremo del campo. Oía a la *bludger* silbar a su lado. ¿Qué ocurría? Las *bludger* nunca se enconaban de aquella manera contra un único jugador, su misión era derribar a todo el que pudieran...

Fred Weasley aguardaba en el otro extremo. Harry se agachó para que Fred golpeara la *bludger* con todas sus fuerzas.

—¡Ya está! —gritó Fred contento, pero se equivocaba: como si fuera atraída magnéticamente por Harry, la *bludger* volvió a perseguirlo y Harry se vio obligado a alejarse a toda velocidad.

Había comenzado a llover. Harry notaba las gruesas gotas en la cara, rompiendo contra los cristales de los anteojos. No tuvo ni idea de lo que pasaba con los otros jugadores hasta que oyó la voz de Lee Jordan, que era el comentarista, diciendo: "Slytherin a la cabeza por seis a cero".

Estaba claro que la superioridad de las escobas de Slytherin daba sus resultados, y mientras tanto, la *bludger* loca hacía todo lo que podía para derribar a Harry. Fred y George se acercaban tanto a él, uno a cada lado, que Harry no podía ver otra cosa que sus brazos, que se agitaban sin cesar, y le resultaba imposible buscar la *snitch*, no digamos atraparla.

—Alguien... está... manipulando... esta... *bludger*... —gruñó Fred, golpeándola con todas sus fuerzas para rechazar un nuevo ataque contra Harry.

—Hay que detener el juego —dijo George, intentando hacerle señas a Wood y al mismo tiempo evitar que la *bludger* le partiera a Harry la nariz.

Wood captó el mensaje. La señora Hooch hizo sonar el

silbato y Harry, Fred y George bajaron al césped, todavía tratando de evitar la *bludger* loca.

—¿Qué ocurre? —preguntó Wood, cuando el equipo de Gryffindor se apiñó, mientras la afición de Slytherin los abucheaba—. Nos están haciendo puré. Fred, George, ¿dónde estaban cuando la *bludger* le impidió marcar a Angelina?

—Estábamos a ocho metros por encima de ella, Oliver, evitando que la otra *bludger* matara a Harry —dijo George enojado—. Alguien la ha manipulado... no dejará en paz a Harry, no ha ido detrás de nadie más en todo el tiempo. Los de Slytherin deben de haberle hecho algo.

—Pero las *bludger* han estado guardadas en el despacho de la señora Hooch desde nuestro último entrenamiento, y aquel día no les pasaba nada... —dijo Wood, perplejo.

La señora Hooch se acercaba a ellos. Por encima del hombro de la profesora, Harry vio al equipo de Slytherin burlándose y señalándolo.

—Escuchen —les dijo Harry mientras ella se acercaba—, con ustedes dos volando todo el rato a mi lado, la única posibilidad que tengo de atrapar la *snitch* es que se me meta por la manga. Vuelvan a proteger al resto del equipo, y dejen que me las arregle yo con esa *bludger* loca.

—No seas tonto —dijo Fred—, te partirá en dos.

Wood tan pronto miraba a Harry como a los Weasley.

—Oliver, esto es una locura —dijo Alicia Spinnet enfadada—, no puedes dejar que Harry se las entienda con la *bludger*. Esto hay que investigarlo.

—¡Si paramos ahora, perderemos el partido! —dijo Harry—. ¡Y no vamos a perder frente a Slytherin sólo por una *bludger* loca! ¡Vamos, Oliver, diles que dejen que me las arregle yo solo!

—Esto es tu culpa —le dijo George a Wood, enfadado—. "¡Atrapa la *snitch* o muere en el intento!" ¡Qué idiotez decir eso!

Llegó la señora Hooch:

—¿Listos para seguir? —le preguntó a Wood.

Wood contempló la expresión absolutamente segura del rostro de Harry.

—Bien —dijo—. Fred y George, ya lo han oído... dejen que se entienda él solo con la *bludger*.

La lluvia volvió a arreciar. Al toque de silbato de la señora Hooch, Harry dio una patada en el suelo que lo propulsó al cielo, y oyó tras él el zumbido de la *bludger*. Harry ascendió más y más. Giraba, daba vueltas, se trasladaba en espiral, en zigzag, describiendo tirabuzones. Ligeramente mareado, mantenía sin embargo los ojos completamente abiertos. La lluvia le manchaba los cristales de los anteojos y se le metió en los agujeros de la nariz cuando se puso cabeza abajo para evitar otra fiera acometida de la *bludger*. Podía oír las risas de la multitud: sabía que debía de parecer idiota, pero la *bludger* loca pesaba mucho y no podía cambiar de dirección tan rápido como él. Inició un vuelo a lo montaña rusa por los bordes del campo, intentando vislumbrar a través de la plateada cortina de lluvia los postes de Gryffindor, donde Adrian Pucey intentaba pasar a Wood...

Un silbido en el oído le indicó a Harry que la *bludger* había vuelto a pasarle rozando. Dio media vuelta y voló en la dirección opuesta.

—¿Haciendo prácticas de ballet, Potter? —le gritó Malfoy, cuando Harry se vio obligado a hacer una ridícula pirueta en el aire para evitar la *bludger*. Harry escapó, con la *bludger* siguiéndolo a un metro de distancia. Y en ese momento, al dirigirle a Malfoy una mirada de odio, vio la dorada *snitch*. Volaba a tan sólo unos centímetros por encima de la oreja izquierda de Malfoy... y Malfoy, que estaba muy ocupado riéndose de Harry, no la había visto.

Durante un angustioso instante, Harry permaneció suspendido en el aire, sin atreverse a dirigirse hacia Malfoy a toda velocidad por si miraba hacia arriba y descubría la *snitch*.

¡PLAM!

Se había quedado quieto un segundo de más. La *bludger* lo alcanzó por fin, lo golpeó en el codo, y Harry sintió que le había roto el brazo. Débilmente, aturdido por el punzante dolor del brazo, se hizo a un lado de su escoba empapada por la lluvia, manteniendo una rodilla todavía doblada sobre ella y su brazo derecho colgando inerte. La *bludger* volvió para atacarlo de nuevo, y esta vez se dirigía directo a su cara. Harry viró bruscamente, con una idea fija en su cerebro adormecido: *atrapar a Malfoy*.

Por entre la bruma que creaban en él la lluvia y el dolor,

se dejó caer hacia aquella cara brillante y desdeñosa que tenía debajo, y vio que los ojos se le abrían aterrorizados: Malfoy pensaba que Harry lo estaba atacando.

—¿Qué...? —gritó ahogadamente, apartándose del rumbo de Harry.

Harry soltó de la escoba la mano que le quedaba e hizo un esfuerzo para atrapar algo; sintió que sus dedos se cerraban en torno a la fría *snitch*, pero sólo se sujetaba ahora a la escoba con las piernas, y la multitud, abajo, profirió gritos cuando él empezó a caer directo al suelo, intentando no perder el conocimiento.

Con un golpe seco chocó contra el barro y salió rodando, ya sin la escoba. El brazo le colgaba en un ángulo muy extraño. Muerto de dolor, oyó, como en la distancia, muchos silbidos y gritos. Miró la *snitch* que llevaba agarrada en su mano buena.

—Ajá —dijo sin fuerzas—, hemos ganado.

Y se desmayó.

Volvió en sí, con la lluvia aún cayéndole en la cara y acostado todavía en el campo de juego. Alguien se inclinaba sobre él. Vio brillar unos dientes.

—¡Oh no, usted no! —gimió.

—No sabe lo que dice —explicó Lockhart en voz alta a la expectante multitud de Gryffindor que se agolpaba alrededor—. Que nadie se preocupe: voy a inmovilizarle el brazo.

—¡*No!* —dijo Harry—, me gusta como está, gracias.

Intentó sentarse, pero el dolor era terrible. Oyó cerca un ¡clic! que le resultaba familiar.

—No quiero que hagas fotos, Colin —dijo en voz alta.

—Vuelve a tenderte, Harry —le dijo Lockhart tranquilizador—. No es más que un sencillo hechizo que he empleado incontables veces.

—¿Por qué no me envían a la enfermería? —masculló Harry.

—Así debería hacerse, profesor —dijo Wood, lleno de barro y sin poder evitar sonreír aunque su buscador estuviera herido—. Fabulosa jugada, Harry, realmente espectacular, la mejor que hayas hecho nunca, yo diría.

Por entre la maraña de piernas que lo rodeaba, Harry vio a Fred y George Weasley forcejeando para meter la *bludger* loca en una caja. Todavía se resistía.

—Apártense —dijo Lockhart, arremangándose su túnica verde jade.

—No... ¡no! —dijo Harry débilmente, pero Lockhart estaba revoleando su varita, y un instante después la apuntaba hacia el brazo de Harry.

Harry notó una sensación extraña y desagradable que se extendió desde el hombro hasta las yemas de los dedos. Sentía como si su brazo se le desinflara. No se atrevía a mirar para ver qué sucedía. Había cerrado los ojos y vuelto la cara hacia el otro lado, pero vio confirmarse sus más oscuros temores cuando la gente que había alrededor ahogó un grito y Colin Creevey se puso a sacar fotos como loco. El brazo ya no le dolía... pero tampoco le daba la sensación de que fuera un brazo.

—¡Ah! —dijo Lockhart—. Sí, bueno, algunas veces ocurre esto. Pero el caso es que los huesos ya no están rotos. Eso es lo que importa. Así que, Harry, ahora debes ir a la enfermería. Ah, señor Weasley, señorita Granger, ¿pueden ayudarlo? La señora Pomfrey podrá... este... arreglarlo un poco.

Al ponerse de pie, Harry se sintió extrañamente asimétrico. Armándose de valor, miró hacia su lado derecho. Lo que vio casi le hizo volver a desmayarse.

Por el extremo de la manga de la túnica, asomaba lo que parecía un grueso guante de goma de color carne. Intentó mover los dedos. No le respondieron.

Lockhart no le había recompuesto los huesos: se los había quitado.

A la señora Pomfrey aquello no le hizo gracia.

—¡Tendrían que haber venido derecho a mí! —dijo hecha una furia y levantando el triste y mustio despojo de lo que, media hora antes, había sido un brazo en perfecto estado—. Puedo recomponer los huesos en un segundo... pero hacerlos crecer de nuevo...

—Pero podrá, ¿no? —dijo Harry, desesperado.

—Podré, desde luego, pero será doloroso —dijo en tono grave la señora Pomfrey, entregándole un pijama—. Tendrás que pasar la noche aquí...

Hermione aguardó al otro lado de la cortina que rodeaba

la cama de Harry mientras Ron lo ayudaba a cambiarse. Les llevó un buen rato embutir en la manga el brazo sin huesos, como de goma.

—¿Te atreves ahora a defender a Lockhart, Hermione? —le dijo Ron a través de la cortina mientras hacía pasar los dedos inanimados de Harry por el puño de la manga—. Si Harry hubiera querido que lo deshuesaran, lo habría pedido.

—Cualquiera puede cometer un error —dijo Hermione—. Y ya no le duele, ¿verdad, Harry?

—No —respondió Harry—, ni duele ni sirve para nada. —Al echarse en la cama, el brazo se balanceó inútilmente.

Hermione y la señora Pomfrey cruzaron la cortina. La señora Pomfrey llevaba una botella grande en cuya etiqueta decía "Crecehuesos".

—Vas a pasar aquí una noche muy mala —dijo, vertiendo un líquido humeante y entregándoselo—. Hacer que los huesos vuelvan a crecer es bastante desagradable.

Desagradable fue tomar el crecehuesos. Al descender, le abrasaba a Harry la boca y la garganta, haciéndolo toser y resoplar. Sin dejar de criticar los deportes peligrosos y a los profesores ineptos, la señora Pomfrey se retiró, dejando que Ron y Hermione ayudaran a Harry a beber algo de agua.

—¡Pero hemos ganado! —le dijo Ron, dejando aflorar una sonrisa en la cara—. Todo gracias a tu jugada. ¡Y la cara de Malfoy... parecía que te quería matar!

—Me gustaría saber cómo trucó la *bludger* —dijo Hermione intrigada.

—Podemos añadir ésa a la lista de preguntas que le haremos después de tomar la poción multijugos —dijo Harry, acomodándose entre las almohadas—. Espero que tenga mejor gusto que esta cosa...

—¿Con cosas de gente de Slytherin dentro? Estás bromeando —observó Ron.

En ese momento, se abrió de golpe la puerta de la enfermería. Sucios y empapados, entraron para ver a Harry los demás jugadores del equipo de Gryffindor.

—Un vuelo increíble, Harry —le dijo George—. Acabo de ver a Marcus Flint gritándole a Malfoy. Algo sobre que tenía la *snitch* encima de la cabeza y no se daba cuenta. Malfoy no parecía muy contento.

Habían llevado tortas, dulces y botellas de jugo de calabaza; se colocaron alrededor de la cama de Harry, y estaban empezando a preparar lo que prometía ser una fiesta estupenda, cuando se acercó despotricando la señora Pomfrey:

—¡Este chico necesita descansar, tiene que recomponer treinta y tres huesos! ¡Fuera! ¡FUERA!

Y dejaron solo a Harry, sin nadie que lo distrajera de los horribles dolores de su brazo inerte.

Horas después, Harry despertó de repente en una total oscuridad, profiriendo un pequeño grito de terror: en ese momento sentía el brazo como lleno de grandes astillas. Por un instante, pensó que era eso lo que lo había despertado. Pero luego se dio cuenta, con horror, de que alguien, en la oscuridad, le había puesto una esponja en la frente.

—¡Fuera! —gritó, y luego—: ¡*Dobby*!

Los ojos del tamaño de pelotas de tenis del elfo doméstico miraban desorbitados a Harry a través de la oscuridad. Una sola lágrima le bajaba por la nariz larga y afilada.

—Harry Potter ha vuelto al colegio —susurró triste—. Dobby avisó y avisó a Harry Potter. ¡Ah, señor! ¿por qué no le hizo caso a Dobby? ¿Por qué no volvió a casa Harry Potter cuando perdió el tren?

Harry se incorporó con gran esfuerzo sobre las almohadas y tiró la esponja de Dobby.

—¿Qué hace aquí? —dijo—. ¿Y cómo sabe que perdí el tren?

A Dobby le tembló un labio, y a Harry lo acometió una repentina sospecha:

—¡Fue *usted*! —dijo despacio—. ¡*Usted* impidió que la barrera nos dejara pasar!

—Sí, señor, claro —dijo Dobby, moviendo vigorosamente la cabeza de arriba abajo y agitando las orejas—. Dobby se ocultó y vigiló a Harry y selló la verja, y Dobby tuvo que quemarse después las manos con la plancha. —Le mostró a Harry diez largos dedos vendados. —Pero a Dobby no le importó, señor, porque pensaba que Harry Potter estaba a salvo, ¡y no se le ocurrió nunca que Harry Potter pudiera llegar al colegio por otro medio!

Se balanceaba hacia adelante y hacia atrás, agitando su fea cabeza.

—¡Dobby se llevó tal disgusto cuando se enteró de que Harry Potter estaba en Hogwarts, que dejó que se quemara la cena de su señor! Dobby nunca había recibido tales azotes, señor...

Harry se desplomó de nuevo sobre las almohadas.

—Casi consiguió que nos expulsaran a Ron y a mí —dijo con dureza—. Lo mejor es que se vaya antes de que mis huesos vuelvan a crecer, Dobby, o podría estrangularlo.

Dobby sonrió levemente.

—Dobby está acostumbrado a las amenazas, señor. Dobby las recibe en casa cinco veces al día.

Se sonó la nariz con una esquina del sucio almohadón que tenía puesto, y su aspecto eran tan patético que Harry sintió que su enojo cedía a pesar de su voluntad.

—¿Por qué lleva puesto eso, Dobby? —le preguntó con curiosidad.

—¿Esto, señor? —preguntó Dobby, pellizcándose el almohadón—. Es un símbolo de la esclavitud del elfo doméstico, señor. A Dobby sólo podrán liberarlo sus dueños un día si le dan alguna prenda. La familia tiene mucho cuidado de no pasarle a Dobby ni siquiera una media, porque entonces podría dejar la casa para siempre.

Dobby se secó los ojos saltones y dijo de repente:

—¡Harry Potter *debe* volver a casa! Dobby creía que su *bludger* bastaría para hacerle...

—¿Su *bludger*? —dijo Harry, volviendo a enfurecerse—, ¿qué quiere decir al decir *su bludger*? ¿Usted se las arregló para que esa bola intentara matarme?

—¡No matarlo, señor, matarlo nunca! —dijo Dobby, asustado—. ¡Dobby pretende salvarle la vida a Harry Potter! ¡Mejor ser enviado de vuelta a casa, gravemente herido, que permanecer aquí, señor! ¡Dobby sólo quería ocasionarle a Harry Potter el daño suficiente para que lo enviaran a casa!

—¿Ah, eso es todo? —dijo Harry irritado—. Me imagino que no querrá decirme *por qué* quería enviarme de regreso a casa hecho pedazos.

—¡Ah, si Harry Potter lo supiera! —gimió Dobby, mientras le caían más lágrimas en el harapiento almohadón—. ¡Si supiera lo que significa para nosotros, los parias, los esclavizados, la escoria del mundo mágico! Dobby recuerda cómo era cuando El Que No Debe Nombrarse estaba en la cumbre de su poder, señor! ¡A nosotros los elfos domésticos se nos trataba como a alimañas, señor! Desde luego, así es como aún tratan a Dobby, señor —admitió, secándose el rostro en el almohadón—. Pero, señor, en lo principal la vida ha mejorado para los de mi especie desde que usted derrotó al Que No Debe Ser Nombrado. Harry Potter sobrevivió, y cayó el poder del Tenebroso Señor, y surgió un nuevo amanecer, señor, y Harry Potter brilló como un faro de esperanza para los que creíamos que nunca terminarían los días oscuros, señor... Y ahora, en Hogwarts, van a ocurrir cosas terribles, tal vez están ocurriendo ya, y Dobby no puede consentir que Harry Potter permanezca aquí ahora que la historia va a repetirse, ahora que la Cámara de los Secretos ha vuelto a abrirse...

Dobby se quedó inmóvil, aterrorizado, y luego agarró la jarra de agua de la mesilla de Harry y se la quebró en su propia cabeza, cayendo al suelo. Un segundo después, reapareció trepando sobre la cama, con los ojos bizcos, murmurando:

—Dobby malo, Dobby muy malo...

—¿Así que es cierto que *hay* una Cámara de los Secretos? —murmuró Harry—. Y... ¿dice que se había abierto en *anteriores* ocasiones? ¡*Hable*, Dobby!

Apresó la huesuda muñeca del elfo cuando la mano de Dobby se acercaba a la jarra del agua.

—Pero yo no soy de familia *muggle*. ¿Por qué va a suponer la Cámara un peligro para mí?

—Ah, señor, no me haga más preguntas, no le pregunte más al pobre Dobby —tartamudeó el elfo. Sus ojos brillaban en la oscuridad. —Han planeado hechos oscuros en este lugar, pero Harry Potter no debe encontrarse aquí cuando se lleven a cabo. Vaya a casa, Harry Potter. Váyase a casa, Harry Potter no debe verse involucrado, es demasiado peligroso...

—¿Quién es, Dobby? —le preguntó Harry, manteniéndolo firmemente sujeto por la muñeca para impedirle que volviera a golpearse con la jarra del agua—. ¿Quién la ha abierto? ¿Quién la abrió la última vez?

—¡Dobby no puede, señor, Dobby no puede, Dobby no

debe hablar! —chilló el elfo—. ¡Váyase a casa, Harry Potter, váyase a casa!

—¡No me voy a ir a ningún lado! —dijo Harry con dureza—. ¡Mi mejor amiga es de familia *muggle*, estará en la primera línea si la Cámara ha sido realmente abierta!

—¡Harry Potter arriesga su propia vida por sus amigos! —gimió Dobby, en una especie de éxtasis de tristeza—. ¡Tan noble!, ¡tan valiente! Pero tiene que salvarse, tiene que hacerlo, Harry Potter no puede...

Dobby se quedó repentinamente inmóvil, pero le temblaban sus orejas de murciélago. Harry también lo oyó: eran pasos que se acercaban por el corredor.

—¡Dobby tiene que irse! —musitó el elfo, aterrorizado; se oyó un fuerte ruido, y el puño de Harry se cerró en el aire. Se dejó caer de nuevo en la cama, con los ojos fijos en el hueco oscuro de la puerta de la enfermería cuando los pasos se acercaron.

Un instante más tarde, Dumbledore entraba en el dormitorio, llevando un camisón largo de lana, y un gorro de dormir. Acarreaba un extremo de lo que parecía una estatua. La profesora McGonagall apareció un segundo después, sosteniendo los pies. Juntos, la dejaron sobre una cama.

—Traiga a la señora Pomfrey —susurró Dumbledore, y la profesora McGonagall desapareció a toda prisa más allá del pie de la cama de Harry. Éste permanecía inmóvil, haciéndose el dormido. Escuchó voces apremiantes, y la profesora McGonagall volvió a aparecer, seguida de cerca por la señora Pomfrey, que se estaba poniendo un suéter sobre el camisón. Harry la oyó tomar aire bruscamente.

—¿Qué ha ocurrido? —le preguntó la señora Pomfrey a Dumbledore en un susurro, inclinándose sobre la estatua.

—Otra agresión —explicó Dumbledore—. Minerva lo ha encontrado en las escaleras.

Tenía a su lado un racimo de uvas —dijo la profesora McGonagall—. Suponemos que intentaba llegar hasta aquí para hacerle a Potter una visita.

A Harry el estómago le dio una terrible sacudida. Lentamente y con cuidado, se alzó unos centímetros para poder ver la estatua sobre la cama. Sobre el rostro caía un rayo de luna.

Era Colin Creevey. Tenía los ojos muy abiertos y las manos levantadas delante de él, sujetando su cámara de fotos.

—¿Petrificado? —susurró la señora Pomfrey.

—Sí —dijo la profesora McGonagall—. Pero me estremezco al pensar... Si Albus no hubiera bajado a buscar chocolate caliente, quién sabe lo que podría haber...

Los tres miraban a Colin. Dumbledore se inclinó y desprendió la cámara de fotos que Colin aferraba rígidamente.

—¿Cree que pudo sacarle una foto a su atacante? —le preguntó la profesora McGonagall con expectación.

Dumbledore no respondió. Abrió la parte de atrás de la cámara.

—¡Por favor! —exclamó la señora Pomfrey.

Un chorro de vapor salió de la cámara. A Harry, que se encontraba tres camas más allá, le llegó el olor agrio del plástico quemado.

—Derretido —dijo asombrada la señora Pomfrey—. Todo derretido...

—¿Qué *significa* esto, Albus? —le preguntó apremiante la profesora McGonagall.

—Significa —contestó Dumbledore— que es verdad que han abierto de nuevo la Cámara de los Secretos.

La señora Pomfrey se llevó una mano a la boca. La profesora McGonagall miró a Dumbledore fijamente.

—Pero, Albus... seguramente... *¿quién...?*

—La cuestión no es *quién* —dijo Dumbledore, mirando a Colin—, la cuestión es *cómo*...

Y, a juzgar por lo que Harry pudo vislumbrar de la sombría expresión de la profesora McGonagall, ella no lo comprendía mejor que él.

Capítulo once

El club de duelo

Al despertar la mañana del domingo, Harry halló el dormitorio resplandeciente con la luz del sol de invierno y su brazo otra vez articulado, aunque muy rígido. Se sentó de inmediato, y miró hacia la cama de Colin, pero estaba resguardado de la vista por las altas cortinas que Harry había corrido el día anterior. Al ver que había despertado, la señora Pomfrey se acercó afanosamente con la bandeja del desayuno, y comenzó a flexionarle y estirarle a Harry el brazo y los dedos.

—Todo en orden —le dijo, mientras él se acercaba la avena a la boca torpemente con su mano izquierda—. Cuando termines de comer, puedes irte.

Harry se vistió lo más rápido que pudo y salió precipitadamente hacia la torre de Gryffindor, ansioso de hablarles a Ron y Hermione sobre Colin y Dobby, pero ellos no se encontraban allí. Harry dejó de buscarlos, preguntándose a dónde podían haber ido y algo molesto de que ellos no parecieran interesados en saber si él había recuperado o no sus huesos.

Cuando pasó por delante de la biblioteca, Percy Weasley salía de ella, y parecía estar de mucho mejor humor que la última vez que lo habían encontrado.

—¡Ah, hola, Harry! —dijo—, excelente jugada la de ayer, realmente excelente. Gryffindor acaba de ponerse en cabeza de la Copa de las Casas: ¡ganaste cincuenta puntos!

—¿No has visto a Ron ni a Hermione? —preguntó Harry.

—No, no los he visto —contestó Percy, y su sonrisa se

desvaneció—. Espero que Ron no esté otra vez en el *baño de las chicas*...

Harry forzó una sonrisa, siguió a Percy con la vista hasta que desapareció, y se fue derecho al baño de Myrtle la Llorona. No encontraba ningún motivo para que Ron y Hermione estuvieran allí, pero después de asegurarse de que no merodeaba por allí Filch ni ningún otro prefecto, abrió la puerta y oyó sus voces provenientes de una cabina cerrada.

—Soy yo —dijo, cerrando la puerta detrás de él. Oyó un golpe metálico, luego otro como de salpicadura y un grito ahogado, y vio a Hermione mirando por el agujero de la cerradura.

—¡*Harry!* —dijo ella—. Vaya susto que nos has dado. Entra. ¿Cómo está tu brazo?

—Bien —dijo Harry, metiéndose en la cabina. Habían puesto un caldero sobre la taza del inodoro, y un crepitar que provenía de debajo del borde le indicó que habían prendido un fuego bajo el caldero. Prender fuegos transportables y sumergibles era una especialidad de Hermione.

—Íbamos a ir a verte, pero decidimos comenzar a preparar la poción multijugos —le explicó Ron, después de que Harry, con dificultad, cerrara de nuevo la puerta de la cabina. Hemos pensado que éste es el lugar más seguro para guardarla.

Harry empezó a contarles lo de Colin, pero Hermione lo interrumpió:

—Ya lo sabemos, oímos a la profesora McGonagall hablando con el profesor Flitwick esta mañana. Por eso pensamos que era mejor darnos prisa...

—Cuanto antes le saquemos a Malfoy una declaración, mejor —gruñó Ron—. ¿No piensas igual? Se ve que después del partido de *quidditch* estaba tan sulfurado, que la tomó con Colin.

—Hay algo más —dijo Harry, contemplando cómo Hermione partía manojos de *centinodia* y los echaba a la poción—: Dobby vino en mitad de la noche a hacerme una visita.

Ron y Hermione levantaron la mirada, sorprendidos. Harry les contó todo lo que Dobby le había dicho... y lo que no le había dicho. Ron y Hermione lo escucharon con la boca abierta.

—¿La Cámara de los Secretos ha sido abierta *antes*? —le preguntó Hermione.

—Es evidente —dijo Ron con voz de triunfo—. Lucius Malfoy la habrá abierto cuando estuvo aquí estudiando y ahora le ha explicado a su querido Draco cómo hacerlo. Está claro. Sin embargo, me gustaría que Dobby te hubiera dicho qué tipo de monstruo hay en ella. Me gustaría saber cómo es posible que nadie se lo haya encontrado merodeando por el colegio.

—Quizá pueda volverse invisible —dijo Hermione, empujando sanguijuelas hasta el fondo del caldero—. O quizá pueda disfrazarse: hacerse pasar por una armadura, o algo así. He leído algo sobre fantasmas camaleónicos...

—Lees demasiado, Hermione —le dijo Ron, echando crisopos encima de las sanguijuelas. Arrugó la bolsa vacía de los crisopos y miró a Harry.

—Así que fue Dobby el que no nos dejó tomar el tren y el que te rompió el brazo... —Meneó la cabeza. —¿Sabes una cosa, Harry? Si no deja de intentar salvarte la vida, te va a matar.

La noticia de que habían atacado a Colin Creevey y de que éste yacía como muerto en la enfermería se extendió por todo el colegio durante la mañana del lunes. El ambiente se llenó de rumores y sospechas. Los de primer curso se desplazaban por el castillo en grupos muy compactos, como si temieran que los atacaran si iban solos.

Ginny Weasley, que se sentaba junto a Colin Creevey en la clase de Hechizos, estaba consternada, pero a Harry le parecía que Fred y George se equivocaban en la manera de animarla. Se turnaban para taparse con una piel y aparecérsele desde detrás de las estatuas. Sólo dejaron de hacerlo cuando Percy, que estaba que trinaba, les dijo que iba a escribir a su madre y contarle que Ginny tenía pesadillas.

Mientras tanto, a escondidas de los profesores, florecía en el colegio un mercado de talismanes, amuletos y otros objetos protectores. Neville Longbottom había comprado una cebolla verde y grande, cuyo olor decían que alejaba el mal, un cristal púrpura acabado en punta y una cola podrida de tritón antes de que los demás chicos de Gryffindor le explicaran que él no corría peligro: tenía la sangre limpia, y por tanto no era probable que lo fueran a atacar.

—Fueron primero contra Filch —dijo Neville, con el miedo palpable en su cara redonda—, y todo el mundo sabe que yo soy casi un *squib*.

Durante la segunda semana de diciembre, la profesora McGonagall pasó, como de costumbre, recogiendo los nombres de los que se quedarían en el colegio en Navidad. Harry, Ron y Hermione firmaron en la lista; habían oído que Malfoy se quedaba, lo cual les pareció muy sospechoso. Las vacaciones serían el momento perfecto para utilizar la poción multijugos e intentar sonsacarle una confesión.

Por desgracia, la poción estaba a medio acabar. Aún necesitaban el cuerno de bicornio y la piel de serpiente arbórea africana, y el único lugar del que podrían sacarlos era el armario privado de Snape. A Harry le parecía que preferiría enfrentarse al monstruo legendario de Slytherin que a Snape si lo pescaba robándole en el despacho.

—Lo que tenemos que hacer —dijo animadamente Hermione, cuando se acercaba la doble clase de pociones de la tarde del jueves— es distraerlo con algo. Entonces uno de nosotros podrá entrar en su despacho y sacar lo que necesitamos.

Harry y Ron la miraron, nerviosos.

—Creo que mejor me encargo yo del robo —continuó Hermione, como si tal cosa—. A ustedes dos los expulsarían si los pescaran en otra, mientras que yo tengo el legajo limpio. Así que todo lo que tienen que hacer es originar un tumulto lo suficientemente importante como para mantener ocupado a Snape unos cinco minutos.

Harry sonrió débilmente. Provocar deliberadamente un tumulto en la clase de Pociones de Snape era tan arriesgado como pegarle un puñetazo en el ojo a un dragón dormido.

Las clases de Pociones se impartían en una de las mazmorras más espaciosas. La tarde del jueves, las clases fueron como siempre. Veinte calderos humeaban entre los pupitres de madera, en los que descansaban balanzas de lata y jarras con los ingredientes. Snape rondaba por entre los fuegos, haciendo comentarios envenenados sobre el trabajo de los de Gryffindor, mientras los de Slytherin se reían en sintonía con el profesor. Draco Malfoy, que era el alumno favorito de Snape, les hacía burla con los ojos a Ron y Harry, que sabían que si le contestaban, tardarían en ser castigados menos de lo que se tarda en decir "injusto".

La pócima infladora de Harry estaba demasiado floja, pero a él le preocupaban en ese momento otras cosas más importantes. Aguardaba una seña de Hermione, y apenas prestó atención cuando Snape se detuvo a mirar con desprecio su poción aguada. Cuando Snape se volvió y se alejó para ir a ridiculizar a Neville, Hermione captó la mirada de Harry, y le hizo con la cabeza un gesto afirmativo.

Harry se agachó rápidamente y se escondió detrás de su caldero, se sacó de un bolsillo una de las bengalas del doctor Filibuster que tenía Fred, y le dio un golpe con su varita. La bengala comenzó a silbar y echar chispas. Sabiendo que sólo contaba con unos segundos, Harry se levantó, apuntó y la lanzó al aire. Aterrizó justo en el caldero de Goyle.

La poción de Goyle estalló, rociando a toda la clase. Todos chillaban cuando los alcanzaba la pócima infladora. A Malfoy lo salpicó en toda la cara, y la nariz se le empezó a hinchar como un balón; Goyle andaba a ciegas tapándose los ojos con las manos, que se pusieron del tamaño de platos soperos, mientras Snape trataba de reinstaurar la calma y de entender qué era lo que había sucedido. Harry vio a Hermione aprovechar la confusión para salir discretamente por la puerta.

—¡Silencio! ¡SILENCIO! —bramaba Snape—. Que venga uno cualquiera de los que han sido salpicados, para desinflarlo. Y cuando averigüe quién ha hecho esto...

Harry intentó contener la risa cuando vio a Malfoy apresurarse hacia la parte delantera de la clase, con la cabeza caída a causa del peso de su nariz, que se le había quedado del tamaño de un melón pequeño. Mientras la mitad de la clase abarrotaba la mesa de Snape, unos abrumados por sus brazos del tamaño de grandes garrotes, y otros imposibilitados para hablar a través de sus labios hinchados, Harry vio que Hermione volvía a entrar en la mazmorra, con la parte delantera de su túnica abultada.

Cuando todo el mundo se hubo tomado un trago de antídoto y las diversas hinchazones disminuyeron, Snape fue hasta el caldero de Goyle y extrajo los restos negros y retorcidos de la bengala. Se produjo un silencio repentino.

—Si averiguo quién ha arrojado esto —susurró Snape—, me *aseguraré* de que lo expulsen.

Harry puso una cara que esperaba que fuera de perplejidad. Snape lo miraba a él, y la campana que sonó diez minutos después no pudo ser mejor bienvenida.

—Sabe que fui yo —les dijo Harry a Ron y Hermione, mientras iban aprisa al baño de Myrtle la Llorona—. Podría jurarlo.

Hermione echó al caldero los nuevos ingredientes y comenzó a remover con brío.

—Estará listo dentro de dos semanas —dijo contenta.

—Snape no tiene ninguna prueba de que hayas sido tú —le dijo Ron a Harry, tranquilizándolo—. ¿Qué puede hacer?

—Conociendo a Snape, algo horrible —dijo Harry, mientras la poción levantaba borbotones y espuma.

Una semana más tarde, Harry, Ron y Hermione caminaban por el vestíbulo cuando vieron a un puñado de gente amontonada delante del tablón de anuncios, leyendo un pergamino que acababan de colocar. Seamus Finnigan y Dean Thomas les hacían señas, entusiasmados.

—¡Van a abrir un club de duelo! —dijo Seamus—. ¡La primera sesión será esta noche! No me importaría recibir unas clases de duelo, podrían ser útiles en estos días...

—¿Por qué, piensas que se va a batir el monstruo de Slytherin? —preguntó Ron, pero lo cierto es que también él leía con interés el cartel.

—Podría ser útil —les dijo a Harry y Hermione cuando iban a cenar—: ¿vamos?

Harry y Hermione se mostraron completamente a favor, así que esa noche, a las ocho, se dirigieron aprisa al Gran Salón. Las grandes mesas de comedor habían desaparecido y se levantaba a lo largo de una de las paredes una tarima dorada, iluminada por miles de velas que flotaban por encima de las cabezas. El techo volvía a ser negro, y la mayor parte del alumnado parecía haberse reunido debajo de él, portando sus varitas mágicas y aparentemente entusiasmados.

—Me pregunto quién nos enseñará —dijo Hermione, mientras se internaban en el alboroto de la multitud—. Alguien me ha dicho que Flitwick fue campeón de duelo cuando era joven, quizá sea él.

—Con tal de que no sea... —comenzó a decir Harry, pero terminó con un gemido: Gilderoy Lockhart se encaminaba a la tarima, resplandeciente en su túnica color ciruela oscuro, y lo acompañaba nada menos que Snape, con su usual túnica negra.

Lockhart demandó silencio con un gesto del brazo, y dijo:

—¡Vengan aquí, vengan aquí! ¿Me ve todo el mundo? ¿Me oye todo el mundo? ¡Estupendo!

"El profesor Dumbledore me ha concedido permiso para abrir este modesto club de duelo, con la intención de prepararlos a todos ustedes por si algún día necesitan defenderse tal como me ha pasado a mí en incontables ocasiones. Para más detalles, consulten mis publicaciones.

"Permítanme presentarles a mi ayudante, el profesor Snape —dijo Lockhart, con una amplia sonrisa—: él dice que sabe un poquito sobre el arte de batirse, y ha accedido deportivamente a ayudarme en una pequeña demostración antes de empezar. Pero no quiero que ninguno de los más jóvenes se preocupe: no se quedarán sin profesor de Pociones después de esta demostración, ¡no tengan miedo!

—¿No estaría bien que se mataran el uno al otro? —le susurró Ron a Harry al oído.

En el labio superior de Snape pudo apreciarse una mueca de desprecio. Harry se preguntaba por qué Lockhart continuaba sonriendo: si Snape lo hubiera mirado como miraba a Lockhart, habría corrido tan rápido como pudiera en dirección opuesta.

Lockhart y Snape se encararon y se hicieron una mutua reverencia. O, por lo menos, la hizo Lockhart, con mucho floreo de la mano, mientras Snape movía la cabeza de mal humor. Luego alzaron sus varitas mágicas frente a ellos, como si fueran espadas.

—Como ven, sostenemos nuestras varitas en la posición de combate convencional —explicó Lockhart a la silenciosa multitud—. Cuando cuente tres, haremos nuestro primer embrujo. Pero claro está que ninguno de nosotros tiene intención de matar.

—Yo no estaría tan seguro —susurró Harry, viendo a Snape enseñar los dientes.

—Una... dos... tres.

Ambos alzaron las varitas y las dirigieron a los hombros del contrincante. Snape gritó:

—*¡Expelliarmus!*

Resplandeció un destello de luz roja, y Lockhart se despegó del suelo, voló hacia atrás, salió de la tarima, pegó contra el muro, y cayó deslizándose hasta quedar tendido en el suelo.

Malfoy y algunos otros de Slytherin vitorearon. Hermione se puso en puntas de pie:

—¿Creen que está bien? —chilló por entre los dedos con que se tapaba la cara.

—¿A quién le preocupa? —dijeron Harry y Ron al mismo tiempo.

Lockhart se puso de pie con esfuerzo. Se le había caído el sombrero y su pelo ondulado se le había puesto de punta.

—¡Bueno, ya lo han visto! —dijo, tambaleándose al volver a la tarima—. Eso ha sido un Encantamiento de Desarme: como pueden ver, he perdido mi varita... ¡Ah, gracias, señorita Brown! Sí, profesor Snape, ha sido una excelente idea mostrárselo, pero si no le importa que se lo diga, era demasiado evidente que iba a atacar de esa manera. Si hubiera querido impedírselo, me habría resultado muy fácil. Pero pensé que sería instructivo dejarles que vieran...

Snape parecía dispuesto a matarlo, y quizá Lockhart lo notara, porque dijo:

—¡Basta de demostración! Vamos a colocarlos por parejas. Profesor Snape, si es tan amable de ayudarme...

Se metieron entre la multitud, formando parejas. Lockhart puso a Neville con Justin Finch-Fletchley, pero Snape llegó primero hasta donde estaban Ron y Harry.

—Ya es hora de separar a este equipo ideal, creo —dijo con expresión desdeñosa—. Weasley, puedes emparejarte con Finnigan. Potter...

Harry se acercó automáticamente a Hermione.

—Me parece que no —dijo Snape, sonriendo con frialdad—: Señor Malfoy, aquí. Veamos qué puedes hacer con el famoso Potter. La señorita Granger puede ponerse con la señorita Bulstrode.

Malfoy se acercó pavoneándose, sonriendo. Detrás de él iba una chica de Slytherin que le recordó a Harry una foto que había visto en *Vacaciones con las brujas*. Era grande y robusta, y sus poderosas mandíbulas sobresalían agresivamente. Hermione la saludó con una débil sonrisa que ella no devolvió.

—¡Pónganse frente a sus contrincantes! —dijo Lockhart, de nuevo sobre la tarima—, ¡y hagan una inclinación!

Harry y Malfoy apenas bajaron las cabezas, sin quitarse los ojos de encima.

—¡Varitas listas! —gritó Lockhart—. Cuando cuente hasta tres, ejecuten sus hechizos para desarmar al oponente. Sólo para desarmarlo: no queremos tener ningún accidente: Una, dos y... tres.

Harry apuntó la varita hacia los hombros de Malfoy, pero éste ya había empezado a la de "dos". Su conjuro le hizo el mismo efecto que si lo hubieran golpeado en la cabeza con una sartén. Se tambaleó, pero aguantó, y sin perder tiempo, dirigió contra Malfoy su varita, diciendo:

—*Rictusempra!*

Un chorro de luz plateada le dio a Malfoy en el estómago, y éste se retorció, respirando con dificultad.

—*¡He dicho sólo desarmarse!* —gritó Lockhart alarmado por encima de las cabezas de la combativa multitud, cuando Malfoy cayó de rodillas; Harry lo había atacado con un Encantamiento de Cosquillas, y apenas se podía mover de la risa. Harry no volvió a atacar, porque le parecía que no era deportivo hacerle a Malfoy más encantamientos mientras estaba en el suelo, pero fue un error. Tomando aire, Malfoy apuntó la varita a las rodillas de Harry, y dijo ahogadamente:

—*Tarantallegra!*

Un segundo después, a Harry las piernas se le empezaron a mover a saltos, fuera de control, como si bailaran un baile velocísimo.

—¡Alto!, ¡alto! —gritó Lockhart, pero Snape se hizo cargo de la situación.

—*Finite incantatem!* —gritó; los pies de Harry dejaron

de bailar, Malfoy dejó de reír, y ambos pudieron levantar la vista.

Una niebla de humo verdoso se cernía sobre el lugar. Tanto Neville como Justin estaban tendidos en el suelo, jadeando; Ros sostenía a Seamus, que estaba pálido, pidiéndole disculpas por los efectos de su varita rota; pero Hermione y Millicent Bulstrode no habían parado: Millicent agarraba a Hermione del cuello y Hermione gemía de dolor. Las varitas de las dos estaban en el suelo. Harry se acercó de un salto y apartó a Millicent. Fue difícil, porque era mucho más grande que él.

—Muchachos, muchachos... —decía Lockhart, pasando por entre los estudiantes, examinando las consecuencias de los duelos—. Levántate, Macmillan... con cuidado, señorita Fawcet... pellízcalo con fuerza, Boot, dejará de sangrar en un segundo...

"Creo que será mejor que les enseñe cómo interceptar los hechizos indeseados —dijo Lockhart, que se había quedado quieto, azorado, en medio del salón. Miró a Snape, al que le brillaban los ojos negros, y apartó la vista de inmediato. —Necesito un par de voluntarios... Longbottom y Finch-Fletchley, ¿qué tal ustedes?

—Mala idea, profesor Lockhart —dijo Snape, deslizándose como un murciélago grande y malévolo—. Longbottom causa catástrofes con los hechizos más simples, tendríamos que enviar a Finch-Fletchley a la enfermería en una caja de fósforos. —La cara sonrosada de Neville se puso de un rosa aún más intenso. —¿Qué tal Malfoy y Potter? —dijo Snape con una sonrisa malvada.

—¡Excelente idea! —dijo Lockhart, haciéndoles un gesto para que se acercaran al centro del salón al mismo tiempo que la multitud se apartaba para dejarles sitio.

—Veamos, Harry —dijo Lockhart—, cuando Draco te apunte con la varita, tienes que hacer esto.

Levantó su propia varita, intentó un complicado movimiento y la varita se le cayó al suelo. Snape sonrió y Lockhart se apresuró a recogerla, diciendo:

—¡Vaya, mi varita está un poco nerviosa!

Snape se acercó a Malfoy, se inclinó y le susurró algo al oído. Malfoy también sonrió. Harry miró asustado a Lockhart, y le dijo:

—Profesor, ¿me podría explicar de nuevo cómo se hace esa cosa para interceptar?

—¿Asustado? —murmuró Malfoy, de forma que Lockhart no pudiera oírlo.

—Eso quisieras —le dijo Harry por la comisura de los labios.

Lockhart le dio a Harry una palmada amistosa en el hombro:

—¡Simplemente, hazlo como yo, Harry!

—¿El qué, dejar caer la varita?

Pero Lockhart no lo escuchaba.

—Tres, dos, uno, ¡ya! —gritó.

Malfoy levantó rápidamente la varita y bramó:

—*Serpensortia!*

Hubo un estallido en el extremo de su varita. Harry vio, aterrorizado, cómo salía de ella una larga serpiente negra, caía al suelo entre los dos y se erguía, lista para atacar. Todos se echaron atrás gritando, despejando el lugar.

—No te muevas, Potter —dijo Snape sin hacer nada, disfrutando claramente la visión de Harry, que se había quedado inmóvil, mirando a los ojos a la furiosa serpiente—. Me encargaré de ella...

—¡Permítame! —gritó Lockhart. Blandió su varita apuntando a la serpiente, y se oyó un ruido de disparo: la serpiente, en vez de desvanecerse, voló por el aire unos tres metros, y volvió a caer al suelo con un chasquido. Furiosa, silbando de enojo, se deslizó derecha hacia Finch-Fletchley y se irguió de nuevo, mostrando los colmillos que llevaban el veneno.

Harry no supo por qué lo hizo. Ni siquiera fue consciente de ello. Todo lo que comprendió es que las piernas lo impulsaban hacia adelante como si fuera sobre ruedas, y que le gritaba absurdamente a la serpiente: —¡Déjalo!—. Y milagrosamente, inexplicablemente, la serpiente cayó al suelo, tan inofensiva como una gruesa manguera negra de jardín, y volvió los ojos a Harry. A Harry se le pasó el miedo. Sabía que la serpiente ya no atacaría a nadie, aunque no hubiera podido explicar por qué lo sabía.

Sonriendo, miró a Justin, esperando verlo aliviado, o confuso, o agradecido, pero ciertamente no enojado y asustado.

—¿A qué crees que jugamos? —gritó, y antes de que Harry le pudiera contestar, había dado media vuelta y abandonaba el salón.

Snape se acercó, blandió la varita y la serpiente desapareció en una pequeña nube de humo negro. También Snape miraba a Harry de una manera rara: era una mirada astuta y calculadora que a Harry no le gustó. Fue vagamente consciente de unos inquietantes murmullos a su alrededor. A continuación, sintió que alguien le tiraba de la parte de atrás de la túnica.

—Vamos —le dijo Ron al oído—. *Vamos*...

Ron lo sacó del salón, y Hermione fue con ellos. Al atravesar las puertas, los estudiantes se apartaban como si les diera miedo contagiarse. Harry no tenía ni idea de lo que pasaba, y ni Ron ni Hermione le explicaron nada hasta llegar a la sala común de Gryffindor, que estaba vacía. Entonces Ron sentó a Harry en un butacón y le dijo:

—Hablas *pársel*. ¿Por qué no nos lo habías dicho?

—¿Que hablo qué? —dijo Harry.

—*Pársel!* —dijo Ron—. ¡Puedes hablar con las serpientes!

—Lo sé —dijo Harry—. Quiero decir, que ésta es la segunda vez que lo hago. Una vez, accidentalmente, le eché una boa constrictora a mi primo Dudley en el zoo... es una larga historia... pero ella me estaba diciendo que no había visto nunca Brasil, y yo la liberé sin proponérmelo. Fue antes de saber que era un mago...

—¿Una boa constrictora te dijo que no había visto nunca Brasil? —repitió Ron con voz débil.

—¿Y qué? —preguntó Harry—. Apuesto a que pueden hacerlo montones de personas.

—Desde luego que no —dijo Ron—. No es un don muy frecuente. Harry, eso no es bueno.

—¿Que no es bueno? —dijo Harry, comenzando a enojarse—. ¿Qué le pasa a todo el mundo? Mira, si no le hubiera dicho a esa serpiente que no atacara a Justin...

—¿Eso es lo que le dijiste?

—¿Qué pasa? Tú estabas allí... tú me oíste.

—Hablaste en lengua *pársel* —le dijo Ron—, la lengua de las serpientes. Podías haber dicho cualquier cosa. No te sorprenda que Justin se asustara, parecía como si estuvieras incitando a la serpiente, o algo así. Resultaba repulsivo, ya sabes.

Harry se quedó con la boca abierta.

—¿Hablé en otra lengua? Pero... no comprendo... ¿cómo puedo hablar en una lengua sin saber que la conozco?

Ron negó con la cabeza. Por el aspecto que tenían tanto él como Hermione, parecía como si acabara de morir alguien. Harry no alcanzaba a comprender qué era lo tan terrible.

—¿Me quieres decir qué hay de malo en impedir que una serpiente grande y asquerosa le arranque a Justin la cabeza de un mordisco? —preguntó—. ¿Qué importa cómo lo hice si evité que Justin tuviera que ingresar en el Club de Cazadores Sin Cabeza?

—Importa —dijo Hermione, hablando por fin, en un susurro—, porque Salazar Slytherin era famoso por ser capaz de hablar con las serpientes. Por eso el símbolo de la casa de Slytherin es una serpiente.

Harry se quedó boquiabierto.

—Exactamente —dijo Ron—. Y ahora todo el colegio va a pensar que tú eres su tatara-tatara-tatara-tataranieto o algo así...

—Pero no lo soy —dijo Harry, sintiendo un inexplicable terror.

—Te costará mucho demostrarlo —dijo Hermione—. Él vivió hace unos mil años: así que bien podrías serlo.

Esa noche, Harry pasó varias horas despierto. Por una abertura en las colgaduras de su cama, veía que la nieve comenzaba a amontonarse al otro lado de la ventana de la torre, y meditaba.

¿Era posible que fuera un descendiente de Salazar Slytherin? Al fin y al cabo, no sabía nada sobre la familia de su padre. Los Dursley nunca le habían permitido hacerles preguntas sobre sus familiares magos.

En voz baja, trató de decir algo en lengua *pársel*. Las palabras no acudieron. Parecía que era imprescindible estar delante de una serpiente.

—*Pero estoy en Gryffindor* —pensó Harry—. *El sombrero seleccionador no me habría puesto en esta casa si tuviera sangre de Slytherin...*

—*¡Ah!* —dijo en su cerebro una voz horrible—, *pero el*

sombrero seleccionador te quería enviar a Slytherin, ¿lo recuerdas?

Harry se volvió. Al día siguiente vería a Justin en clase de Botánica y le explicaría que le había pedido a la serpiente que se apartara de él, no que lo atacara, algo, pensó enfadado dándole puñetazos a la almohada, de lo que cualquier idiota se habría dado cuenta.

A la mañana siguiente, sin embargo, la nevada que había empezado a caer por la noche se había transformado en una tormenta de nieve tan recia que se canceló la última clase de Botánica del trimestre: la profesora Sprout quiso tapar las mandrágoras con pañuelos y medias, una operación delicada que no hubiera confiado a ningún otro, ahora que el crecimiento de las mandrágoras se había convertido en algo tan importante para revivir a la señora Norris y a Colin Creevey.

Harry meditaba sobre eso, sentado junto a la chimenea, en la sala común de Gryffindor, mientras Ron y Hermione aprovechaban el hueco dejado por la clase de Botánica para jugar una partida de ajedrez mágico.

—¡Por Dios, Harry! —dijo Hermione, exasperada, cuando uno de los alfiles de Ron desmontó al caballero de uno de sus caballos y lo sacó a rastras del tablero—. Si es tan importante para ti, ve a *buscar* a Justin.

De forma que Harry se levantó y salió por el retrato, preguntándose dónde estaría Justin.

El castillo estaba más oscuro de lo que era normal en pleno día, a causa de la nieve espesa y gris que se arremolinaba en cada una de las ventanas. Tiritando, Harry pasó por las aulas en que estaban impartiendo clase, vislumbrando algo de lo que ocurría dentro. La profesora McGonagall le gritaba a alguien que, a juzgar por lo que se oía, había convertido a su compañero en un tejón. Aguantando las ganas de echar un vistazo, Harry siguió su camino, pensando que Justin podría estar aprovechando su hora libre para hacer alguna tarea pendiente, y decidió mirar antes que nada en la biblioteca.

Algunos de los de Hufflepuff a los que les tocaba clase de Botánica estaban efectivamente en el fondo de la biblioteca, pero no parecía que estuvieran trabajando. Entre las largas filas de estantes, Harry podía verlos con las cabezas casi pegadas unos a otros, en lo que parecía una absorbente conversación. No podía distinguir si entre ellos se encontraba Justin. Se estaba acercando a ellos cuando consiguió entender algo de lo que decían, y se detuvo a escuchar, oculto en la sección de "Invisibilidad".

—Así que —decía un muchacho corpulento— le dije a Justin que se ocultara en nuestro dormitorio. Quiero decir que, si Potter lo ha señalado como su próxima víctima, es mejor que se deje ver poco durante una temporada. Por supuesto, Justin temía que algo así pudiera ocurrir desde que se le escapó decirle a Potter que era de familia *muggle*. Lo que Justin le *dijo* exactamente es que le habían reservado plaza en Eton. No es el mejor comentario que se le puede hacer al heredero de Slytherin, ¿verdad?

—¿Entonces estás convencido de que es Potter, Ernie? —preguntó asustada una chica rubia con colitas.

—Hannah —le dijo solemnemente el chico robusto—, sabe hablar *pársel*. Todo el mundo sabe que ésa es la marca de un mago tenebroso. ¿Sabes de alguien honrado que pueda hablar con las serpientes? Al mismo Slytherin lo llamaban "lengua de serpiente".

Esto provocó densos murmullos. Ernie prosiguió:

—¿Recuerdan lo que apareció escrito en la pared? "Temed, enemigos del heredero." Potter estaba enemistado con Filch. A continuación, la gata de Filch resulta agredida. Ese chico de primero, Creevey, molestó a Potter en el partido de *quidditch*, sacándole fotos mientras estaba tendido en el barro. Y entonces aparece Creevey petrificado.

—Pero parece tan simpático —repuso Hannah, vacilando—, y... bueno, fue él quien hizo desaparecer a Quien Ustedes Saben. No puede ser tan malo, ¿o qué?

Ernie bajó la voz, que se volvió más misteriosa. Los de Hufflepuff se inclinaron y se juntaron más unos a otros, y Harry tuvo que acercarse más para oír las palabras de Ernie:

—Nadie sabe cómo pudo sobrevivir al ataque de Quien Ustedes Saben. Quiero decir, que era tan sólo un niño cuando ocurrió, y tendría que haber saltado en pedazos. Sólo un mago tenebroso con mucho poder podía sobrevivir a una maldición como ésa. —Bajó la voz hasta que no fue más que un susurro, y prosiguió: —Por eso seguramente es por lo que

Quien Ustedes Saben quería matarlo antes que a nadie. No quería tener a otro Señor Tenebroso que le hiciera *competencia*. Me pregunto qué otros poderes tiene ocultos Potter.

Harry no pudo entender nada más. Carraspeando sonoramente, salió de detrás de la estantería. De no estar tan enojado, le habría parecido divertida la forma en que lo recibieron: todos parecieron petrificados al verlo, y Ernie se quedó pálido.

—Hola —dijo Harry—. Busco a Justin Finch-Fletchley.

Los peores temores de los de Hufflepuff se vieron así confirmados. Todos miraron atemorizados a Ernie.

—¿Para qué lo buscas? —le preguntó Ernie, con voz trémula.

—Quería explicarle lo que sucedió realmente con la serpiente en el club de duelo —dijo Harry.

Ernie se mordió un labio descolorido y luego, respirando hondo, dijo:

—Todos estábamos allí. Vimos lo que sucedió.

—Entonces te darías cuenta de que, después de lo que le dije, la serpiente retrocedió —le dijo Harry.

—Lo único de lo que me di cuenta —dijo Ernie tozudamente, aunque temblaba al hablar—, es que hablaste en lengua *pársel* y le echaste la serpiente a Justin.

—¡Yo no se la eché! —dijo Harry, con la voz temblorosa por el enojo—. ¡Ni siquiera lo *tocó*!

—Le anduvo muy cerca —dijo Ernie—. Y por si te entran ideas... —añadió apresuradamente— he de decirte que puedes rastrear mis antepasados hasta nueve generaciones de brujas y brujos y no encontrarás una gota de sangre *muggle*, así que...

—¡No me preocupa qué tipo de sangre tengas! —dijo Harry con dureza—. ¿Por qué tendría que atacar a los de familia *muggle*?

—He oído que odias a esos *muggle* con los que vives —dijo Ernie apresuradamente.

—No sería posible vivir con los Dursley y no odiarlos —dijo Harry—. Me gustaría que lo intentaras.

Giró sobre los talones y salió de la biblioteca, provocando una mirada reprobatoria de la señora Pince, que estaba sacándole brillo a la cubierta dorada de un gran libro de hechizos.

Fue dando traspiés por el corredor, apenas consciente de a dónde iba, de tan furioso como estaba. El resultado fue que chocó contra algo muy grande y duro, que lo tiró al suelo de espaldas.

—¡Ah, hola, Hagrid! —dijo Harry, levantando la vista.

La cara de Hagrid estaba completamente tapada por un pasamontañas de lana cubierto de nieve, pero no podía ser ningún otro, tal como ocupaba la mayor parte del corredor con su abrigo de piel de topo. De una de sus grandes manos enguantadas colgaba un gallo muerto.

—¿Va todo bien, Harry? —preguntó, quitándose el pasamontañas para poder hablar—. ¿Por qué no estás en clase?

—La han suspendido —contestó Harry, levantándose—. ¿Y tú, qué haces aquí?

Hagrid levantó el gallo sin vida:

—El segundo que matan en este trimestre —explicó—. O son zorros, o chupasangres, y necesito el permiso del director para poner un encantamiento alrededor del gallinero.

Miró a Harry más de cerca por debajo de sus cejas espesas, cubiertas de nieve.

—¿Estás seguro de que estás bien? Pareces preocupado y excitado.

Harry no pudo repetir lo que habían dicho sobre él Ernie y el resto de los de Hufflepuff.

—No es nada —repuso—. Mejor será que me vaya, Hagrid, después tengo Transfiguración y debo buscar los libros.

Se fue, con la mente cargada con todo lo que había dicho Ernie sobre él:

Justin temía que algo así pudiera ocurrir desde que se le escapó decirle a Potter que era de familia muggle..

Harry subió las escaleras y volvió por otro corredor, que estaba especialmente oscuro; el aire fuerte y helado que penetraba por el vidrio flojo de una ventana había apagado las antorchas. Iba por la mitad del corredor cuando tropezó y cayó de cabeza contra algo que había en el suelo.

Se volvió y afinó la vista para ver qué era aquello sobre lo que había caído, y sintió que se le caía el mundo.

Sobre el suelo, rígido y frío, con una mirada de horror en el rostro y los ojos en blanco vueltos hacia el techo, yacía Justin Finch-Fletchley. Y eso no era todo. A su lado había otra figura, la visión más extraña que Harry hubiera contemplado nunca.

Se trataba de Nick Casi Decapitado, que no era ya transparente ni de color blanco perlado, sino negro y como de humo, flotando inmóvil, en posición horizontal, a un palmo del suelo. Su cabeza estaba medio colgando, y su cara tenía una expresión de horror idéntica a la de Justin.

Harry se puso de pie, respirando rápida y flojamente, con el corazón ejecutando contra sus costillas lo que parecía un redoble de tambor. Miró como loco a todos lados del corredor desierto y vio una hilera de arañas escabulléndose de los cuerpos a toda la velocidad de que eran capaces. Lo único que se oía eran las voces amortiguadas de los profesores que daban clase a ambos lados.

Podía salir corriendo, y nadie se enteraría de que había estado allí. Pero no podía dejarlos de esa manera... tenía que hacer algo por ellos. ¿Habría alguien que creyera que él no había tenido nada que ver?

Mientras estaba allí, aterrorizado, se abrió de golpe la puerta de la derecha. Peeves el *poltergeist* surgió de ella a toda velocidad.

—¡Vaya, si es Potter pipí en el tarro! —cacareó Peeves, ladeándole los anteojos de un golpe al pasar a su lado dando saltos—. ¿Qué trama Potter? ¿Por qué acecha?

Peeves se detuvo en medio de una voltereta. Boca abajo, vio a Justin y Nick Casi Decapitado. Cayó de pie, llenó los pulmones y, antes de que Harry pudiera impedirlo, gritó:

—¡AGRESIÓN! ¡AGRESIÓN! ¡OTRA AGRESIÓN! ¡NINGÚN MORTAL NI FANTASMA ESTÁ A SALVO! ¡SÁLVESE QUIEN PUEDA! ¡AGREEEESIÓN!

Pataplún, patapán, pataplún: una puerta tras otra, se fueron abriendo todas las que había en el corredor, y la gente empezó a salir. Durante varios minutos, hubo tal confusión que Justin estuvo en peligro de ser aplastado y algunos se introdujeron dentro de Nick Casi Decapitado. Acorralaron a Harry contra la pared hasta que los profesores pidieron calma. La profesora McGonagall llegó corriendo, seguida por sus propios alumnos, uno de los cuales aún tenía el pelo a rayas blancas y negras. Utilizó la varita mágica para provocar una sonora explosión, que restauró el silencio, y ordenó a todos que volvieran a las aulas. Cuando el lugar se hubo despejado un poco, llegó jadeando Ernie, el de Hufflepuff.

—¡Pescado con las manos en la masa! —gritó Ernie, con la cara completamente blanca, señalando con el dedo a Harry.

—¡Basta ya, Macmillan! —dijo con severidad la profesora McGonagall.

Peeves se meneaba por encima de las cabezas, con una malvada sonrisa, escrutando la escena: le encantaba el caos. Mientras los profesores se inclinaban sobre Justin y Nick Casi Decapitado, examinándolos, Peeves rompió a cantar:

—¡Oh, Potter, eres un tonto, estás podrido,
atacas a los estudiantes, y te parece divertido!

—¡Ya basta, Peeves! —gritó la profesora McGonagall, y Peeves escapó por el corredor, sacándole la lengua a Harry.

A Justin lo llevaron a la enfermería el profesor Flitwick y el profesor Sinistra, del Departamento de Astronomía, pero nadie parecía saber qué hacer con Nick Casi Decapitado. Al final, la profesora McGonagall hizo aparecer de la nada un gran abanico, y se lo dio a Ernie con instrucciones de subir a Nick Casi Decapitado por las escaleras. Ernie obedeció, abanicando a Nick por el corredor como si se tratara de un aerodeslizador silencioso y de color negro. De esa forma, Harry y la profesora McGonagall se quedaron a solas.

—Por aquí, Potter —indicó ella.

—Profesora —le dijo Harry de inmediato—, le juro que yo no...

—Esto escapa a mi competencia, Potter —dijo de manera cortante la profesora McGonagall.

Caminaron en silencio, doblaron una esquina, y ella se paró ante una gárgola de piedra grande y extremadamente fea.

—¡Sorbete de limón! —dijo ella. Se trataba, evidentemente, de una contraseña, porque de repente la gárgola revivió y se hizo a un lado al tiempo que la pared que había detrás se abría en dos. Incluso aterrorizado como estaba por lo que le esperaba, Harry no pudo dejar de sorprenderse. Detrás del muro había una escalera de caracol que se deslizaba lentamente hacia arriba, como si fuera mecánica. Al subirse él y la profesora McGonagall, la pared volvió a cerrarse tras ellos con un golpe sordo. Subieron más y más dando vueltas, hasta que al fin, ligeramente mareado, Harry vio ante él una puerta de roble brillante, con una aldaba de bronce en forma de grifo.

Sabía a dónde iba. Aquélla debía de ser la vivienda de Dumbledore.

Capítulo doce

La poción multijugos

Dejaron la escalera de piedra, y la profesora McGonagall llamó a la puerta. Ésta se abrió silenciosamente, y penetraron por ella. La profesora McGonagall le pidió a Harry que esperara, y lo dejó allí, solo.

Harry miró a su alrededor. Una cosa era segura: de todos los despachos de profesores que había visitado aquel año, el de Dumbledore era, con mucho, el más interesante. Si no hubiera tenido tanto miedo a ser expulsado del colegio, hubiera disfrutado observando todo aquello.

Era una sala circular, grande y hermosa, atestada de leves y curiosos ruidos. Sobre las mesas de patas largas y finísimas había cierto número de singulares instrumentos que hacían ruiditos y echaban pequeñas bocanadas de humo. Las paredes estaban cubiertas de retratos de antiguos directores de ambos sexos, todos ellos dormitando dentro de los marcos. Había también un gran escritorio, con pies en forma de zarpas, y detrás de él, sobre un estante, un sombrero de mago ajado y roto: era el *sombrero seleccionador*.

Harry dudó. Echó un cauteloso vistazo a los magos y brujas que había en las paredes. Seguramente no haría ningún mal poniéndoselo de nuevo. Sólo para ver... sólo para asegurarse de que lo había colocado en la casa correcta.

Se acercó sigilosamente al escritorio, levantó el sombrero de su estante, y se lo puso despacio en la cabeza. Era demasiado grande, y se le caía sobre los ojos, igual que la anterior ocasión en que se lo había puesto. Harry permaneció sin ver nada, esperando. Luego, una sutil voz le dijo al oído:

—¿No te lo puedes quitar de la cabeza, eh, Harry Potter?

—Mmm, no —susurró Harry—. Mmm, lamento molestarte, quería preguntarte...

—Te has estado preguntando si yo te había mandado a la casa acertada —dijo agudamente el sombrero—. Sí... tú fuiste bastante difícil de colocar. Pero mantengo lo que dije... —el corazón le dio un brinco a Harry— *podrías* haber ido a Slytherin.

El estómago le dio una sacudida. Agarró el sombrero por la punta y se lo quitó. Colgó lacio de su mano, mugriento y ajado. Algo mareado, lo dejó de nuevo sobre su estante.

—Te equivocas —le dijo en voz alta al inmóvil y silencioso sombrero. No se movió. Harry se separó un poco, sin dejar de mirarlo. Entonces, un ruido como de arcadas le hizo volverse completamente.

No estaba solo. Sobre una percha dorada detrás de la puerta, había un pájaro de aspecto decrépito que parecía un pavo medio desplumado. Harry lo miró y el pájaro le devolvió la mirada torvamente, repitiendo su ruido de arcadas. Parecía muy enfermo. Sus ojos estaban apagados y, mientras Harry lo miraba, se le cayeron otras dos plumas de la cola.

Estaba pensando en que lo único que le faltaba es que el pájaro de Dumbledore se muriera mientras estaba con él a solas en el despacho, cuando el pájaro comenzó a arder.

Harry profirió un grito de horror, y retrocedió hasta el escritorio. Buscó por si hubiera cerca un vaso con agua, pero no vio ninguno. El pájaro, mientras tanto, se había convertido en una bola de fuego; emitió un fuerte chillido, y un instante después no quedaba de él más que un montoncito humeante de cenizas en el suelo.

La puerta del despacho se abrió. Entró Dumbledore, con aspecto sombrío.

—Profesor —dijo Harry jadeando—, su pájaro... no pude hacer nada... se acaba de prender fuego...

Para sorpresa de Harry, Dumbledore sonrió:

—Ya era hora —dijo—. Hace días que tenía un aspecto horroroso. Yo le decía que se diera prisa.

Se rió de la cara atónita que ponía Harry.

—Fawkes es un fénix, Harry. Los fénix se prenden fuego cuando les llega el momento de morir, y luego renacen de sus cenizas. Mira...

Harry dirigió hacia allí la vista a tiempo de ver un pollito diminuto y arrugado que asomaba la cabeza por entre las cenizas. Era tan feo como el antiguo.

—Es una pena que lo hayas tenido que ver el día en que ardió —dijo Dumbledore, sentándose detrás del escritorio—. La mayor parte del tiempo es realmente precioso, con sus plumas rojas y doradas. Fascinantes criaturas, los fénix. Pueden transportar cargas muy pesadas, sus lágrimas tienen poderes curativos, y son mascotas muy *fieles*.

Con el susto del incendio de Fawkes, Harry se había olvidado del motivo por el que se encontraba allí, pero lo recordó en cuanto Dumbledore se sentó en su silla de respaldo alto, detrás del escritorio, y fijó en Harry sus ojos penetrantes, de color azul claro.

Sin embargo, antes de que Dumbledore pudiera decir otra palabra, se abrió la puerta del despacho con un portazo tremendo, e irrumpió Hagrid con una mirada de desesperación en los ojos, el pasamontañas colgando sobre su pelo negro, y el gallo muerto sujeto aún en una mano.

—¡No fue Harry, profesor Dumbledore! —dijo Hagrid deprisa—. Yo hablaba con él *segundos* antes de que hallaran al muchacho, señor, él no tuvo tiempo...

Dumbledore trató de decir algo, pero Hagrid seguía perorando, agitando el gallo en su desesperación, esparciendo las plumas por todas partes:

—...No puede haber sido él, lo juraré ante el ministro de la Magia si es necesario...

—Hagrid, yo...

—Usted se confunde de chico, señor, yo *sé* que Harry nunca...

—¡*Hagrid*! —dijo Dumbledore con voz potente—, yo *no* creo que Harry atacara a esas personas.

—¡Ah! —dijo Hagrid, y el gallo dejó de balancearse a su lado—. Bueno, en ese caso, esperaré afuera, señor director.

Y, con cierto embarazo, salió del despacho.

—¿Usted no cree que fuera yo, profesor? —repitió Harry esperanzado, mientras Dumbledore limpiaba la mesa de plumas.

—No, Harry —dijo Dumbledore, aunque su rostro volvía a ensombrecerse—. Pero aun así quiero hablar contigo.

Harry aguardó con ansia mientras Dumbledore lo miraba, juntando las yemas de sus largos dedos.

—Quiero preguntarte, Harry, si hay algo que te gustaría contarme —dijo con amabilidad—. Lo que sea.

Harry no supo qué decir. Pensó en Malfoy gritando: "¡Los próximos serán los *sangre sucia*!", y en la poción multijugos, hirviendo a fuego lento en el baño de Myrtle la Llorona. Luego pensó en la voz que no salía de ningún sitio oída en dos ocasiones y recordó lo que Ron le había dicho: "Oír voces que ningún otro puede oír no es buena señal, ni siquiera en el mundo de los magos". Pensó, también, en lo que todo el mundo comentaba sobre él, y su creciente temor a estar de alguna manera relacionado con Salazar Slytherin...

—No —respondió Harry—, no tengo nada que contarle, profesor.

La doble agresión contra Justin y contra Nick Casi Decapitado convirtió lo que hasta ese momento había sido inquietud en auténtico pánico. Curiosamente, resultó ser el destino de Nick Casi Decapitado lo que preocupaba más a la gente. Se preguntaban unos a otros qué era lo que podía hacer aquello a un fantasma; qué terrible poder podía afectar a alguien que ya estaba muerto. La gente se abalanzó a reservar sitio en el Expreso de Hogwarts para volver a casa en Navidad.

—Si sigue así la cosa, sólo nos quedaremos nosotros —le dijo Ron a Harry y Hermione—. Nosotros, Malfoy, Crabbe y Goyle. Serán unas vacaciones deliciosas.

Crabbe y Goyle, que siempre hacían lo mismo que Malfoy, habían firmado también para quedarse en vacaciones. Pero Harry estaba contento de que la mayor parte de la gente se fuera. Estaba harto de que se hicieran a un lado cuando circulaba por los pasillos, como si fueran a salirle colmillos o a escupir veneno; harto de que a su paso los demás murmuraran, lo señalaran y hablaran entre dientes.

Fred y George, sin embargo, encontraban todo eso muy divertido. Le salían al paso a Harry y marchaban delante de él por los corredores gritando:

—Abran paso al Heredero de Slytherin, aquí llega el brujo malvado de veras...

Percy desaprobaba tajantemente este comportamiento.

—*No* es asunto de risa —decía con frialdad.

—Quítate del camino, Percy —decía Fred—. Harry tiene prisa.

—Sí, va a la Cámara de los Secretos a tomar el té con su colmilludo sirviente —decía George, riéndose.

Ginny tampoco lo encontraba divertido.

—¡Ah, *no*! —gemía cada vez que Fred le preguntaba a gritos a Harry a quién planeaba atacar a continuación, o cuando, al encontrarse con Harry, George hacía como que se protegía de Harry con un gran diente de ajo.

A Harry no le importaba; lo tranquilizaba que Fred y George pensaran que la idea del heredero de Slytherin era para tomársela a broma. Pero sus payasadas parecían irritar a Draco Malfoy, que se amargaba más cada vez que los veía con aquellas burlas.

—Eso es porque está *rabiando* de ganas de decir que es él —dijo Ron sentenciosamente—. Ya saben cómo aborrece que se le gane en cualquier cosa, y tú te estás llevando toda la gloria de su sucio trabajo.

—No durante mucho tiempo —dijo Hermione en tono satisfecho—. La poción multijugos ya está casi lista. Cualquier día revelaremos la verdad sobre él.

Por fin concluyó el trimestre, y sobre el colegio cayó un silencio tan vasto como la nieve en los campos. Más que lúgubre, a Harry le pareció tranquilizador, y disfrutó el hecho de que él, Hermione y los Weasley pudieran gobernar la torre de Gryffindor, lo que quería decir que podían jugar al Snap Explosivo dando gritos y sin molestar a nadie, o podían batirse en privado. Fred, George y Ginny habían preferido quedarse en el colegio antes que ir a visitar a Bill a Egipto con sus padres. Percy, que desaprobaba lo que llamaba su infantil comportamiento, no pasaba demasiado tiempo en la sala común de Gryffindor. Ya les había dicho pomposamente que se quedaba en Navidad porque era el deber de un prefecto ayudar a los profesores durante ese período difícil.

Amaneció el día de Navidad, frío y blanco. Hermione despertó muy temprano a Harry y Ron, los únicos que quedaban en aquel dormitorio, irrumpiendo ya completamente vestida y llevando regalos para ambos.

—¡Despierten! —dijo en voz alta, abriendo las cortinas de la ventana.

—Hermione... se supone que no debes entrar aquí —dijo Ron, protegiendo sus ojos de la luz.

—Feliz Navidad a ti también —le dijo Hermione, arrojándole su regalo. Me he levantado hace casi una hora, para añadir más crisopos a la poción. Ya está lista.

Harry se sentó en la cama, despertando por completo de repente.

—¿Estás segura?

—Del todo —dijo Hermione, apartando a la rata Scabbers para poder sentarse a los pies de la cama. Si nos decidimos a hacerlo, creo que tendría que ser esta noche.

En ese momento, Hedwig aterrizó en picada dentro del dormitorio, llevando en el pico un paquetito muy pequeño.

—Hola —dijo contento Harry, cuando la lechuza se posó en su cama—, ¿me hablas de nuevo?

La lechuza le mordisqueó la oreja de manera afectuosa, lo cual resultó un regalo mucho mejor que el que le había traído, que era de los Dursley. Le enviaban a Harry un mondadientes y una nota en la que le pedían que averiguara si podría quedarse en Hogwarts también durante las vacaciones de verano.

El resto de los regalos de Navidad de Harry fue bastante más agradable. Hagrid le enviaba un tarro grande de caramelos de café con leche que Harry decidió ablandar al fuego antes de comérselos; Ron le regaló un libro titulado *Volando con los Cannons*, que trataba de hechos interesantes de su equipo favorito de *quidditch*; y Hermione le había comprado una lujosa pluma de águila para escribir. Harry abrió el último regalo y encontró un suéter nuevo, tejido a mano por la señora Weasley, y un *plumcake*. Levantó la tarjeta con un renovado sentimiento de culpa, acordándose del coche del señor Weasley, que no habían vuelto a ver desde la colisión con el sauce boxeador, y la cantidad de infracciones que habían planeado.

* * *

Nadie podía dejar de disfrutar la comida de Navidad en Hogwarts, aunque estuviera atemorizado por tener que tomar luego la poción multijugos.

El Gran Salón lucía magnífico. No sólo había una docena de árboles de Navidad cubiertos de escarcha, y gruesas guirnaldas de acebo y muérdago que entrecruzaban el cielo raso, sino que del techo caía nieve mágica, cálida y seca. Dumbledore los dirigió en algunos de sus villancicos favoritos, y Hagrid bramaba más fuerte a cada copa de ponche que tomaba. Percy, que no se había dado cuenta de que Fred le había hechizado su insignia de prefecto, en la que ahora podía leerse "Cabeza de Chorlito", no paraba de preguntarles a todos de qué se reían. Harry ni siquiera se preocupaba por los insidiosos comentarios que desde la mesa de Slytherin hacía Draco Malfoy, en voz alta, sobre su nuevo suéter. Con un poco de suerte, Malfoy recibiría su merecido unas horas después.

Harry y Ron apenas habían terminado su tercer trozo de budín de Navidad, cuando Hermione los hizo salir del salón con ella para ultimar los planes para la noche.

—Aún nos falta conseguir algo de las personas en que se van a convertir —dijo Hermione sin darle importancia, como si los enviara al supermercado a comprar detergente—. Y, desde luego, lo mejor será que puedan conseguir algo de Crabbe y de Goyle: como son los mejores amigos de Malfoy, él les contaría cualquier cosa. Y también tenemos que asegurarnos de que los verdaderos Crabbe y Goyle no lleguen mientras lo interrogamos.

—Tengo todo solucionado —siguió suavemente, sin hacer caso a las caras atónitas de Harry y Ron. Les enseñó dos pasteles redondos de chocolate. —Los he rellenado con una simple pócima para dormir. Todo lo que tienen que hacer es asegurarse de que Crabbe y Goyle los encuentren. Ya saben lo glotones que son. Seguro que se los tragan. Cuando estén dormidos, les quitamos unos pelos y los escondemos en un armario de la limpieza.

Harry y Ron se miraron incrédulos.

—Hermione, no creo...

—Eso podría salir muy mal...

Pero Hermione los miró con una expresión severa semejante a la que le habían visto en ocasiones a la profesora McGonagall.

—La poción no nos servirá de nada si no tenemos unos pelos de Crabbe y Goyle —dijo con severidad—. *Quieren* interrogar a Malfoy, ¿no?

—De acuerdo, de acuerdo —dijo Harry—. Pero ¿y tú? ¿A quién se lo vas a arrancar tú?

—¡Yo ya tengo el mío! —dijo Hermione alegre, sacando una botellita diminuta de un bolsillo y mostrándoles un único pelo que había dentro de ella—. ¿Se acuerdan de que me peleé con Millicent Bulstrode en el Club de duelo? ¡Al estrangularme se dejó esto en mi túnica! Y se ha ido a pasar la Navidad en su casa. Así que lo único que tengo que decirles a los de Slytherin es que he decidido volver.

Al marcharse Hermione corriendo para ver cómo iba la poción multijugos, Ron se volvió hacia Harry con una expresión fatídica:

—¿Habías oído alguna vez de un plan en el que pudieran salir mal tantas cosas?

Pero, para sorpresa de Harry y de Ron, la primera fase de la operación resultó tan sencilla como Hermione había supuesto. Se escondieron en el desierto vestíbulo después de la merienda de Navidad, esperando a Crabbe y a Goyle, que se habían quedado solos en la mesa de Slytherin, acometiendo cuatro porciones de bizcocho. Harry había dejado los pasteles de chocolate en el extremo del pasamanos. Al ver a Crabbe y Goyle salir del Gran Salón, Harry y Ron se ocultaron inmediatamente detrás de una armadura, junto a la puerta principal.

—¿Cuánto puede llegar uno a engordar? —susurró Ron entusiasmado al ver que Crabbe, lleno de alegría, le señalaba a Goyle los pasteles y los agarraba. Sonriendo de forma estúpida, se metieron los pasteles enteros en la boca. Los masticaron glotonamente durante un momento, poniendo cara de triunfo. Luego, sin el más leve cambio en la expresión, se desplomaron de espaldas sobre el suelo.

Lo más difícil fue ocultarlos en el armario al otro lado del vestíbulo. En cuanto los tuvieron bien escondidos entre los lampazos y los baldes, Harry arrancó un par de pelos como cerdas, de los que le cubrían a Goyle la frente, y Ron le arrancó a Crabbe también algunos. También les sacaron los zapatos, porque los suyos eran demasiado pequeños para el tamaño de los pies de Crabbe y Goyle. Luego, todavía anonadados por lo que acababan de hacer, corrieron hasta el baño de Myrtle la Llorona.

Apenas podían ver nada a través del espeso humo negro que salía de la cabina en que Hermione removía el caldero. Subiéndose las túnicas para taparse las caras, Harry y Ron llamaron suavemente a la puerta:

—¿Hermione?

Se oyó el chirrido del cerrojo y salió Hermione, con cara brillante y aspecto impaciente. Tras ella se oía el *glu-glu* de la poción que hervía, espesa como melaza. Sobre la taza del inodoro había tres vasos de cristal ya preparados.

Harry mostró el pelo de Goyle.

—Bien. Y yo he sacado estas túnicas de la lavandería —dijo Hermione, enseñándoles una pequeña bolsa—. Necesitarán talles mayores cuando se hayan convertido en Crabbe y Goyle.

Los tres miraron el caldero. Vista de cerca, la poción parecía barro espeso y oscuro que borboteaba lentamente.

—Estoy segura de que lo he hecho todo bien —dijo Hermione, releyendo nerviosamente la manchada página de *Moste Potente Potions*—. Parece que es tal como dice el libro... En cuanto la hayamos bebido, dispondremos de una hora antes de volver a convertirnos en nosotros mismos.

—¿Ahora qué? —murmuró Ron.

—La separamos en los tres vasos y echamos los pelos.

Hermione sirvió en cada vaso una cantidad considerable de poción. Luego, con mano temblorosa, dejó caer el pelo de Millicent Bulstrode de la botella al primero de los vasos.

La poción emitió un potente silbido, como el de una olla a presión, y empezó a salir muchísima espuma. Al cabo de un segundo, se había vuelto de un amarillo asqueroso.

—Aggg... esencia de Millicent Bulstrode —dijo Ron, mirándolo con asco—. Apuesto a que su sabor es repelente.

—Echen los suyos, vamos —les dijo Hermione.

Harry dejó caer el pelo de Goyle en el vaso del medio y

Ron el de Crabbe en el último. Uno y otro silbaron y echaron espuma: el de Goyle se volvió del color caqui de los mocos, y el de Crabbe de un marrón oscuro y turbio.

—Esperen —dijo Harry, cuando Ron y Hermione alzaron sus respectivos vasos—. Será mejor que no los bebamos aquí dentro los tres: al convertirnos en Crabbe y Goyle ya no estaremos delgados. Y Millicent Bulstrode tampoco es una sílfide.

—Bien pensado —dijo Ron, abriendo la puerta. Entraremos en distintas cabinas.

Con mucho cuidado para no derramar una gota de poción multijugos, Harry pasó a la cabina del medio.

—¿Listos? —preguntó.

—Listos —le contestaron las voces de Ron y Hermione.

—A la una, a las dos, a las tres...

Tapándose la nariz, Harry se bebió la poción en dos grandes tragos. Tenía gusto a repollo muy cocido.

Inmediatamente, se le empezaron a retorcer las tripas como si acabara de tragarse serpientes vivas. Se encogió, temiendo enfermar. Luego, un ardor surgido del estómago se extendió rápidamente hasta las puntas de los dedos de las manos y de los pies. A continuación, habiéndose colocado, jadeando, en cuatro patas, tuvo la horrible sensación de estarse derritiendo al notar que la piel de todo su cuerpo le quemaba como cera caliente, y antes de que sus ojos y sus manos empezaran a crecer, los dedos se le hincharon, las uñas se le ensancharon y los nudillos se le abultaron como tuercas. Los hombros se le separaron dolorosamente, y una picazón en la frente le indicó que el pelo le caía sobre las cejas. Se le rasgó la túnica al ensanchársele el pecho como un barril que hiciera estallar los cinchos. Los pies le dolían dentro de unos zapatos cuatro números por debajo de su tamaño...

Tan repentinamente como había comenzado, todo concluyó. Harry se encontró tendido boca abajo, sobre el frío suelo de piedra, oyendo a Myrtle sollozar de tristeza en el extremo de los baños. Con dificultad, se desprendió de los zapatos y se puso de pie. O sea que así se sentía uno siendo Goyle. Con una gran mano temblorosa, se desprendió de su antigua túnica, que le iba treinta centímetros por arriba de los tobillos, se puso la otra y se abrochó los zapatos de Goyle, que eran como barcas. Se llevó una mano a la frente para retirarse el pelo de los ojos, y se encontró sólo con unos pelos como cerdas que le nacían en la misma frente. Entonces comprendió que los anteojos le nublaban la vista, porque obviamente Goyle no los necesitaba. Se los quitó y preguntó:

—¿Están bien? —De su boca surgió la voz baja y áspera de Goyle.

—Sí —le contestó, proveniente de su derecha, el gruñido de Crabbe.

Harry abrió su puerta y se acercó al espejo quebrado. Goyle le devolvió la mirada desde sus ojos apagados, escondidos en sus cuencas. Harry se rascó una oreja, tal como hacía Goyle.

Se abrió la puerta de Ron. Se miraron el uno al otro. Salvo en que estaba pálido y asustado, Ron era idéntico a Crabbe en todo, desde el pelo cortado con una taza hasta los largos brazos de gorila.

—Es increíble —dijo Ron, acercándose al espejo y empujando con el dedo la nariz chata de Crabbe—. *Increíble*.

—Mejor nos vamos —dijo Harry, aflojándose el reloj que oprimía la gruesa muñeca de Goyle—. Aún tenemos que averiguar dónde se encuentra la sala común de Slytherin, espero que demos con alguien a quien podamos seguir...

Ron, que estaba contemplando a Harry, dijo:

—No sabes lo raro que se me hace ver a Goyle *pensando*.

Golpeó en la puerta de Hermione:

—Vamos, tenemos que irnos...

Una voz aguda le contestó:

—Me... me temo que no voy a poder ir. Vayan ustedes sin mí.

—Hermione, sabemos que Millicent Bulstrode es fea, nadie va a saber que eres tú.

—No... de verdad... no puedo ir. Dense prisa ustedes, no pierdan tiempo.

Harry miró a Ron, desconcertado:

—Parece Goyle —dijo Ron—. Es así como se pone cada vez que un profesor pregunta.

—Hermione, ¿estás bien? —preguntó Harry a través de la puerta.

—Sí, estoy bien... Váyanse.

—Harry miró el reloj. Ya habían transcurrido cinco de sus preciosos sesenta minutos.

—Te veremos aquí cuando volvamos, ¿de acuerdo? —dijo.

Harry y Ron abrieron con cuidado la puerta del baño, comprobaron que no había moros en la costa, y salieron.

—No muevas así los brazos —le susurró Harry a Ron.

—¿Eh?

—Crabbe los mantiene rígidos...

—¿Así?

—Sí, mucho mejor.

Bajaron por la escalera de mármol. Lo que necesitaban en ese momento era a alguien de Slytherin al que pudieran seguir hasta su sala común, pero no había nadie por allí.

—¿Tienes alguna idea? —susurró Harry.

Cuando los de Slytherin vienen a desayunar vienen como de allí —dijo Ron, señalando con un gesto de la cabeza la entrada de las mazmorras. Apenas lo había terminado de decir, cuando una chica de pelo largo rizado salió de la entrada.

—Perdona —le dijo Ron, yendo deprisa hacia ella—, se nos ha olvidado el camino a nuestra sala común.

—Me parece que no comprendo —dijo la chica muy tiesa—. ¿Nuestra sala común? Yo soy de Ravenclaw.

Y se alejó, volviendo recelosa la vista hacia ellos.

Harry y Ron bajaron corriendo los escalones de piedra y se internaron en la oscuridad. Sus pasos resonaban muy fuerte cuando los grandes pies de Crabbe y Goyle golpeaban contra el suelo, y ellos temían que la cosa no resultara tan fácil como se habían imaginado.

Los laberínticos corredores estaban desiertos. Bajaron más y más por debajo del colegio, mirando constantemente sus relojes para comprobar el tiempo que les quedaba. Después de un cuarto de hora, justo cuando estaban empezando a desesperar, oyeron un movimiento repentino delante de ellos.

—¡Eh! —exclamó Ron, emocionado—. ¡Uno de ellos!

La figura salía de una sala lateral. Sin embargo, después de acercarse a toda prisa, se les cayó el alma a los pies: no se trataba de nadie de Slytherin, era Percy.

—¿Qué haces aquí? —preguntó Ron, con sorpresa.

Percy lo miró ofendido:

—Eso —contestó fríamente—, no es asunto de tu incumbencia. Tú eres Crabbe, ¿no?

—Eh... sí —respondió Ron.

—Bueno, vayan a sus dormitorios —dijo Percy con severidad—. En estos días no es muy prudente merodear por los corredores.

—Pues *tú* lo haces —señaló Ron.

—Yo —dijo Percy, dándose importancia— soy un prefecto. Nadie va a atacarme.

Repentinamente, resonó una voz detrás de Harry y Ron. Draco Malfoy caminaba hacia ellos, y por primera vez en su vida, a Harry le encantó verlo.

—Estaban ahí —dijo él, mirándolos—. ¿Han estado todo este tiempo en el Gran Salón, poniéndose como cerdos? Los he estado buscando, quería enseñarles algo realmente divertido.

Malfoy le echó a Percy una mirada fulminante:

—¿Y qué haces tú aquí, Weasley? —le preguntó con aire despectivo.

Percy se ofendió aún más:

—¡Tendrías que mostrar un poco más de respeto a un prefecto! —dijo—. ¡No me gusta ese tono!

Malfoy lo miró despectivamente, y les indicó a Harry y a Ron que lo siguieran. A Harry casi se le escapa disculparse ante Percy, pero se dio cuenta justo a tiempo. Él y Ron salieron a toda prisa detrás de Malfoy, que les decía mientras tomaban el siguiente corredor:

—Ese Peter Weasley...

—Percy —le corrigió automáticamente Ron.

—Como sea —dijo Malfoy—. He notado que últimamente entra y sale mucho por aquí, a hurtadillas. Y apuesto a que sé que es lo que pasa. Cree que va a pescar al heredero de Slytherin él solito.

Prorrumpió en una risotada breve y burlona. Harry y Ron se cambiaron miradas emocionadas.

Malfoy se detuvo ante un trecho de muro descubierto y húmedo.

—¿Cuál es la nueva contraseña? —le preguntó a Harry.

—Eh... —dijo éste.

—¡Ah, ya! *¡Sangre limpia!* —dijo Malfoy, sin escuchar, y

se abrió una puerta de piedra disimulada en la pared. Malfoy la cruzó y Harry y Ron lo siguieron.

La sala común de Slytherin era una sala larga, subterránea pero casi al nivel del suelo, con los muros y el techo de piedra basta. Varias lámparas de color verdoso colgaban del techo mediante cadenas. Enfrente de ellos, debajo de la repisa de la chimenea, muy tallada, crepitaba la hoguera, y contra ella recortaban su silueta algunos miembros de la casa Slytherin, en sus sillas talladas.

—Esperen aquí —les dijo Malfoy a Harry y a Ron, indicándoles un par de sillas vacías separadas del fuego—. Voy a traerlo. Mi padre me lo acaba de enviar.

Preguntándose qué era lo que Malfoy iba a mostrarles, Harry y Ron se sentaron, intentando aparentar que se encontraban en su casa.

Malfoy volvió al cabo de un minuto, con lo que parecía un recorte de diario. Se lo puso a Ron debajo de la nariz.

—Te vas a reír con esto —dijo.

Harry vio que Ron abría los ojos, asustado. Leyó aprisa el recorte, rió muy forzadamente y le pasó el papel a Harry.

Era de *El profeta*, y decía:

INVESTIGACIÓN EN EL MINISTERIO DE MAGIA

Arthur Weasley, director del Departamento Contra el Uso Indebido de la Magia, ha sido multado hoy con cincuenta galeones por embrujar un automóvil muggle.

El señor Lucius Malfoy, miembro del Consejo Escolar del Colegio Hogwarts de Magia, en donde el citado coche embrujado se estrelló a comienzos del presente curso, ha pedido hoy la dimisión del señor Weasley.

—Weasley ha manchado la reputación del ministerio, —declaró el señor Malfoy a nuestro enviado—. Es evidente que no se trata de una persona adecuada para redactar nuestras leyes, y su ridícula Acta para la Protección de los Muggles debería ser retirada inmediatamente.

El señor Weasley no ha querido hacer declaraciones, si bien su esposa dijo a los periodistas que se marcharan o les arrojaría el fantasma de la familia.

—¿Y bien? —dijo Malfoy impaciente, cuando Harry le devolvió el recorte—. ¿No les parece divertido?

—Ja, ja —rió Harry lúgubremente.

—Arthur Weasley les tiene tanto cariño a los *muggles* que debería romper su varita mágica e irse con ellos —dijo Malfoy desdeñosamente—. Por la manera en que se comportan, nadie diría que los Weasley son de sangre limpia.

A Ron (o, más bien, a Crabbe) se le contorsionaba la cara de la rabia.

—¿Qué te pasa, Crabbe? —dijo Malfoy bruscamente.

—Me duele el estómago —gruñó Ron.

—Bueno, pues vayan a la enfermería y denles a todos esos *sangre sucia* una patada de mi parte —dijo Malfoy, riéndose—. ¿Saben una cosa? Me sorprende que *El profeta* aún no haya dicho nada de todos esos ataques —continuó diciendo pensativamente—. Supongo que Dumbledore está tapándolo todo. Si no para la cosa pronto, tendrá que dimitir. Mi padre dice siempre que la dirección de Dumbledore es lo peor que le ha ocurrido nunca a este lugar. Le gustan los que vienen de familia *muggle*. Un director decente no habría admitido nunca una basura como el Creevey ese.

Malfoy empezó a sacar fotos con una cámara imaginaria, imitando a Colin cruel pero acertadamente:

—Potter, ¿puedo sacarte una foto, Potter? ¿Me concedes un autógrafo? ¿Puedo lamerte los zapatos, Potter, por favor?

Dejó caer las manos y miró a Harry y a Ron:

—¿Qué les pasa a ustedes dos?

Demasiado tarde, Harry y Ron se rieron a la fuerza, sin embargo Malfoy pareció satisfecho. Quizá Crabbe y Goyle fueran siempre lentos para comprender las gracias.

—San Potter, el amigo de los *sangre sucia* —dijo Malfoy con voz lenta—. Ése es otro de los que no tienen verdadero sentimiento de mago, de lo contrario no iría por ahí con esa *sangre sucia* con ínfulas que es Granger. ¡Y se creen que es él el heredero de Slytherin!

Harry y Ron estaban con el corazón en un puño: quizás a Malfoy le faltaban unos segundos para decirles que el heredero era él. Pero en ese momento...

—Me *gustaría* saber quién es —dijo Malfoy petulantemente—. Podría ayudarle.

A Ron se le quedó la boca abierta, de manera que la cara de Crabbe parecía aún más idiota de lo usual. Afortunadamente, Malfoy no se dio cuenta, y Harry, pensando rápido, dijo:

—Tienes que tener una idea de quién hay detrás de todo esto...

—Ya sabes que no, Goyle, ¿cuántas veces tengo que decírtelo? —dijo Malfoy bruscamente—. Y mi padre tampoco quiere contarme nada sobre la última vez que se abrió la Cámara de los Secretos. Aunque fue hace cincuenta años, así que fue antes de su época, él lo sabe todo sobre aquello, pero dice que todo fue mantenido en secreto, y asegura que resultaría sospechoso si yo supiera demasiado. Pero sé una cosa: la última vez que se abrió la Cámara de los Secretos, murió un *sangre sucia*. Así que supongo que sólo es cuestión de tiempo que muera otro esta vez... Espero que sea Granger —dijo con deleite.

Ron se apretaba los grandes puños de Crabbe. Dándose cuenta de que todo se echaría a perder si Ron le pegara a Malfoy, Harry le dirigió una mirada de aviso y dijo:

—¿Sabes si pescaron al que abrió la Cámara la última vez?

—Sí... quienquiera que fuera, lo expulsaron —dijo Malfoy—. Aún debe de estar en Azkaban.

—¿En Azkaban? —preguntó Harry, sin entender.

—Claro, en Azkaban, *la prisión mágica*, Goyle —dijo Malfoy, mirándolo, sin dar crédito a su torpeza—. La verdad es que si fueras más lento irías para atrás.

Se movió nervioso en su silla, y dijo:

—Mi padre dice que tengo que seguir en lo mío y dejar que el heredero de Slytherin haga su trabajo. Dice que el colegio tiene que librarse de toda esa infecta *sangre sucia*, pero que yo no debo mezclarme. Naturalmente, él ya tiene bastantes problemas por el momento. ¿Saben que el Ministerio de la Magia revisó nuestra casa la semana pasada?

Harry intentó que la inexpresiva cara de Goyle expresara algo de preocupación.

—Sí... —dijo Malfoy—. Por suerte, no encontraron gran cosa. Mi padre posee algunos objetos de Artes Tenebrosas muy valiosos. Pero afortunadamente nosotros también tenemos nuestra propia cámara de los secretos debajo del suelo del salón...

—¡Ah! —exclamó Ron.

Malfoy lo miró. Harry hizo lo mismo. Ron se puso rojo. Incluso su pelo se volvió un poco rojo. También se le alargó la nariz. La hora de que disponían llegaba a su fin, de forma que Ron estaba empezando a convertirse en sí mismo, y a juzgar por la mirada de horror que dirigía a Harry, a él le debía de estar sucediendo igual.

Se pusieron de pie de un salto.

—Necesito algo para el estómago —gruñó Ron, y sin más preámbulos echaron a correr a lo largo de la sala común de Slytherin, lanzándose contra el muro de piedra y metiéndose por el corredor, deseando desesperadamente que Malfoy no se hubiera dado cuenta de nada. Harry podía notarse los pies sueltos en medio de los grandes zapatos de Goyle, y tuvo que levantarse la túnica al hacerse más pequeño. Subieron los escalones y llegaron al oscuro vestíbulo de entrada, donde se oían los sordos golpes que llegaban del armario en que habían encerrado a Crabbe y Goyle. Dejando los zapatos junto a la puerta del armario, subieron corriendo en medias hasta el baño de Myrtle la Llorona.

—Bueno, no ha sido completamente inútil —jadeó Ron, cerrando tras ellos la puerta del baño—. Ya sé que todavía no hemos averiguado quién ha cometido las agresiones, pero voy a escribirle mañana a mi padre para decirle que miren debajo del salón de Malfoy.

Harry se miró la cara en el espejo roto. Volvía a la normalidad. Se puso los anteojos mientras Ron llamaba a la puerta de la cabina de Hermione.

—Hermione, sal, tenemos muchas cosas que contarte.

—¡Váyanse! —chilló Hermione.

Harry y Ron se miraron el uno al otro.

—¿Qué pasa? —dijo Ron—. Tienes que estar a punto de volver a la normalidad, nosotros ya...

Pero Myrtle la Llorona se deslizó de repente por la puerta de la cabina. Harry no la había visto nunca tan feliz:

—¡Aaaaaaaaaah, ya la verán! —dijo—. ¡Es *horrible*!

Oyeron descorrerse el cerrojo, y Hermione salió, sollozando, tapándose la cara con la túnica.

—¿Qué pasa? —preguntó Ron vacilante—. ¿Todavía te queda la nariz de Millicent o algo así?

Hermione dejó caer la túnica, y Ron retrocedió hasta pegarse con los lavatorios.

Tenía la cara cubierta de pelaje negro. Los ojos se le habían puesto amarillos y unas orejas puntiagudas le sobresalían del pelaje.

—¡Era un pelo de gato! —maulló—. ¡Mi... Millicent Bulstrode debe de tener un gato! ¡Y la poción no está pensada para transformarse en animal!

—¡Uh, eh! —exclamó Ron.

—Todos se van a reír de ti —dijo Myrtle, muy contenta.

—No te preocupes, Hermione —se apresuró a decir Harry—. Te llevaremos a la enfermería. La señora Pomfrey no hace nunca demasiadas preguntas...

Les costó mucho trabajo convencer a Hermione de que saliera del baño. Myrtle la Llorona los siguió riéndose con ganas:

—¡Pues ya verás cuando todos se enteren de que tienes *cola*!

CAPÍTULO TRECE

El diario secretísimo

Hermione pasó varias semanas en la enfermería. Hubo rumores sobre su desaparición cuando el resto del colegio regresó a Hogwarts al final de las vacaciones de Navidad, porque naturalmente todos creyeron que la habían atacado. Eran tantos los alumnos que se daban una vuelta por la enfermería tratando de vislumbrar algo de ella, que la señora Pomfrey quitó las cortinas de su cama y las puso en la de Hermione para ahorrarle la vergüenza de que la vieran con la cara peluda.

Harry y Ron iban a visitarla todas las noches. Cuando comenzó el nuevo trimestre, le llevaban cada día los deberes.

—Si a mí me hubieran salido bigotes de gato, aprovecharía para descansar —le dijo Ron una noche, dejando una pila de libros sobre la mesita que tenía Hermione junto a la cama.

—No seas tonto, Ron, tengo que mantenerme al día —le replicó Hermione rotundamente. Estaba de mucho mejor humor porque ya le había desaparecido el pelo de la cara, y los ojos, poco a poco, recuperaban su color castaño. —¿Tienen alguna pista nueva? —añadió en un susurro, para que la señora Pomfrey no pudiera oírla.

—Nada —dijo Harry, con tristeza.

—Estaba tan convencido de que era Malfoy... —dijo Ron, por centésima vez.

—¿Qué es eso? —preguntó Harry, señalando algo dorado que sobresalía debajo de la almohada de Hermione.

—Sólo una tarjeta para desearme que me ponga bien —dijo

Hermione a toda prisa, intentando quitarla de la vista, pero Ron fue más rápido que ella. La sacó, la abrió y leyó en voz alta:

A la señorita Granger, deseándole que se recupere muy pronto, de su preocupado profesor Gilderoy Lockhart, Caballero de tercera clase de la Orden de Merlín, Miembro Honorario de la Liga para la Defensa contra las Fuerzas Tenebrosas y cinco veces ganador del Premio a la Sonrisa más Encantadora, otorgado por la revista Corazón de Bruja.

Ron miró a Hermione, con disgusto:

—¿Duermes con esto debajo de la *almohada*?

Pero Hermione no necesitó responder, porque la señora Pomfrey llegó con la medicina de la noche.

—¿A que Lockhart es el tipo más adulador que has visto en tu vida? —le dijo Ron a Harry al abandonar la enfermería y empezar a subir hacia la torre de Gryffindor. Snape les había mandado tantos deberes, que a Harry le parecía que podría llegar a sexto antes de terminarlos. Precisamente Ron estaba diciendo que tendría que haberle preguntado a Hermione cuántas colas de rata había que echarle a una poción crecepelo, cuando llegó hasta sus oídos un arranque de cólera que provenía del piso superior.

—Ése es Filch —susurró Harry, y subieron aprisa las escaleras y se detuvieron a escuchar donde no podía verlos.

—Espero que no hayan atacado a ningún otro —dijo Ron, tenso.

Se quedaron inmóviles, con las cabezas inclinadas hacia la voz de Filch, que parecía completamente histérica.

—*...Aún más trabajo para mí. ¡Fregar toda la noche, como si no tuviera otra cosa que hacer! No, ésta es la gota que colma el vaso, me voy a ver a Dumbledore...*

Sus pasos se fueron distanciando, y oyeron un portazo a lo lejos.

Asomaron las cabezas por la esquina. Evidentemente, Filch había estado cubriendo su habitual puesto de vigía: se encontraban de nuevo en el punto en que habían atacado a la señora Norris. Buscaron lo que había motivado los gritos de Filch. Un charco grande de agua cubría la mitad del corredor, y parecía que continuaba saliendo agua de debajo de la puerta del baño de Myrtle la Llorona. Ahora que los gritos de Filch habían cesado, podían oír los gemidos de Myrtle resonando a través de las paredes del baño.

—¿Qué le pasará *ahora*? —preguntó Ron.

—Vamos a ver —propuso Harry, y levantándose la túnica por encima de los tobillos, se metieron en el charco chapoteando, llegaron a la puerta que ostentaba el letrero de No funciona e, ignorándolo como siempre, entraron.

Myrtle la Llorona estaba llorando con más ganas y más alto que nunca, si eso era posible. Parecía haberse metido dentro de su cabina habitual. Estaba oscuro en el baño porque las velas se habían apagado con la gran corriente de agua que había dejado el suelo y las paredes empapados.

—¿Qué pasa, Myrtle? —inquirió Harry.

—¿Quién es? —preguntó Myrtle, con tristeza, como haciendo gorgoritos—. ¿Vienes a arrojarme alguna otra cosa?

Harry fue hacia su cabina y le preguntó:

—¿Por qué tendría que hacerlo?

—No sé —gritó Myrtle, saliendo con una nueva oleada de agua que cayó al suelo ya empapado—. Aquí estoy, intentando sobrellevar mis propios problemas, y alguien piensa que es divertido arrojarme un libro...

—Pero si alguien te arroja algo, a ti no te puede doler —razonó Harry—. Quiero decir, que simplemente te atravesará, ¿no?

Acababa de meter la pata. Myrtle se hinchó y chilló:

—¡Vamos a arrojarle libros a Myrtle, que no puede sentirlo! ¡Diez puntos al que se lo cuele por el estómago! ¡Cincuenta puntos al que le traspase la cabeza! ¡Bien, ja, ja, ja! ¡Qué juego tan divertido, pues para mí *no* lo es!

—Pero ¿quién te lo arrojó? —le preguntó Harry.

—No lo sé... estaba sentada en el sifón, pensando en la muerte, y me dio en la cabeza —dijo Myrtle, mirándolos—. Está ahí, empapado.

Harry y Ron miraron debajo del lavatorio, donde señalaba Myrtle. Había allí un libro pequeño y delgado. Tenía las tapas muy gastadas, de color negro, y estaba tan humedecido como el resto de las cosas del lugar. Harry se acercó para levantarlo, pero Ron lo detuvo con un brazo.

—¿Qué pasa? —preguntó Harry.

—¿Estás loco? —dijo Ron—. Podría resultar peligroso.

—¿*Peligroso?* —dijo Harry, riendo—. Vamos, ¿cómo podría resultar peligroso?

—Te sorprendería —dijo Ron, asustado, mirando el libro—. Entre los libros que el ministerio ha confiscado, me lo ha dicho mi padre, había uno que les quemó los ojos. Y todos los que han leído *Sonetos del hechicero* han hablado en cuartetos y tercetos el resto de su vida. ¡Y una bruja vieja de Bath tenía un libro que no se podía parar nunca de leer! Uno tenía que andar por todas partes con el libro delante, intentando hacer las cosas con una sola mano. Y...

—Está bien, ya lo he entendido —dijo Harry.

El librito seguía en el suelo, empapado y misterioso.

—Bueno, no lo averiguaremos si no le echamos un vistazo —dijo, y, esquivando a Ron, lo recogió del suelo.

Harry vio al instante que se trataba de un diario-agenda, y la desvaída fecha de la cubierta le indicó que tenía cincuenta años de antigüedad. Lo abrió intrigado. En la primera página podía leerse, con tinta emborronada: "T. M. Riddle".

—Espera —dijo Ron, que se había acercado con cuidado y miraba por encima del hombro de Harry—. Conozco ese nombre... T. M. Riddle ganó un premio hace cincuenta años por servicios especiales al colegio.

—¿Y cómo sabes eso? —preguntó Harry sorprendido.

—Lo sé porque Filch me hizo limpiar su trofeo unas cincuenta veces cuando nos castigaron —dijo Ron con resentimiento—. Precisamente fue sobre ése sobre el que vomité una babosa. Si te hubieras pasado una hora limpiando un nombre, tú también te acordarías.

Harry separó las páginas humedecidas. Estaban en blanco. No había en ellas el más leve resto de escritura, ni siquiera "Cumpleaños de la tía Mabel" o "Dentista, a las tres y media".

—No llegó a escribir nada —dijo Harry, decepcionado.

—Me pregunto por qué querría alguien tirarlo al inodoro —dijo Ron con curiosidad.

Harry volvió a mirar la negra cubierta del libro, y vio impreso el nombre de un vendedor de periódicos en la calle Vauxhall, en Londres.

—Debió de ser de familia *muggle* —dijo Harry, elucubrando—, ya que compró el diario en la calle Vauxhall...

—Bueno, eso no es muy útil —dijo Ron. Luego añadió en voz muy baja: —Cincuenta puntos si lo pasas por la nariz de Myrtle.

Harry, sin embargo, se lo guardó en el bolsillo.

Hermione salió de la enfermería, sin bigotes, sin cola y sin pelaje, a comienzos de febrero. La primera noche que pasó en la torre de Gryffindor, Harry le mostró el diario de T. M. Riddle y le contó la manera en que lo habían encontrado.

—¡Aaah, podría tener poderes ocultos! —dijo con entusiasmo Hermione, tomando el diario y mirándolo de cerca.

—Si los tiene, los oculta muy bien —repuso Ron—. A lo mejor es tímido. No sé por qué lo guardas, Harry.

—Lo que me gustaría saber es por qué alguien *intentó* tirarlo —dijo Harry—. Y también me gustaría saber cómo consiguió Riddle el premio por servicios especiales.

—Por cualquier cosa —dijo Ron—. A lo mejor acumuló treinta Matrículas de Honor en Brujería o salvó a un profesor de los tentáculos de un calamar gigante. Quizás asesinó a Myrtle, y todo el mundo lo consideró un gran servicio...

Pero Harry estaba seguro, por la cara de interés que ponía Hermione, de que ella no pensaba como él.

—¿Qué pasa? —dijo Ron, mirando a uno y a otro.

—Bueno, la Cámara de los Secretos se abrió hace cincuenta años, ¿no? —explicó Harry—. Eso nos dijo Malfoy.

—Sí... —admitió Ron.

—Y *este diario* tiene cincuenta años —dijo Hermione, golpeándolo, emocionada, con un dedo.

—¿Y?

—Vamos, Ron, despierta —dijo Hermione bruscamente—. Sabemos que la persona que abrió la Cámara la última vez fue expulsada *hace cincuenta años*. Sabemos que a T. M. Riddle le dieron un premio *hace cincuenta años* por servicios especiales al colegio. Bueno, ¿y si a Riddle le dieron el premio por atrapar al Heredero de Slytherin? En su diario seguramente estará todo explicado: dónde está la Cámara, cómo se abre, y qué tipo de criatura vive en ella. La persona que haya cometido las agresiones en esta ocasión no querría que el diario anduviera por ahí, ¿no?

—Ésa es una teoría *brillante*, Hermione —dijo Ron—, con sólo un pequeñísimo defecto: que *no hay nada escrito en el diario*.

Pero Hermione sacó su varita mágica de la bolsa:

—¡Podría ser tinta invisible! —susurró.

Le dio tres golpecitos al libro, diciendo:

—*Aparecium!*

Pero no ocurrió nada. Impertérrita, volvió a meter la mano en la bolsa y sacó lo que parecía una goma de borrar de color rojo brillante.

—Es un *revelador*, lo compré en el callejón Diagon —dijo.

Frotó con fuerza donde decía "1° de enero". Siguió sin pasar nada.

—Te lo estoy diciendo, no hay nada que encontrar aquí —dijo Ron—. Simplemente, a Riddley le regalaron un diario para Navidad, pero no se molestó en llenarlo.

Harry no podría haber explicado, ni siquiera a sí mismo, por qué no tiraba a la basura el diario de Riddle. El caso es que aunque él sabía que el diario estaba en blanco, pasaba las páginas hacia atrás y adelante, como concentrado en ellas, como si contaran una historia que quisiera acabar de leer. Y, aunque Harry estaba seguro de no haber oído antes el nombre de T. M. Riddle, le parecía que ese nombre le decía algo, como si se tratara de un amigo olvidado de la más remota infancia. Pero eso era absurdo: no había tenido amigos antes de llegar a Hogwarts, Dudley se había encargado de eso.

Sin embargo, Harry estaba determinado a averiguar algo más sobre Riddle, así que al día siguiente, en el recreo, se dirigió a la sala de trofeos para examinar el premio especial de Riddle, acompañado por una Hermione rebosante de interés y un Ron totalmente reticente, que les decía que había visto el trofeo lo suficiente para recordarlo toda la vida.

La placa de oro bruñido de Riddle estaba guardada en un armario esquinero. No decía nada de por qué se le había concedido (menos mal, porque si lo dijera sería aún más grande, y aún no habría acabado de sacarle brillo, dijo Ron). Sin embargo, encontraron el nombre de Riddle en una vieja Medalla al Mérito Mágico, y en un listado de antiguos alumnos que habían recibido el Premio Anual.

—Me recuerda a Percy —dijo Ron, arrugando con disgusto la nariz—: prefecto, premio anual... supongo que sería el primero de la clase.

—Lo dices como si fuera algo vergonzoso —señaló Hermione, algo herida.

El sol había vuelto a brillar débilmente sobre Hogwarts. Dentro del castillo, la gente parecía más optimista. No había vuelto a haber ataques después del cometido contra Justin y Nick Casi Decapitado, y a la señora Pomfrey le encantó anunciar que las mandrágoras se estaban volviendo taciturnas y reservadas, lo que quería decir que rápidamente dejaban atrás la infancia.

—Cuando se les haya ido el acné, estarán listas para volver a ser trasplantadas —oyó Harry que ella le decía una tarde, amablemente, a Filch—. Y entonces, las cortaremos y las coceremos inmediatamente. Enseguida tendrá a la señora Norris con usted otra vez.

Tal vez el heredero de Slytherin se hubiera acobardado, pensaba Harry. Cada vez debe de resultar más arriesgado abrir la Cámara de los Secretos, con el colegio tan alerta y receloso. Tal vez el monstruo, fuera lo que fuese, se disponía a hibernar durante otros cincuenta años...

Ernie Macmillan, de Hufflepuff, no era tan optimista. Seguía convencido de que Harry era el culpable, y que se había delatado en el club de duelo. Peeves no era precisamente una ayuda: iba por los abarrotados corredores saltando y cantando: "¡Oh, Potter, eres un caradura, estás podrido...!", ahora bailando al ritmo.

Gilderoy Lockhart parecía creer que era él quien había puesto freno a los ataques. Harry le oyó presentarlo así ante la profesora McGonagall mientras los de Gryffindor marchaban en fila hacia la clase de Transfiguración.

—No creo que volvamos a tener problemas, Minerva —dijo, guiñando un ojo y dándose golpecitos en la nariz con la yema del dedo, con aire de experto—. Creo que esta vez la Cámara ha quedado bien cerrada. Los culpables se han dado cuenta de que en cualquier momento yo podía pescarlos. Han sido lo bastante sensatos como para detenerse ahora, antes de que cayera sobre ellos... Lo que ahora necesita el colegio es un refuerzo moral, ¡para barrer los recuerdos del trimestre anterior! No voy a decirte ahora nada más, pero creo que sé qué es exactamente lo que...

De nuevo se tocó en la nariz, como mostrando su olfato, y se alejó con paso decidido.

La idea que tenía Lockhart de un refuerzo moral se hizo patente durante el desayuno del día 14 de febrero. Harry no había dormido mucho a causa del entrenamiento de *quidditch* de la noche anterior, y llegó al Gran Salón corriendo, algo tarde. Pensó, por un momento, que se había equivocado de puerta.

Las paredes estaban cubiertas de flores grandes de un rosa chillón. Aun peor, del techo de color azul pálido caían confetis en forma de corazones. Harry se fue a la mesa de Gryffindor, en la que estaban Ron, que parecía disgustado, y Hermione, que se reía tontamente.

—¿Qué ocurre? —les preguntó Harry, sentándose y quitándose de encima el confeti.

Ron, que parecía demasiado enojado para hablar, señaló la mesa de los profesores. Lockhart, que llevaba una túnica de color rosa chillón que combinaba con la decoración, reclamaba silencio con las manos. Los profesores que tenía a ambos lados lo miraban estupefactos. Desde su asiento, Harry pudo ver a la profesora McGonagall con un tic en la mejilla. Snape tenía el mismo aspecto que si se hubiera bebido un gran vaso de Crecehuesos.

—¡Feliz día de San Valentín! —gritó Lockhart—. ¡Y quiero también dar las gracias a las cuarenta y seis personas que me han enviado tarjetas! Sí, me he tomado la libertad de preparar esta pequeña sorpresa para todos ustedes... ¡y no acaba aquí!

Lockhart dio una palmada, y por la puerta del vestíbulo entraron una docena de enanos de aspecto hosco. Pero no enanos comunes. Lockhart les había puesto alas doradas y además llevaban arpas con ellos.

—¡Mis amorosos cupidos portadores de tarjetas! —sonrió Lockhart—. ¡Durante todo el día de hoy vagarán por el colegio ofrendándoles felicitaciones de San Valentín! ¡Y la diversión no para aquí! ¡Estoy seguro de que mis colegas querrán compartir el espíritu de este día! ¿Por qué no le piden al profesor Snape que les enseñe a preparar un filtro amoroso? ¡Aunque el profesor Flitwick, el muy tuno, sabe más sobre encantamientos de ese tipo que ningún otro mago que haya conocido!

El profesor Flitwick se tapó la cara con las manos. Snape parecía dispuesto a envenenar a la primera persona que se atreviera a pedirle un filtro amoroso.

—Por favor, Hermione, dime que no has sido una de las cuarenta y seis —le dijo Ron, cuando abandonaban el Gran Salón para acudir a la primera clase. Repentinamente, resultó que Hermione estaba muy ocupada buscando el horario en la bolsa, y no pudo responder.

Los enanos se pasaron el día interrumpiendo las clases para repartir tarjetas, ante la irritación de los profesores, y al final de la tarde, cuando los de Gryffindor subían hacia el aula de Hechizos, uno de ellos alcanzó a Harry:

—¡Ah, tú! ¡Harry Potter! —gritó un enano de aspecto particularmente malhumorado, abriéndose camino a codazos para llegar hasta donde estaba Harry.

Ruborizándose ante la idea de que le ofrecieran un saludo de San Valentín delante de una fila de alumnos de primero, entre los cuales estaba Ginny Weasley, Harry intentó escapar. El enano, sin embargo, se abrió camino a base de patadas en las canillas, y lo alcanzó antes de que diera dos pasos.

—Tengo un mensaje musical para entregarle a Harry Potter en persona —dijo, rasgando el arpa de manera pavorosa.

—¡*Aquí no!* —dijo Harry entre dientes, tratando de escapar.

—¡*Párate!* —gruñó el enano, agarrando a Harry por la bolsa y sujetándolo.

—¡Déjame ir! —gritó Harry, tirando.

Con un sonoro rasguido, la bolsa se partió en dos. Los libros, la varita mágica, el pergamino y la pluma se le cayeron por el suelo, y el frasco de tinta se rompió encima de todas las demás cosas.

Harry intentó recoger todo antes que el enano comenzara a cantar ocasionando un atascamiento en el corredor.

—¿Qué pasa ahí? —Era la voz fría y arrastrada de Draco Malfoy. Harry comenzó a meterlo todo febrilmente en su bolsa rasgada, desesperado por alejarse antes de que Malfoy pudiera oír su saludo musical de San Valentín.

—¿Por qué es toda esta conmoción? —dijo otra voz familiar, la de Percy Weasley, que se acercaba.

Desesperado, Harry intentó escapar corriendo, pero el enano lo agarró por las rodillas y lo derribó.

—Bien —dijo, sentándose sobre los tobillos de Harry—, ésta es tu canción de San Valentín:

Tiene los ojos verdes como un sapo en escabeche,
y el pelo oscuro como un pizarrón cuando anochece.
Quisiera que fuera mío, porque es glorioso,
el héroe que venció al Señor Tenebroso.

Harry habría dado todo el oro de Gringotts por desvanecerse en ese momento. Intentando reírse con todos los demás, se levantó, con los pies entumecidos por el peso del enano, mientras Percy Weasley hacía lo que podía por dispersar al montón de chicos, algunos de los cuales estaban llorando de la risa.

—Fuera de aquí, fuera, la campana ha sonado hace cinco minutos, a clase todos, ahora mismo —decía, empujando a algunos de los más pequeños—. *Y tú*, Malfoy.

Harry, al mirar, vio que Malfoy se agachaba y levantaba algo. Con una mirada burlona, se lo mostró a Crabbe y Goyle, y Harry comprendió que lo que había recogido era el diario de Riddle.

—¡Devuélveme eso! —le dijo Harry en voz baja.

—¿Qué habrá escrito aquí Potter? —dijo Malfoy, que obviamente no había visto la fecha en la cubierta y pensaba que era el diario del propio Harry. Los espectadores se quedaron en silencio. Ginny miraba alternativamente a Harry y al diario, aterrorizada.

—Devuélvelo, Malfoy —dijo Percy con severidad.

—Cuando le haya echado un vistazo —dijo Malfoy, burlándose de Harry.

Percy dijo:

—Como prefecto del colegio...

Pero Harry estaba fuera de sus casillas. Sacó su varita mágica y gritó:

—*Expelliarmus!*

Y tal como Snape había desarmado a Lockhart, así Malfoy vio que el diario se le escapaba de las manos y salía volando. Ron, sonriendo, lo atrapó.

—¡Harry! —dijo Percy en voz alta—. No se puede hacer magia en los pasillos. ¡Tendré que informar de esto!

Pero Harry no se preocupó. Le había ganado una a Malfoy, y eso bien valía cinco puntos de Gryffindor. Malfoy estaba furioso, y cuando Ginny pasó por su lado para entrar en el aula, le gritó despechado:

—¡Me parece que a Potter no le gustó mucho tu saludo de San Valentín!

Ginny se tapó la cara con las manos y entró en clase corriendo. Dando un gruñido, Ron sacó también su varita mágica, pero Harry se la quitó de un tirón. Ron no tenía ninguna necesidad de pasarse la clase de Hechizos vomitando babosas.

Harry no se dio cuenta de que algo raro le había ocurrido al diario de Riddle hasta que llegaron a la clase del profesor Flitwick. Todos los demás libros estaban empapados de tinta roja. El diario, sin embargo, estaba tan limpio como antes de que la botellita de tinta se hubiera estrellado. Intentó hacérselo ver a Ron, pero éste volvía a tener problemas con su varita mágica: de la punta salían pompas de color púrpura, y él no prestaba atención a nada más.

Esa noche, Harry fue el primero de su dormitorio en irse a dormir. En parte fue porque no creyó poder soportar a Fred y George cantando "Tiene los ojos verdes como un sapo en escabeche" una vez más, y en parte porque quería examinar de nuevo el diario de Riddle, y sabía que Ron opinaba que eso era una pérdida de tiempo.

Se sentó en la cama y hojeó las páginas en blanco, ninguna de las cuales tenía la más ligera mancha de tinta roja. Luego sacó una nueva botellita de tinta de su mesita, mojó en ella su pluma, y dejó caer un manchón en la primera página del diario.

La tinta brilló intensamente sobre el papel durante un segundo y luego, como si hubiera sido absorbida desde el interior de la página, se desvaneció. Emocionado, Harry mojó de nuevo la pluma y escribió: "Mi nombre es Harry Potter".

Las palabras brillaron un instante en la página y desaparecieron también sin dejar huella. Entonces ocurrió algo.

Rezumando de la página, en la misma tinta que había utilizado él, aparecieron unas palabras que Harry no había escrito:

Hola, Harry Potter. Mi nombre es Tom Riddle. ¿Cómo ha llegado a tus manos mi diario?

Estas palabras también se desvanecieron, pero no antes de que Harry comenzara de nuevo a escribir:

"Alguien intentó tirarlo por un inodoro".

Aguardó con impaciencia la respuesta de Riddle:

Menos mal que registré mis memorias en algo más duradero que la tinta. Siempre supe que habría gente que no querría que mi diario fuera leído.

"¿Qué quieres decir?", escribió Harry, echando, por los nervios, un borrón en la página.

Quiero decir que este diario da fe de cosas horribles. Cosas que fueron ocultadas. Cosas que sucedieron en el Colegio Hogwarts de Magia y Brujería.

"Es donde estoy yo ahora", escribió Harry apresuradamente. "Estoy en Hogwarts, y también suceden cosas horribles. ¿Sabes algo sobre la Cámara de los Secretos?"

El corazón le latía violentamente. La réplica de Riddle no se hizo esperar, la letra se volvió menos clara, como si tuviera prisa por consignar todo cuanto sabía:

¡Por supuesto que sé algo sobre la Cámara de los Secretos! En mi época, nos decían que era sólo una leyenda, que no existía realmente. Pero no era cierto. Cuando yo estaba en quinto, la Cámara, se abrió y el monstruo atacó a varios estudiantes, y mató a uno de ellos. Yo atrapé a la persona que había abierto la Cámara y lo expulsaron. Pero el director, el profesor Dippet, avergonzado de que hubiera sucedido tal cosa en Hogwarts, me prohibió decir la verdad. Inventaron la historia de que la muchacha había muerto en un espantoso accidente. A mí me regalaron por mi actuación un trofeo muy bonito y muy brillante, con unas palabras grabadas, y me recomendaron que mantuviera la boca cerrada. Pero sabía que podía volver a ocurrir. El monstruo sobrevivió, y el que pudo liberarlo no fue encarcelado.

En su precipitación por escribir, Harry casi vuelca el frasco de tinta:

"Ha vuelto a suceder. Ha habido tres ataques y nadie parece saber quién está detrás. ¿Quién fue en aquella ocasión?"

Te lo puedo mostrar, si quieres, —contestó Riddle—. *No necesitas leer mis palabras. Te puedo mostrar dentro de mi memoria lo que ocurrió la noche en que lo capturé.*

Harry dudó, su pluma se detuvo encima del diario. ¿Qué quería decir Riddle? ¿Cómo podía alguien introducirse en la memoria de otro? Miró asustado la puerta del dormitorio, que se iba oscureciendo. Cuando retornó la vista al diario, vio que aparecían algunas palabras nuevas:

Déjame que te enseñe.

Harry meditó durante una fracción de segundo, y luego escribió dos palabras:

"De acuerdo".

La páginas del diario comenzaron a pasar, como si estuviera soplando un fuerte viento, y se detuvieron a mediados del mes de junio. Con la boca abierta, Harry vio que el pequeño cuadrado asignado al día 13 de junio se convertía en algo parecido a una minúscula pantalla de televisión. Las manos le temblaban ligeramente. Levantó el libro para acercar uno de sus ojos a la ventanita, y antes de que comprendiera lo que sucedía, se estaba inclinando hacia delante. La ventana se ensanchaba, y sintió que su cuerpo dejaba la cama y era absorbido por la abertura de la página en un remolino de colores y sombras.

Notó que sus pies pisaban tierra firme, y permaneció, temblando, mientras las formas borrosas que lo rodeaban se iban definiendo rápidamente.

Enseguida se dio cuenta de dónde estaba. Aquella sala circular con los retratos de gente dormida era el despacho de Dumbledore, pero no era Dumbledore quien estaba sentado detrás del escritorio. Un mago de aspecto delicado, con muchas arrugas, calvo salvo por algunos pelos blancos, leía una carta a la luz de una vela. Harry no había visto nunca antes a aquel hombre.

—Lo siento —dijo con voz trémula—. No quería molestarlo...

Pero el mago no levantó la vista. Siguió leyendo, frunciendo el ceño levemente. Harry se acercó más al escritorio y balbució:

—¿Me... me voy?

El mago siguió ignorándolo. Ni siquiera parecía que lo hubiera oído. Pensando que podría estar sordo, Harry levantó la voz.

—Lamento molestarlo, me iré ahora mismo —dijo casi a gritos.

Con un suspiro, el mago plegó la carta, se levantó del asiento, pasó por delante de Harry sin mirarlo, y fue hasta la ventana a descorrer las cortinas.

El cielo, al otro lado de la ventana, estaba de color rojo rubí: parecía el ocaso. El mago volvió al escritorio, se sentó y, mirando la puerta, jugueteó con sus pulgares.

Harry contempló el despacho. No estaba Fawkes el fénix, ni los artilugios de plata que hacían ruiditos. Aquello era Hogwarts tal como estaba en los tiempos de Riddle, y aquel mago desconocido tenía que ser el director, no Dumbledore, y él, Harry, era una especie de fantasma, completamente invisible para la gente de hacía cincuenta años.

Llamaron a la puerta.

—Entre —dijo el viejo mago con voz débil.

Entró un muchacho de unos dieciséis años, quitándose el sombrero puntiagudo. En el pecho le brillaba una insignia plateada de prefecto. Era mucho más alto que Harry pero tenía, como él, el pelo de un negro azabache.

—Ah, Riddle —dijo el director.

—¿Quería verme, profesor Dippet? —preguntó Riddle. Parecía azorado.

—Siéntese —indicó Dippet—. Acabo de leer la carta que me envió.

—¡Ah! —exclamó Riddle. Se sentó, apretándose las manos.

—Muchacho —dijo Dippet bondadosamente—, me temo que no puedo permitirle quedarse en el colegio durante el verano. Supongo que querrá ir a casa para pasar las vacaciones...

—No —respondió Riddle de inmediato—, preferiría quedarme en Hogwarts que regresar a esa... a esa...

—Según creo, pasa las vacaciones en un orfanato *muggle*, ¿verdad? —preguntó Dippet con curiosidad.

—Sí, señor —respondió Riddle, ruborizándose ligeramente.

—¿Es usted de familia *muggle*?

—A medias, señor —respondió Riddle—. De padre *muggle* y de madre bruja.

—¿Y tanto uno como otro han...?

—Mi madre murió al nacer yo, señor. Me dijeron en el orfanato que había vivido sólo lo suficiente para ponerme nombre: Tom por mi padre, y Marvolo por mi abuelo.

Dippet chasqueó la lengua en señal de compasión.

—La cuestión es, Tom —suspiró—, que se podría haber hecho con usted una excepción, pero en las actuales circunstancias...

—¿Se refiere a los ataques, señor? —dijo Riddle, y a Harry el corazón le dio un brinco. Se acercó, porque no quería dejar de oír nada de lo que se dijera.

—Exactamente —dijo el director—. Muchacho, tiene que darse cuenta de lo irresponsable que sería que yo le permitiera quedarse en el castillo al término del trimestre. Especialmente después de la tragedia... la muerte de esa pobre muchacha... Usted estará mucho más seguro en su orfanato. De hecho, el Ministerio de la Magia se está planteando cerrar el colegio. No creo que estemos a punto de localizar al... la fuente de todos estos sucesos tan desagradables...

A Riddle se le abrieron los ojos.

—Señor, si esa persona fuera capturada... Si todo terminara...

—¿Qué quiere decir? —preguntó Dippet, con un chillido. Se incorporó en el asiento. —¿Riddle, sabe usted algo sobre esas agresiones?

—No, señor —respondió Riddle con presteza.

Pero Harry estaba seguro de que aquel "no" era del mismo tipo que el que él le había dicho a Dumbledore.

Dippet volvió a hundirse en el asiento, ligeramente decepcionado.

—Puede irse, Tom...

Riddle se levantó del asiento y salió de la habitación arrastrando los pies. Harry fue tras él.

Bajaron por la escalera de caracol que se autodeslizaba y salieron junto a la gárgola, en el corredor que iba quedando en penumbra. Riddle se detuvo, y Harry hizo lo mismo, mirándolo. Le pareció que Riddle estaba concentrado: se mordía un labio, y tenía la frente fruncida.

Luego, como si hubiera tomado una decisión repentina, salió precipitadamente, y Harry lo siguió en silencio. No vieron a nadie hasta llegar al vestíbulo, cuando un mago de gran estatura con el cabello largo y ondulado de color castaño rojizo y con barba, llamó a Riddle desde la escalera de mármol.

—¿Qué hace paseando por aquí tan tarde, Tom?

Harry miró sorprendido al mago. No era otro que Dumbledore, con cincuenta años menos.

—Tenía que ver al director, señor —respondió Riddle.

—Bien, vaya rápido a la cama —le dijo Dumbledore, dirigiéndole a Riddle la misma mirada penetrante que él conocía tan bien—. Es mejor no andar por los pasillos durante estos días, desde que...

Suspiró hondo, dio las buenas noches a Riddle y se fue con paso decidido. Riddle lo vio desaparecer y a continuación, con rapidez, tomó el camino de bajada a las mazmorras por las escaleras de piedra, seguido por Harry.

Pero, para su decepción, Riddle no lo condujo a un pasadizo oculto ni a un túnel secreto sino a la mismísima mazmorra en que Snape les daba clase. Las antorchas no estaban encendidas, y cuando Riddle cerró la puerta casi del todo, Harry se quedó sin poder ver otra cosa que a Riddle, inmóvil en la puerta, vigilando el corredor que había al otro lado.

A Harry le pareció que permanecían allí al menos una hora. Lo único que podía ver era la figura de Riddle en la puerta, mirando por la rendija, aguardando inmóvil. Y cuando Harry dejó de sentirse expectante y tenso y empezaron a entrarle ganas de volver al presente, oyó que se movía algo al otro lado de la puerta.

Alguien caminaba por el corredor sigilosamente. Quienquiera que fuera, Harry oyó que pasaba ante la mazmorra en la que estaban ocultos él y Riddle. Riddle, silencioso como una sombra, cruzó la puerta y lo siguió, con Harry detrás, de puntillas, sin darse cuenta de que no podían oírlo.

Siguieron los pasos durante unos cinco minutos, cuando Riddle se detuvo de improviso, inclinando la cabeza hacia el lugar del que provenían unos ruidos. Harry oyó el chirrido de una puerta, y luego a alguien que hablaba en un ronco susurro:

—Vamos... te voy a sacar de aquí ahora... a la caja...

Algo le resultaba conocido en aquella voz.

De repente, Riddle dobló la esquina de un salto. Harry lo siguió. Pudo ver la silueta de un muchacho gigantesco en cuclillas ante de una puerta abierta, junto a una caja muy grande.

—Noches, Rubeus —pronunció Riddle con voz severa.

El muchacho cerró la puerta de un portazo y se levantó.

—¿Qué haces aquí, Tom?

Riddle se acercó.

—Todo ha terminado —dijo—. Voy a tener que entregarte, Rubeus. Dicen que cerrarán Hogwarts si los ataques no cesan.

—¿Que vas a...?

—No creo que quisieras matar a nadie. Pero los monstruos no son buenas mascotas. Me imagino que lo dejaste salir para que tomara aire y...

—¡No ha matado a nadie! —dijo el muchacho grande, retrocediendo contra la puerta cerrada. Desde ésta, a Harry le llegaban unos curiosos chasquidos y crujidos.

—Vamos, Rubeus —dijo Riddle, acercándose aún más—. Los padres de la chica muerta llegarán mañana. Lo menos que puede hacer Hogwarts es asegurarse de que lo que mató a su hija es sacrificado...

—¡No fue él! —bramó el muchacho. Su voz resonaba en el oscuro corredor. —¡No sería capaz! ¡Nunca!

—Hazte a un lado —dijo Riddle, sacando su varita mágica.

Su conjuro iluminó el corredor con un resplandor repentino. La puerta que había detrás del crecido muchacho se abrió con tal fuerza que golpeó contra el muro que había enfrente. Y por el hueco salió algo que le hizo a Harry proferir un grito que nadie sino él pudo oír.

Un cuerpo grande, peludo, casi a ras del suelo, y una maraña de patas negras, resplandores de varios ojos y unas pinzas afiladas como navajas... Riddle levantó de nuevo su varita, pero fue demasiado tarde. El monstruo lo derribó al escabullirse, enfilando a toda velocidad por el corredor y perdiéndose de vista. Riddle se incorporó, buscándola. Encontró la varita, pero el muchacho gigante se lanzó sobre él, le arrancó la varita y lo tiró contra el suelo de espaldas, al tiempo que gritaba: —¡Noooooooo!

Todo empezó a dar vueltas, la oscuridad se hizo completa, Harry se sintió caer de golpe, aterrizó con los brazos y las piernas extendidos sobre su cama en el dormitorio de Gryffindor, con el diario de Riddle abierto sobre el estómago.

Antes de que pudiera recuperar el aliento, se abrió la puerta del dormitorio y entró Ron.

—¡Estabas aquí! —dijo.

Harry se sentó. Estaba sudoroso y temblaba.

—¿Qué pasa? —dijo Ron, mirándolo con preocupación.

—Fue Hagrid, Ron. Hagrid abrió la Cámara de los Secretos hace cincuenta años.

— CAPÍTULO CATORCE —

Cornelius Fudge

Harry, Ron y Hermione siempre habían sabido que Hagrid sentía una desventurada afición por las criaturas grandes y monstruosas. Durante el curso anterior en Hogwarts, había intentado criar un dragón en su pequeña casa de madera, y pasaría mucho tiempo antes de que pudieran olvidar al perro gigante de tres cabezas al que le había puesto de nombre Fluffy. Y si, siendo niño, Hagrid se había enterado de que había un monstruo oculto en algún lugar del castillo, Harry estaba seguro de que habría hecho lo imposible por echarle un vistazo. Seguro que le parecía una vergüenza que hubieran tenido encerrado al monstruo tanto tiempo, y que tenía derecho a estirar un poco sus muchas piernas. Se podía imaginar perfectamente a Hagrid, con trece años, intentando ponerle un collar y una correa. Pero también estaba seguro de que él nunca querría matar a nadie.

Harry casi hubiera preferido no haber averiguado el funcionamiento del diario de Riddle. Ron y Hermione le hacían contarles una y otra vez todo lo que había visto, hasta que se cansaban de hablar y de las largas y repetidas conversaciones que seguían a su relato.

—A lo mejor Riddle se equivocó de culpable —decía Hermione—. A lo mejor el que atacaba a la gente era otro monstruo...

—¿Cuántos monstruos te crees que puede albergar este sitio? —le preguntó Ron, aburrido.

—Ya sabíamos que a Hagrid lo habían expulsado —dijo

217

Harry con pena—. Y supongo que los ataques cesaron cuando lo echaron. Si no hubiera sido así, a Riddle no le habrían dado ningún premio.

Ron intentó verlo de otro modo:

—Riddle me recuerda a Percy. ¿Y por qué tuvo que delatar a Hagrid?

—Pero el monstruo había *matado* a una persona, Ron —contestó Hermione.

—Y Riddle habría tenido que volver al orfanato *muggle* si hubieran cerrado Hogwarts —dijo Harry—. No lo culpo por querer quedarse aquí...

Ron se mordió un labio, y luego vaciló al decir:

—Tú te encontraste a Hagrid en la calleja Knockturn, ¿verdad, Harry?

—Había ido a comprar un repelente contra las babosas carnívoras —dijo Harry con presteza.

Se quedaron en silencio. Tras una pausa prolongada, Hermione tuvo una idea elemental:

—¿Por qué no vamos y le *preguntamos* a Hagrid?

—Sería una visita muy agradable —dijo Ron—. Hola, Hagrid, dinos, ¿has estado últimamente dejando en libertad por el castillo a una cosa furiosa y peluda?

Al final, decidieron no decirle nada a Hagrid si no había otro ataque, y como los días se sucedieron sin un susurro de la voz que no salía de ningún sitio, llegaron a tener la esperanza de no tener que hablar con él sobre el motivo de su expulsión. Ya habían pasado casi cuatro meses desde que petrificaron a Justin y a Nick Casi Decapitado, y todo el mundo parecía creer que el agresor, quienquiera que fuera, se había retirado, afortunadamente. Peeves se había cansado por fin de su canción *¡Oh, Potter, eres un caradura!*, Ernie Macmillan, un día, en la clase de Botánica, le pidió cortésmente a Harry que le pasara un balde de hongos saltarines, y en marzo algunas mandrágoras armaron una escandalosa fiesta en el Invernadero 3. Esto puso muy contenta a la profesora Sprout.

—En cuanto empiecen a querer cambiarse unas a las macetas de otras, sabremos que han alcanzado la madurez —le dijo a Harry—. Entonces podremos revivir a esos pobrecitos de la enfermería.

* * *

Durante las vacaciones de Semana Santa, los de segundo tuvieron algo nuevo en que pensar. Había llegado el momento de elegir optativas para el curso siguiente, algo que al menos Hermione se tomó muy en serio.

—Podría afectar todo nuestro futuro —les dijo a Harry y a Ron, mientras ellos repasaban minuciosamente la lista de las nuevas materias, señalándolas.

—Lo único que quiero es no tener Pociones —dijo Harry.

—Imposible —dijo Ron con tristeza—. Seguiremos con todas las materias que tenemos ahora. Si no, yo me libraría de Defensa contra las Artes Tenebrosas.

—¡Pero si ésa es muy importante! —dijo Hermione, sorprendida.

—No tal como la imparte Lockhart —repuso Ron—. Lo único que me ha enseñado es a no dejar sueltos a los duendecitos.

Neville Longbottom había recibido carta de todos los magos y brujas de su familia, aconsejándole sobre su elección. Confundido y preocupado, se sentó a leer la lista de las materias, con la lengua afuera, y les preguntaba a todos si pensaban que Aritmancia parecía más difícil que el estudio de Adivinación Antigua. Dean Thomas, que, como Harry, se había criado con *muggles*, terminó cerrando los ojos, apuntando a la lista con su varita mágica, y señalando las materias en que había tocado la varita. Hermione no siguió el consejo de nadie y marcó todas.

Harry sonrió tristemente al imaginar lo que hubieran dicho el tío Vernon y la tía Petunia si intentara consultarles sobre su futuro de mago. Pero alguien lo ayudó: Percy Weasley se desvivía por hacerlo partícipe de su experiencia.

—Depende de a dónde quieras ir, Harry —le dijo—. Nunca es demasiado pronto para pensar en el futuro, así que yo te recomendaría Adivinación. La gente dice que los estudios *muggle* son la salida más fácil, pero personalmente creo que los magos deberíamos tener completos conocimientos de la comunidad no mágica, especialmente si queremos trabajar en estrecho contacto con ellos: mira a mi padre, tiene que tratar todo el tiempo con *muggles*. A mi hermano Charlie siempre le gustó el trabajo al aire libre, así que eligió Cuidado de Criaturas Mágicas. Elige aquello para lo que sirvas, Harry.

Pero lo único que le parecía a Harry que se le daba realmente bien era el *quidditch*. Terminó eligiendo las mismas optativas que Ron, pensando que si era muy malo en ellas, al menos contaría con alguien que podría ayudarle.

El siguiente partido de *quidditch* de Gryffindor sería contra Hufflepuff. Wood los machacaba con entrenamientos en equipo cada noche después de cenar, de forma que Harry no tenía tiempo para nada más que el *quidditch* y hacer los deberes. Sin embargo, los entrenamientos iban mejor, o al menos más secos, y la noche anterior al partido del sábado se fue a la cama pensando que Gryffindor nunca había tenido más posibilidades de ganar la copa.

Pero su alegría no duró mucho. Al final de las escaleras que conducían al dormitorio se encontró con Neville Longbottom, que lo miraba desesperado.

—Harry, no sé quién lo hizo. Sólo me lo encontré...

Mirando a Harry con terror, Neville abrió la puerta.

El contenido del baúl de Harry estaba esparcido por todas partes. Su capa estaba en el suelo, rasgada. Le habían levantado las sábanas y mantas de su cama, le habían sacado el cajón de la mesita y le habían desparramado sobre el colchón el contenido.

Harry fue hacia la cama, boquiabierto, pisando algunas páginas sueltas de *Recorridos con los duendes*. En el momento en que Neville y él volvían a colocar las sábanas en la cama, entraron Ron, Dean y Seamus. Dean gritó:

—¿Qué ha sucedido, Harry?

—No tengo ni idea —contestó éste. Ron examinaba la túnica de Harry. Le habían dado vuelta todos los bolsillos.

—Alguien ha estado buscando algo —dijo Ron—. ¿Qué te falta?

Harry empezó a recoger sus cosas y dejarlas en el baúl. Hasta que no arrojó el último libro de Lockhart, no se dio cuenta de qué era lo que faltaba.

—Se han llevado el diario de Riddle —le dijo a Ron en voz baja.

—¿*Qué?*

Harry señaló con la cabeza hacia la puerta del dormitorio, y Ron lo siguió. Bajaron corriendo hasta la sala común de Gryffindor, que estaba medio vacía, y encontraron a Hermione, sentada, sola, leyendo un libro titulado *La adivinación antigua al alcance de todos*.

A Hermione la aterrorizaron las noticias.

—Pero... sólo alguien de Gryffindor podría haber robado... ningún otro conoce la contraseña...

—En efecto —confirmó Harry.

Despertaron al día siguiente con un sol brillante y una brisa ligera y refrescante.

—¡Perfectas condiciones para jugar al *quidditch*! —dijo Wood emocionado en la mesa de Gryffindor, llevando los platos del equipo, con los huevos revueltos—. ¡Harry, levanta el ánimo, necesitas un buen desayuno!

Harry había estado examinando la mesa abarrotada de Gryffindor, preguntándose si tendría delante de las narices al nuevo propietario del diario de Riddle. Hermione intentaba convencerlo de que notificara el robo, pero a Harry no le gustaba la idea. Tendría que contarle todo lo referente al diario a algún profesor y ¿cuánta gente sabía por qué habían expulsado a Hagrid hacía cincuenta años? No quería ser él quien lo hiciera público de nuevo.

Al abandonar el Gran Salón con Ron y Hermione para ir a recoger su equipo de *quidditch*, otro motivo de preocupación se añadió a la creciente lista de Harry. Acababa de poner los pies en la escalera de mármol cuando oyó de nuevo aquella voz:

Matar esta vez... déjame rasgar... romper...

Harry dio un grito, y Ron y Hermione se separaron de él asustados.

—¡La voz! —dijo Harry, mirando a un lado—. Acabo de oírla de nuevo, ¿ustedes no?

Ron, con los ojos muy abiertos, negó con la cabeza. Hermione, sin embargo, se llevó una mano a la frente.

—¡Harry, creo que acabo de comprender algo! ¡Tengo que ir a la biblioteca!

Y se fue corriendo por las escaleras.

—¿*Qué* habrá comprendido? —dijo Harry distraídamente, mirando alrededor, intentando averiguar de dónde podía provenir la voz.

—Muchas más cosas que yo —respondió Ron, negando con la cabeza.

—Pero ¿por qué habrá tenido que irse a la biblioteca?

—Porque eso es lo que Hermione hace siempre —contestó Ron, encogiéndose de hombros—. Cuando le viene alguna duda, a la biblioteca.

Harry se quedó allí, indeciso, intentando captar de nuevo la voz, pero ahora la gente salía del Gran Salón, detrás de él, hablando alto, cruzando la puerta principal hacia el campo de *quidditch*.

—Será mejor que te muevas —indicó Ron—. Son casi las once... el partido.

Harry subió de una carrera a la torre de Gryffindor, tomó su *Nimbus 2000*, y se mezcló con la masa de gente que pululaba hacia el campo de juego, pero su mente se había quedado en el castillo, donde estaba la voz que no salía de ningún sitio, y mientras se ponía su túnica de juego en los vestuarios, su único consuelo era saber que todos estaban allá fuera para ver el partido.

Los equipos entraron en el campo de juego en medio de un aplauso tumultuoso. Oliver Wood despegó para hacer un vuelo de calentamiento alrededor de los postes, y la señora Hooch sacó las bolas. Los de Hufflepuff, que jugaban de color amarillo canario, se habían apiñado para discutir la táctica en el último minuto.

Harry acababa de montar en la escoba cuando la profesora McGonagall llegó medio corriendo por el campo, llevando consigo un megáfono de color púrpura:

—El partido acaba de ser cancelado —gritó por el megáfono la profesora McGonagall, dirigiéndose al estadio abarrotado. Hubo gritos y silbidos. Oliver Wood, que parecía destrozado, aterrizó y fue corriendo a donde estaba la profesora McGonagall sin desmontar de la escoba.

—¡Pero profesora! —gritó—. Tenemos que jugar... la copa... Gryffindor...

La profesora McGonagall no le hizo caso y continuó gritando por el megáfono:

—Todos los estudiantes tienen que volver a sus respectivas salas comunes, donde les informarán los jefes de sus casas. ¡Vayan lo más rápido que puedan, por favor!

Luego bajó el megáfono y le hizo una seña a Harry para que se acercara:

—Potter, creo que será mejor que vengas conmigo...

Preguntándose por qué sospecharía de él en aquella ocasión, Harry vio a Ron saliendo de la multitud, que protestaba: llegó corriendo para unirse a ellos cuando salían hacia el castillo. Para sorpresa de Harry, la profesora McGonagall no tuvo nada que objetar:

—Sí, quizá sea mejor que tú también vengas, Weasley.

Algunos de los estudiantes que había alrededor de ellos rezongaban por la suspensión del partido, y otros parecían preocupados. Harry y Ron siguieron a la profesora McGonagall de regreso al colegio y al subir la escalera de mármol. Pero esta vez no se dirigían al despacho de nadie.

—Esto resultará un poco sorprendente —dijo la profesora McGonagall con voz amable cuando se acercaban a la enfermería—. Ha habido otro ataque... otro ataque *doble*.

A Harry las tripas le dieron un horrible bandazo. La profesora McGonagall abrió la puerta y entraron por ella Ron y él.

La señora Pomfrey atendía a una muchacha de quinto curso con largo pelo rizado. Harry reconoció en ella a la chica de Ravenclaw a la que le habían preguntado, equivocados, cómo se iba a la sala común de Slytherin. Y en la cama de al lado estaba...

—¡*Hermione*! —gimió Ron.

Hermione yacía completamente inmóvil, con los ojos abiertos y vidriosos.

—Las encontraron junto a la biblioteca —dijo la profesora McGonagall—. Supongo que no pueden explicarlo. Esto estaba en el suelo, junto a ellas...

Levantó un espejo pequeño, redondo.

Harry y Ron negaron con la cabeza, mirando a Hermione.

—Los acompañaré a la torre de Gryffindor —dijo seria la

profesora McGonagall—. De cualquier manera, tengo que hablarles a los estudiantes.

—Todos los alumnos estarán de vuelta en sus respectivas salas comunes a las seis en punto de la tarde. Ningún alumno podrá dejar los dormitorios después de esa hora. Un profesor los acompañará siempre al aula. Ningún alumno podrá entrar en los baños sin ir acompañado por un profesor. Se posponen todos los partidos y entrenamientos de *quidditch*. No habrá más actividades extraescolares.

Los alumnos de Gryffindor, que abarrotaban la sala común, escuchaban en silencio a la profesora McGonagall. Ella enrolló el pergamino del que había estado leyendo, y dijo con voz un poco ahogada:

—No necesito añadir que rara vez me he sentido tan consternada. Es probable que se cierre el colegio si no capturan al agresor. Si alguien sabe de alguien que pueda estar enterado de algo, le ruego que lo diga.

Salió por el agujero del retrato con cierta torpeza, e inmediatamente los alumnos de Gryffindor comenzaron a hablar:

—Han caído dos de Gryffindor, sin contar al fantasma, que también es de Gryffindor, uno de Ravenclaw y otro de Hufflepuff —dijo, contando con los dedos, Lee Jordan, el amigo de los gemelos Weasley—. ¿No se ha dado cuenta ningún profesor de que los de Slytherin parecen estar a salvo? ¿No es evidente que todo esto proviene de Slytherin? El heredero de Slytherin, el monstruo de Slytherin... ¿Por qué no expulsan a todos los de Slytherin? —bramó, ante gente que asentía y algunos aplausos aislados.

Percy Weasley estaba sentado en una silla, detrás de Lee, pero por una vez no parecía interesado en exponer sus puntos de vista. Parecía pálido y atónito.

—Percy está asustado —le dijo George a Harry en voz baja—. Esa chica de Ravenclaw... Penélope Clearwater... es prefecto. Supongo que él creía que el monstruo no se atrevería a atacar a un *prefecto*.

Pero Harry sólo escuchaba a medias. No parecía poder olvidar la imagen de Hermione, inmóvil sobre la cama de la enfermería, como esculpida en piedra. Y si no atrapaban pronto al culpable, tendría que pasar el resto de su vida con los Dursley. Tom Riddle había delatado a Hagrid ante la perspectiva del orfanato *muggle* si se cerraba el colegio. Harry entendía perfectamente cómo se había sentido.

—¿Qué vamos a hacer? —le preguntó Ron a Harry al oído—. ¿Crees que sospechan de Hagrid?

—Tenemos que ir a hablar con él —dijo Harry, decidiéndose—. No creo que esta vez sea él, pero si fue él quien lo liberó la última vez, también sabrá llegar hasta la Cámara de los Secretos, y algo es algo.

—Pero McGonagall nos ha dicho que tenemos que permanecer en nuestras torres cuando no estemos en clase...

—Creo —dijo Harry, en voz aún más baja— que ha llegado el momento de volver a sacar la vieja capa de mi padre.

Harry sólo había heredado una cosa de su padre: una capa larga y plateada para hacerse invisible. Era su única posibilidad para salir a hurtadillas del colegio y visitar a Hagrid sin que nadie se enterara. Fueron a la cama a la hora habitual, esperaron a que Neville, Dean y Seamus hubieran dejado de hablar sobre la Cámara de los Secretos y cayeran dormidos, y entonces se levantaron, se volvieron a vestir, y se cubrieron con la capa.

No fue agradable el recorrido por los oscuros y desiertos corredores del castillo. Harry, que ya en ocasiones anteriores había caminado por él de noche, no lo había visto nunca, después de la puesta del sol, tan lleno de gente: profesores, prefectos y fantasmas circulaban por los corredores en parejas, buscando cualquier cosa sospechosa. Su capa de invisibilidad no les evitaba hacer ruido, y hubo un instante especialmente tenso cuando Ron se pegó un golpe en un dedo del pie muy cerca del lugar en que estaba Snape montando guardia. Afortunadamente, Snape estornudó en el momento casi exacto en que Ron gritó. Fue un alivio cuando finalmente alcanzaron la puerta principal de roble y la abrieron con cuidado.

Era una noche clara y estrellada. Fueron rápidamente hacia las ventanas iluminadas de la casa de Hagrid, y no se desprendieron de la capa hasta que llegaron ante la puerta.

Unos segundos después de llamar, les abrió Hagrid. Estaba frente a ellos, apuntándoles con una ballesta, y Fang, el perro jabalinero, les ladraba furiosamente detrás de él.

—¡Ah! —dijo, bajando el arma y contemplándolos—. ¿Qué hacen aquí los dos?

—¿Para qué es eso? —preguntó Harry, señalando la ballesta al entrar.

—Nada, nada... —susurró Hagrid—. He estado esperando... no importa... siéntense... prepararé té.

Apenas parecía saber lo que hacía. Casi apaga el fuego, al derramar agua de la tetera de metal, y luego rompió la de cerámica de puros nervios que tenía, al golpearla con la mano.

—¿Estás bien, Hagrid? —dijo Harry—. ¿Has oído lo de Hermione?

—¡Ah, lo he oído, claro! —dijo Hagrid, con voz cortada.

Miró por la ventana, nervioso. Les sirvió sendas jarritas llenas de agua hirviendo (se le habían olvidado los saquitos del té) y estaba poniendo en un plato un trozo de torta de frutas, cuando golpearon la puerta.

Se le cayó la torta. Harry y Ron intercambiaron miradas de pánico, se echaron encima la capa para hacerse invisibles y se retiraron a un rincón. Tras asegurarse de que no se los veía, Hagrid tomó la ballesta y fue otra vez a abrir la puerta.

—Buenas noches, Hagrid.

Era Dumbledore. Entró, muy serio, seguido por otro individuo de aspecto muy raro.

El extraño era un hombre bajo y corpulento, con pelo gris alborotado y expresión nerviosa. Llevaba una extraña combinación de ropa: un traje de rayas finas, una corbata roja, una capa larga negra y botas púrpura en punta. Sujetaba bajo el brazo un sombrero hongo verde lima.

—¡Es el jefe de mi padre! —musitó Ron—. ¡Cornelius Fudge, el ministro de la Magia!

Harry le dio a Ron un codazo para que se callara.

Hagrid estaba pálido y sudoroso. Se dejó caer en una de las sillas y miró a Dumbledore y luego a Cornelius Fudge.

—¡Feo asunto, Hagrid! —dijo Fudge, telegráficamente—. Muy feo. He tenido que venir. Cuatro ataques contra nacidos de *muggle*. El ministerio tiene que intervenir.

—Yo nunca —dijo Hagrid, mirando a Dumbledore implorante—, usted sabe que yo nunca, profesor Dumbledore, señor...

—Quiero que quede claro, Cornelius, que Hagrid cuenta con mi plena confianza —dijo Dumbledore, mirando a Fudge con el ceño fruncido.

—Mira, Albus —dijo Fudge, incómodo—. El pasado de Hagrid lo acusa. El ministerio tiene que hacer algo... el consejo escolar se ha puesto en contacto...

—Aun así, Cornelius, insisto en que echar a Hagrid no va a solucionar nada —dijo Dumbledore. Sus ojos azules brillaban de una manera que Harry no había visto nunca antes.

—Míralo desde mi punto de vista —dijo Fudge, sin parar de mover el sombrero—. Estoy bajo presión. Tengo que demostrar que se hace algo. Si se demuestra que no fue Hagrid, regresará y no habrá más que decir. Pero tengo que llevármelo. Tengo que hacerlo. Si no, no estaría cumpliendo con mi deber...

—¿Llevarme? —dijo Hagrid, temblando—. ¿Llevarme dónde?

—Sólo por un breve período —dijo Fudge, evitando los ojos de Hagrid—. No se trata de un castigo, Hagrid, sino más bien de una precaución. Si atrapamos al culpable, se lo dejará salir con una disculpa en toda regla...

—¿No será a Azkaban? —preguntó Hagrid con la voz ronca.

Antes de que Fudge pudiera responder, volvieron a llamar con fuerza a la puerta.

Abrió Dumbledore. Ahora fue Harry quien recibió un codazo en las costillas: había dejado escapar un grito ahogado bien audible.

El señor Lucius Malfoy penetró en la cabaña de Hagrid con paso decidido, envuelto en una capa de viaje negra, sonriendo de forma fría y satisfecha. Fang se puso a aullar.

—¡Ah, ya está aquí, Fudge! —dijo complacido—. Bien, bien...

—¿Qué hace usted aquí? —le dijo Hagrid furioso—. ¡Salga de mi casa!

—Créame, buen hombre, que no tengo ningún placer en entrar en esta... eh... ¿la ha llamado casa? —repuso Lucius

Malfoy contemplando la cabaña con desprecio—. Simplemente, en el colegio se me dijo que el director estaba aquí.

—¿Y qué es lo que quiere de mí, exactamente, Lucius? —dijo Dumbledore. Hablaba cortésmente, pero aún tenía los ojos azules llenos de furia.

—Es *lamentable*, Dumbledore —dijo perezosamente el señor Malfoy, sacando un rollo de pergamino—, pero el consejo escolar ha pensado que es hora de que usted abandone. Ésta es una orden de cese: puede ver las doce firmas en ella. Me temo que está fracasando en este asunto. ¿Cuántos ataques ha habido ya? Otros dos esta tarde, ¿no es cierto? A este ritmo, no quedarán en Hogwarts alumnos de familia *muggle*, y todos sabemos qué horrorosa pérdida supondría eso para el colegio.

—¡Ah, qué, vamos, Lucius! —dijo Fudge, alarmado—, Dumbledore cesante... no, no... lo último que hubiera querido, precisamente ahora...

—El nombramiento, o el cese, del director es competencia del consejo escolar, Fudge —dijo con suavidad el señor Malfoy—. Y como Dumbledore no ha logrado detener las agresiones...

—Pero, Lucius, si *Dumbledore* no ha logrado detenerlas —dijo Fudge, que tenía el labio superior empapado—, ¿quién va a *poder*?

—Ya se verá —respondió el señor Malfoy, con una desagradable sonrisa—. Pero como los doce hemos votado...

Hagrid se levantó de un salto y su enmarañada cabellera negra rozó el techo:

—¿Y a cuántos ha tenido que amenazar y chantajear para que accedieran, eh, Malfoy? —bramó.

—Muchacho, muchacho, por Dios, ese temperamento suyo le dará un disgusto un día de éstos —dijo Malfoy—. Me permito aconsejarle que no grite de esa manera a los carceleros de Azkaban. No creo que se lo tomen a bien.

—¡Puede quitar a Dumbledore! —gritó Hagrid, con lo que Fang, el perro jabalinero, se encogió y gimoteó en su cesta—. ¡Lléveselo, y los alumnos de familia *muggle* no tendrán ni una oportunidad! ¡A continuación habrá asesinatos!

—Cálmate, Hagrid —le dijo bruscamente Dumbledore. Luego miró a Lucius Malfoy.

—Si el consejo escolar quiere mi renuncia, Lucius, me iré.

—Pero... —tartamudeó Fudge.

—¡*No!* —gimió Hagrid.

Dumbledore no había apartado sus brillantes ojos azules de los ojos fríos y grises de Malfoy.

—Sin embargo —dijo Dumbledore, hablando muy claro y despacio, para que todos entendieran cada una de sus palabras—, sólo abandonaré *de verdad* el colegio cuando no me quede nadie fiel. Y Hogwarts siempre ayudará al que lo pida.

Durante un instante, Harry estuvo convencido de que Dumbledore les guiñó un ojo, mirando al rincón en la que Ron y él estaban ocultos.

—Admirables sentimientos —dijo Malfoy, haciendo una inclinación—. Todos echaremos de menos su personalísima forma de dirigir el centro, Albus, y sólo espero que su sucesor consiga evitar los... *asesinatos*.

Se dirigió con paso decidido a la puerta de la cabaña, la abrió, hizo una inclinación a Dumbledore indicándole la salida. Fudge esperó, sin dejar quieto su sombrero, a que Hagrid pasara delante, pero Hagrid no se movió, respiró hondo, y pronunció con cuidado:

—Si alguien quisiera desentrañar todo este *embrollo*, lo único que tendría que hacer es seguir a las *arañas*. Ellas lo conducirían. Eso es todo lo que tengo que decir.

Fudge lo miró extrañado.

—Está bien, ya voy —dijo Hagrid, colocándose su abrigo de piel de topo. Cuando estaba a punto de seguir a Fudge por la puerta, se detuvo y dijo en voz alta: —Y alguien tendrá que darle de comer a Fang mientras yo esté fuera.

La puerta se cerró de golpe, y Ron apartó la capa para hacerse invisibles.

—En menudo problema estamos metidos —dijo con voz ronca—. Sin Dumbledore. Podrían cerrar el colegio esta noche. Sin él, habrá un ataque cada día.

Fang se puso a aullar, arañando la puerta.

— CAPÍTULO QUINCE —

Aragog

El verano se acercaba a los campos que rodeaban el castillo: el cielo y el lago se volvieron del mismo azul claro y en los invernaderos brotaron flores grandes como repollos. Pero sin poder ver a Hagrid desde las ventanas del castillo, cruzando el campo a grandes zancadas con Fang detrás, el paisaje no le gustaba a Harry; no le gustaba más, de hecho, que el interior del castillo, donde las cosas iban tan mal.

Harry y Ron habían intentado visitar a Hermione, pero ahora estaban prohibidas las visitas a la enfermería.

—No podemos correr más riesgos —les dijo severamente la señora Pomfrey a través de una rendija en la puerta—. No, lo siento, hay demasiado peligro de que pueda volver el agresor para acabar con esta gente...

Sin Dumbledore, el pánico se había extendido como nunca, así que el sol que calentaba los muros del castillo parecía detenerse en las ventanas geminadas. Apenas se podía ver en el colegio un rostro que no expresara tensión y preocupación, y, si sonaba alguna risa en los corredores, parecía estridente y antinatural, y era inmediatamente sofocada.

Harry se repetía constantemente las palabras finales de Dumbledore: *Sólo abandonaré de verdad el colegio cuando no me quede nadie fiel. Y Hogwarts siempre ayudará al que lo pida.* Pero, ¿para qué había dicho aquellas palabras? ¿A quién iban a pedirle ayuda, cuando todo el mundo estaba tan confundido y asustado como ellos?

La indicación de Hagrid sobre las arañas era bastante más

fácil de comprender. El problema es que no parecía haber quedado en el castillo ni una araña a la que seguir. Harry miraba a donde quiera que iba y Ron lo ayudaba a regañadientes. Además se añadía la dificultad de que no los dejaban ir solos a ningún lado, sino que tenían que moverse siempre en grupo con los otros de Gryffindor. La mayoría de los estudiantes parecían agradecer que los profesores los acompañaran siempre de clase en clase, pero para Harry resultaba irritante.

Había una persona, sin embargo, que parecía disfrutar plenamente de aquella atmósfera de terror y recelo. Draco Malfoy se pavoneaba por el colegio como si acabaran de darle el Premio Anual. Harry no comprendió qué era lo que le hacía sentirse tan a gusto hasta que, unos quince días después de que se hubieran ido Dumbledore y Hagrid, estando sentado justo detrás de él en clase de Pociones, le oyó regodearse ante Crabbe y Goyle:

—Siempre pensé que mi padre podía ser el que echara a Dumbledore —dijo, sin preocuparse de hablar en voz baja—. Ya les dije que él piensa que Dumbledore ha sido el peor director que ha tenido nunca el colegio. Quizás ahora tengamos un director decente. Alguien que no *quiera* que se cierre la Cámara de los Secretos. McGonagall no durará mucho, sólo está provisional...

Snape pasó al lado de Harry sin hacer ningún comentario sobre el asiento y el caldero desocupados de Hermione.

—Señor —dijo Malfoy en voz alta—, señor, ¿por qué no solicita usted el puesto de director?

—Vamos, vamos, Malfoy —dijo Snape, aunque no pudo evitar sonreír con sus angostos labios—. El profesor Dumbledore sólo ha sido suspendido en sus funciones por el colegio escolar. Me atrevería a decir que volverá a estar con nosotros muy pronto.

—Bueno —dijo Malfoy, con una sonrisa de complicidad—. Espero que mi padre lo vote a usted, señor, si solicita el puesto. Le diré a mi padre que usted es el mejor profesor del colegio, señor...

Snape paseó sonriente por la mazmorra, afortunadamente sin ver a Seamus Finnigan, que hacía como que vomitaba sobre el caldero.

—Me sorprende que los *sangre sucia* no hayan hecho ya todos el equipaje —prosiguió Malfoy—. Les apuesto cinco galeones a que el próximo muere. Qué pena que no sea Granger...

La campana sonó en ese momento, lo cual fue una suerte, porque al escuchar las últimas palabras, Ron había saltado de su asiento, pero en medio del barullo de recoger libros y bolsas, sus intentos de abalanzarse sobre Malfoy pasaron inadvertidos.

—Déjenme —gruñía Ron, cuando lo sujetaron entre Harry y Dean—. No me preocupa, no necesito mi varita mágica, lo voy a matar con las manos...

—Dense prisa, tengo que llevarlos a Botánica —les gritó Snape, y salieron en doble fila, con Harry, Ron y Dean en la cola, y Ron intentando todavía desprenderse. Sólo pudieron soltarlo cuando Snape se quedó en la puerta del castillo, y ellos continuaron por la huerta hacia los invernaderos.

La clase de Botánica resultó triste: había dos personas menos, Justin y Hermione.

La profesora Sprout los puso a todos a podar las higueras pasas de Abisinia. Harry fue a tirar una brazada de tallos secos al montón del abono y se encontró de frente con Ernie Macmillan. Ernie respiró hondo y dijo, muy formalmente:

—Sólo quiero que sepas, Harry, que lamento haber sospechado de ti. Sé que nunca atacarías a Hermione Granger, y te quiero pedir disculpas por todo lo que dije. Ahora estamos en el mismo barco, y, bueno...

Levantó una mano regordeta, y Harry la estrechó.

Ernie y su amiga Hannah se pusieron a trabajar en la misma higuera pasa que Ron y Harry.

—Ese tal Draco Malfoy —dijo Ernie, mientras cortaba tallos secos—, parece que todo esto lo ha puesto muy contento, ¿verdad? ¿Saben?, creo que él podría ser el heredero de Slytherin.

—Eso es muy inteligente de tu parte —dijo Ron, que no parecía haber perdonado a Ernie tan fácilmente como Harry.

—¿Crees que es Malfoy, Harry? —preguntó Ernie.

—No —respondió Harry con tal firmeza que Ernie y Hannah se quedaron mirándolo.

Un instante después, Harry vio algo que le hizo darle a Ron en la mano con sus tijeras de podar.

—¡Ah! ¿Qué estás...?

Harry le señaló el suelo, a un metro de distancia. Varias arañas grandes correteaban por la tierra.

—Ah, sí —dijo Ron, intentando, sin éxito, hacer como que se alegraba—. Pero no podemos seguirlas ahora...

Ernie y Hannah escuchaban embargados de curiosidad.

Harry contempló las arañas que se alejaban.

—Parece que se dirigen al bosque prohibido...

Y a Ron aquello aun le hizo menos gracia.

Al final de la clase, el profesor Snape acompañó a los alumnos al aula de Defensa contra las Artes Tenebrosas. Harry y Ron se rezagaron un poco de los demás para poder hablar sin que los oyeran.

—Tenemos que recurrir otra vez a la capa para hacernos invisibles —le dijo Harry a Ron—. Podemos llevar con nosotros a Fang. Hagrid lo lleva con él al bosque, así que podría sernos de ayuda.

—De acuerdo —dijo Ron, que movía su varita mágica nerviosamente entre los dedos—. Eh... ¿no hay... no hay hombres-lobo en el bosque? —añadió, mientras ocupaban sus puestos habituales al final del aula de Lockhart.

Prefiriendo no responder a aquella pregunta, Harry dijo:

—Allí también hay cosas buenas. Los centauros son buenos, y los unicornios.

Ron no había estado antes en el bosque prohibido. Harry había penetrado en él en una ocasión, y había deseado no tener que volver a hacerlo.

Lockhart entró en el aula dando un salto, y la clase se quedó mirándolo. Todos los otros profesores del colegio parecían más serios de lo habitual, pero Lockhart estaba tan alegre como siempre.

—¡Vamos ya! —exclamó, sonriéndoles a todos—, ¿por qué esas caras tan largas?

La gente intercambió miradas de exasperación, pero no contestó nadie.

—¿Es que no comprenden —les decía Lockhart, hablando muy lentamente, como si fueran tontos— que el peligro ya ha pasado? Se han llevado al culpable.

—¿Quién dice? —preguntó Dean Thomas en voz alta.

—Mi querido muchacho, el ministro de la Magia no se habría llevado a Hagrid si no hubiera estado completamente seguro de que era el culpable —dijo Lockhart, en el tono que emplearía cualquiera para explicar que uno y uno son dos.

—Ya lo creo que se lo llevaría —dijo Ron, aún más alto que Dean.

—Me atrevería a suponer que sé *algo* más sobre el arresto de Hagrid que usted, señor Weasley —dijo Lockhart empleando un tono de satisfacción.

Ron comenzó a decir que él no era de la misma opinión, pero se paró en mitad de la frase cuando Harry le dio una patada por debajo del pupitre.

—Nosotros no estábamos allí, ¿recuerdas? —murmuró Harry.

Pero la desagradable alegría de Lockhart, sus insinuaciones acerca de las sospechas que siempre había tenido de que Hagrid no era bueno, su confianza en que todo el asunto había ya tocado a su fin, irritaron tanto a Harry que sintió deseos de tirarle *Una vuelta con los espíritus malignos* a su cara de idiota. Pero en lugar de eso, se conformó con garabatearle a Ron una nota: —*Lo haremos esta noche.*

Ron leyó el mensaje, tragó saliva con esfuerzo, y miró a su lado, el asiento habitualmente ocupado por Hermione. Entonces parecieron desaparecer sus dudas, y asintió con la cabeza.

Aquellos días, la sala común de Gryffindor estaba siempre abarrotada, porque a partir de las seis, los de Gryffindor no tenían otro lugar donde ir. También tenían mucho de qué hablar, así que la sala no se vaciaba hasta pasada la medianoche.

Después de cenar Harry se fue a sacar del baúl su capa para hacerse invisible, y pasó la noche sentado encima de ella, esperando que la sala se despejara. Fred y George los retaron a jugar al Snap Explosivo y Ginny se sentó a contemplarlos, muy retraída en el asiento habitual de Hermione. Harry y Ron perdieron a propósito, intentando acabar pronto, pero incluso así, era bien pasada la medianoche cuando Fred, George y Ginny se marcharon por fin a la cama.

Harry y Ron esperaron a oír cerrarse las puertas de los dos dormitorios antes de tomar la capa, echársela por encima, y pasar por el orificio del retrato.

Fue otro recorrido difícil por el castillo, porque tenían que ir esquivando a los profesores. Al fin llegaron al vestíbulo, descorrieron el pasador de la puerta principal, de roble, se colaron por ella, intentando evitar que hiciera ruido, y salieron a los campos iluminados por la luz de la luna.

—Naturalmente —dijo Ron de pronto, mientras cruzaban a grandes zancadas el negro césped—, podríamos llegar al bosque y darnos cuenta de que no tenemos nada que seguir. A lo mejor las arañas no iban hacia allá. Parecía que sí, pero...

Su voz se fue apagando con un tono de esperanza.

Llegaron a la casa de Hagrid, que estaba triste con sus ventanas tapadas. Cuando Harry abrió la puerta, Fang enloqueció de alegría al verles. Temiendo que despertara a todo el castillo con sus ladridos potentes y retumbantes, se apresuraron a darle de comer caramelos de café con leche que había en una lata sobre la chimenea, con lo que consiguieron pegarle los dientes de arriba a los de abajo.

Harry dejó la capa sobre la mesa de Hagrid. No la necesitarían en el bosque completamente oscuro.

—Vamos, Fang, vamos a dar una vuelta —le dijo Harry, dándole unas palmaditas en la pata, y Fang salió de la casa detrás de ellos, muy contento, fue corriendo hasta el bosque, y levantó la pata al pie de un plátano de gran tamaño.

Harry sacó su varita, murmuró: *Lumos!*, y en su extremo apareció una lucecita diminuta, suficiente para permitirles buscar en el camino señas de las arañas.

—Bien pensado —dijo Ron—. Yo haría lo mismo con la mía, pero ya sabes... seguramente estallaría o algo parecido...

Harry lo tocó en el hombro y le señaló la hierba. Dos arañas solitarias huían de la luz de la varita para internarse en la sombra de los árboles.

—Está bien —suspiró Ron, como resignándose a lo peor—. Estoy dispuesto. Vamos.

De esa forma penentraron en el bosque, con Fang correteando a su lado, olfateando las hojas y las raíces de los árboles. A la luz de la varita mágica de Harry, siguieron la hilera ininterrumpida de arañas que circulaban por el camino. Caminaron unos veinte minutos, sin hablar, con el oído alerta a otros ruidos que no fueran los provenientes de ramas que se rompían o del susurro de las hojas. Luego, cuando el bosque se volvió tan espeso que ya no se apreciaban las estrellas del cielo y la única luz provenía de la varita de Harry, vieron que las arañas se salían del camino.

Harry se detuvo, mirando hacia dónde se dirigían las arañas, pero todo, fuera de su pequeño círculo de luz, era oscuridad impenetrable. Nunca se había internado tanto en el bosque. Podía recordar vívidamente a Hagrid, cuando había entrado con él, advirtiéndole que no se saliera del camino. Pero ahora Hagrid se hallaba a kilómetros de distancia, probablemente sentado en una celda en Azkaban, y les había indicado que siguieran a las arañas.

Harry notó en la mano el contacto de algo húmedo, y dio un salto hacia atrás, pisándolo a Ron en el pie, pero sólo había sido el hocico de Fang.

—¿Qué te parece? —le preguntó Harry a Ron, de quien sólo podía ver los ojos, que reflejaban la lucecita de la varita mágica.

—Hemos llegado hasta aquí... —dijo Ron.

De forma que siguieron a las arañas que se internaban en la espesura. No podían avanzar muy rápido: había tocones y raíces de árboles en su ruta, apenas visibles en la oscuridad. Harry notaba en la mano el cálido aliento de Fang. Tuvieron que detenerse más de una vez para que, de cuclillas, a la luz de la varita, Harry pudiera volver a encontrar a las arañas.

Caminaron durante una media hora por lo menos. Las túnicas se les enganchaban en las ramas bajas y en las zarzas. Al cabo de un rato, notaron que el terreno descendía, aunque seguía igual de espeso.

Entonces, de repente, Fang dejó escapar un ladrido potente, resonante, dándoles un susto tremendo a Harry y a Ron.

—¿Qué? —preguntó Ron en voz alta, mirando en la impenetrable oscuridad y agarrándose con fuerza al hombro de Harry.

—Algo se mueve por ahí —musitó Harry—. Escucha... Parece de gran tamaño.

Escucharon. A cierta distancia a su derecha, aquella cosa

de gran tamaño se abría camino entre los árboles quebrando las ramas a su paso.

—¡Ah no! —exclamó Ron—, ¡ah no, no, no...!

—Calla —dijo Harry, desesperado—. Te oirá.

—¿Oírme? —dijo Ron en una voz anormalmente elevada—. Ya me ha oído. ¡Fang!

La oscuridad parecía apretarles en los ojos mientras aguardaban aterrorizados. Hubo un extraño ruido sordo, y luego silencio.

—¿Qué crees que está haciendo? —preguntó Harry.

—Seguramente, se está preparando para saltar —contestó Ron.

Aguardaron, temblando, sin atreverse apenas a moverse.

—¿Crees que se ha ido? —susurró Harry.

—No sé...

Entonces, a su derecha hubo un resplandor que brilló tanto en la oscuridad que los dos levantaron las manos para cubrirse los ojos. Fang soltó un aullido e intentó correr, pero se enredó en unos espinos, y volvió a aullar aun más fuerte.

—¡Harry! —gritó Ron, tan aliviado que la voz apenas le salía—. ¡Harry, es nuestro coche!

—¿Qué?

—¡Vamos!

Harry siguió a Ron en dirección a la luz, dando tumbos y traspiés, y un instante después, los dos salieron a un claro.

El coche del padre de Ron estaba desocupado en medio de un círculo de gruesos árboles y bajo una espesa urdimbre de ramas, con los faros encendidos. Al caminar Ron hacia él con la boca abierta, el coche se le acercó despacio, como si fuera un perro (de color turquesa) saludando a su amo.

—¡Ha estado aquí todo el tiempo! —dijo Ron emocionado, rodeando el coche—. Míralo: el bosque lo ha vuelto salvaje...

Los guardabarros del coche estaban arañados y embadurnados de barro. Daba la impresión de que había conseguido llegar hasta allí él solo. A Fang no parecía hacerle ninguna gracia: se mantenía pegado a Harry, y Harry podía notar que temblaba. Mientras su respiración se acompasaba, volvió a guardar la varita en su túnica.

—¡Y creíamos que nos iba a atacar! —dijo Ron, inclinándose sobre el coche y dándole unas palmadas—. ¡Me preguntaba dónde habría ido!

Harry afinó la vista en busca de nuevas señas de arañas en el suelo iluminado, pero todas habían huido de la luz de los faros.

—Hemos perdido el rastro —dijo—. Vamos, a buscarlo.

Ron no habló. No se movió. Sus ojos estaba fijos en un punto que se hallaba a unos tres metros del suelo, justo detrás de Harry. Tenía la cara pálida de terror.

Harry ni siquiera tuvo tiempo de volverse. Se oyó un sonoro chasquido, y de repente sintió que algo largo y peludo lo agarraba por el medio del cuerpo y lo levantaba en el aire, colgándolo de cara al suelo. Forcejeando, aterrorizado, pudo oír más chasquidos, y vio que también las piernas de Ron se despegaban del suelo, y oyó a Fang aullando y gimoteando... al momento siguiente, lo arrastraron por entre los oscuros árboles.

Con la cabeza colgando, Harry vio que la cosa que lo sujetaba caminaba sobre seis patas inmensamente largas y peludas, y las dos delanteras lo aferraban bajo un par de relucientes pinzas negras. Tras él podía oír a otra criatura igual, que sin duda llevaba a Ron. Se encaminaban hacia el corazón del bosque. Harry pudo ver a Fang que forcejeaba intentando liberarse de un tercer monstruo, aullando con fuerza, pero Harry no hubiera podido gritar aunque hubiera querido: parecía como si su voz se le hubiera quedado junto al coche, en el claro.

Nunca sabría cuánto tiempo pasó en las garras de la criatura. Sólo se dio cuenta de que de repente hubo la suficiente claridad como para ver que el suelo cubierto antes de hojas estaba en ese momento abarrotado de arañas. Estirando a un lado el cuello, comprendió que habían llegado al borde de una vasta hondonada, una hondonada que estaba libre de árboles, así que las estrellas brillaban sobre el paisaje más horrible que nunca hubiera visto.

Arañas. No arañas diminutas como aquellas que iban antes por las hojas. Arañas del tamaño de caballos, con ocho ojos y ocho patas negras, peludas y gigantescas. El ejemplar que transportaba a Harry se abría camino, bajando por la brusca pendiente, hacia una telaraña como una cúpula de niebla que había en el centro de la hondonada, mientras sus compañeras se acercaban por todas partes chasqueando sus pinzas, emocionadas a la vista de su carga.

Cuando la araña lo soltó, Harry cayó al suelo en cuatro patas. A su lado, haciendo un ruido sordo, cayeron Ron y Fang. Éste ya no aullaba, pero se encogió en silencio en el mismo punto en que había caído. Ron parecía encontrarse tan mal como Harry había supuesto. Su boca se había abierto en una especie de grito mudo y los ojos se le salían de las órbitas.

De pronto Harry se dio cuenta de que la araña que lo había dejado caer estaba hablando. No era fácil darse cuenta de ello, porque hacía sonar sus pinzas a cada palabra que decía:

—¡Aragog! —llamaba—, ¡Aragog!

Y del medio de la gran telaraña salió, muy despacio, una araña del tamaño de un elefante pequeño. El negro de su cuerpo y sus piernas estaba manchado de gris, y cada uno de los ojos de su cabeza horrible llena de pinzas era de un blanco lechoso. Era ciega.

—¿Qué es? —dijo, golpeteando muy rápido sus pinzas.

—Hombres —chascó la araña que había llevado a Harry.

—¿Es Hagrid? —dijo Aragog, acercándose, moviendo vagamente sus ocho ojos lechosos.

—Desconocidos —chascó la araña que había llevado a Ron.

—Mátenlos —chascó Aragog con fastidio—. Estaba durmiendo...

—Somos amigos de Hagrid —gritó Harry. Sentía como si el corazón se le hubiera escapado del pecho y estuviera retumbando en su garganta.

—Clic, clic, clic —hicieron las pinzas de todas las arañas en la hondonada.

Aragog se detuvo:

—Nunca antes Hagrid había enviado hombres a nuestra hondonada —dijo despacio.

—Hagrid está metido en un grave problema —dijo Harry, respirando muy rápido—. Por eso hemos venido nosotros.

—¿En un grave problema? —dijo la araña anciana, con lo que a Harry le pareció un tono de preocupación en sus pinzas—. Pero ¿por qué los ha enviado?

Harry quiso levantarse, pero decidió no hacerlo: no creyó que las piernas lo pudieran sostener. Así que habló desde el suelo, lo más tranquilamente que pudo.

—Piensan, en el colegio, que Hagrid se ha metido en... en... algo con los estudiantes. Se lo han llevado a Azkaban.

Aragog chascó sus pinzas, enojado, y el resto de las arañas de la hondonada hizo lo mismo: era algo parecido a los aplausos, sólo que los aplausos no solían aterrorizar a Harry.

—Pero eso fue hace años —dijo Aragog con fastidio—. Hace años y años. Lo recuerdo bien. Por eso lo echaron del colegio. Creyeron que yo era el monstruo que vivía en lo que ellos llaman la Cámara de los Secretos. Creyeron que Hagrid había abierto la Cámara y me había liberado.

—Y tú... ¿tú no saliste de la Cámara de los Secretos? —dijo Harry, notando un sudor frío en la frente.

—¡Yo! —dijo Aragog, chascando de enfado—. Yo no nací en el castillo. Vine de una lejana tierra. Un viajero me regaló a Hagrid cuando yo estaba en el huevo. Hagrid sólo era un niño, pero me cuidó, me escondió en un armario del castillo, me alimentó con sobras de la mesa. Hagrid es gran amigo mío y un gran hombre. Cuando me descubrieron y me culparon por la muerte de una chica, él me protegió. Desde entonces, he vivido siempre en el bosque, donde Hagrid aún viene a verme. Hasta me encontró una esposa, Mosag, y ya veis cómo ha crecido mi familia, gracias a la bondad de Hagrid...

Harry reunió el valor que le quedaba:

—Así que tú nunca... ¿nunca atacaste a nadie?

—Nunca —dijo la vieja araña con voz ronca—. Mi instinto me hubiera empujado a ello, pero, por consideración a Hagrid, nunca le hice daño a un ser humano. El cuerpo de la muchacha asesinada fue descubierto en los baños. Yo nunca vi nada del castillo salvo el armario en que crecí. A nuestra especie le gusta la oscuridad y el silencio.

—Pero entonces... ¿sabes qué es lo que mató a la chica? —preguntó Harry—. Porque, sea lo que fuere, ha vuelto a atacar a la gente...

Los chasqueos y el ruido de muchas patas que se movían de enojo ahogaron sus palabras. Al mismo tiempo se desplazaron grandes formas negras.

—Lo que habita en el castillo —dijo Aragog— es una antigua criatura a la que las arañas tememos más que a ninguna otra cosa. Recuerdo bien cómo le rogué a Hagrid que me dejara ir, cuando me di cuenta de que la bestia circulaba por el castillo.

—¿Qué es? —dijo Harry de inmediato.

Chascaron las pinzas más fuerte. Parecía que las arañas se acercaban.

—¡No hablamos de eso! —dijo con furia Aragog—. ¡No lo nombramos! Ni siquiera a Hagrid le dije nunca el nombre de esa horrible criatura, aunque me preguntó varias veces.

Harry no quiso insistir, no con las arañas acercándose más cada vez por todos lados. Aragog parecía cansada de hablar. Regresaba despacio a su telaraña, pero las demás arañas seguían acercándose, poco a poco, a Harry y Ron.

—En ese caso, ya nos vamos.

—¿Irse? —murmuró Aragog—. Me parece que no...

—Pero, pero...

—Mis hijos e hijas no le hacen daño a Hagrid, esa es mi orden. Pero no puedo negarles un poco de carne fresca cuando se nos pone delante voluntariamente. Adiós, amigo de Hagrid.

Harry miró a todos lados. A muy poca distancia, mucho más alto que él, había un frente de arañas, como un muro macizo, chascando sus pinzas y con su multitud de ojos brillando en las horribles cabezas negras...

Al tomar su varita, Harry sabía que no le iba a servir, que había demasiadas arañas, pero estaba dispuesto a morir luchando, y en ese instante se oyó un ruido fuerte, y un destello de luz iluminó la hondonada.

El coche del padre de Ron rugía bajando la hondonada, con los faros encendidos, tocando la bocina, apartando a las arañas al chocar con ellas. Algunas caían del revés, y agitaban sus largas patas en el aire. El coche se detuvo con un chirrido delante de Harry y Ron, y abrió las puertas.

—¡Levanta a Fang! —gritó Harry, metiéndose en el asiento delantero; Ron agarró al perro por el medio del cuerpo y lo metió (no paraba de aullar) en los asientos de atrás. Las puertas se cerraron de golpe. Ni Ron puso el pie en el acelerador ni falta que hizo. El motor dio un rugido, y el coche salió atropellando arañas. Subieron la cuesta a toda velocidad, saliendo de la hondonada, y enseguida se internaron en el bosque chocando contra todo, con las ramas golpeando las ventanillas mientras el coche se abría camino hábilmente a través de los espacios más amplios, siguiendo un camino que obviamente conocía.

Harry miró a Ron, a su lado. Su boca aún conservaba la mueca del grito mudo, pero sus ojos ya no estaban desorbitados.

—¿Estás bien?

Ron miraba hacia adelante, incapaz de hablar.

Se abrieron camino a través de la maleza, con Fang aullando sonoramente en el asiento de atrás, y Harry vio que, al pasar rozando un roble, el retrovisor exterior se arrancó. Después de diez minutos de ruido y tambaleo, el bosque se hizo más ralo, y pudo verse de nuevo algún trozo de cielo.

El coche frenó tan bruscamente que casi salen por el parabrisas. Habían llegado al final del bosque. Fang se abalanzó contra la ventanilla en su impaciencia por salir, y cuando Harry le abrió la puerta, corrió por entre los árboles, con la cola entre las patas, hasta la casa de Hagrid. Harry también salió y después de un minuto poco más o menos, Ron pareció haber recuperado el movimiento en sus miembros y lo siguió, aún con el cuello rígido y los ojos fijos. Harry le dio al coche una palmada de agradecimiento, y éste volvió a internarse en el bosque y desapareció de la vista.

Harry entró en la cabaña de Hagrid a tomar la capa para volverse invisibles. Fang estaba en su cesta, temblando debajo de su manta. Cuando Harry volvió a salir, vio a Ron vomitando en la parcela de las calabazas.

—Sigan a las arañas —dijo Ron sin fuerzas, limpiándose la boca con la manga—. Nunca perdonaré a Hagrid. Estamos vivos de milagro.

—Apuesto a que no pensaba que Aragog pudiera hacerles daño a sus amigos —dijo Harry.

—¡Ése es exactamente el problema de Hagrid! —dijo Ron, golpeando la pared de la cabaña—. ¡Siempre se cree que los monstruos no son tan malos como parecen, y mira a dónde lo ha llevado esa creencia! ¡A una celda en Azkaban! —No podía dejar de temblar. —¿Qué pretendía enviándonos allá? Me gustaría saber qué es lo que hemos averiguado.

—Que Hagrid no abrió nunca la Cámara de los Secretos —contestó Harry, echando la capa sobre Ron y dándole codazos en el brazo para hacerlo andar—. Es inocente.

Ron exhaló un fuerte resoplido. Evidentemente, criar a Aragog en un armario no era su idea de la inocencia.

Al aproximarse al castillo, Harry colocó mejor la capa para asegurarse de que no se les veían los pies, empujó luego la puerta principal, despacio para que no chirriara, hasta dejarla entreabierta. Entraron con cuidado por el vestíbulo y subieron la escalera de mármol, conteniendo la respiración al pasar por los corredores por los que paseaban los centinelas. Por fin llegaron a la seguridad de la sala común de Gryffindor, donde el fuego se había convertido en cenizas y unas pocas brasas. Se desprendieron de la capa, y ascendieron por la escalera circular hasta el dormitorio.

Ron cayó en la cama sin preocuparse de desvestirse. Harry, por el contrario, no tenía demasiado sueño. Se sentó en el borde de la cama, pensando en todo lo que había dicho Aragog.

La criatura que merodeaba por algún lugar del castillo, pensó, se parecía a Voldemort, incluso en el hecho de que otros monstruos no quisieran mencionar su nombre. Pero Ron y él no se encontraban más cerca de averiguar qué era ni cómo había petrificado a sus víctimas. Ni siquiera Hagrid había sabido nunca qué había en la Cámara de los Secretos.

Harry subió los pies a la cama y se reclinó contra las almohadas, contemplando la luna que brillaba para él a través de la ventana de la torre.

No comprendía qué otra cosa podía hacer. Nada de lo que habían intentado hasta ese momento los había llevado a ninguna parte. Riddle había atrapado al que no era, el heredero de Slytherin había escapado, y nadie sabía si sería o no la misma persona que había vuelto a abrir la Cámara. No quedaba nadie a quien preguntar. Harry permaneció acostado, sin dejar de pensar en lo que había dicho Aragog.

Estaba adormeciéndose cuando dio con una última esperanza, y se incorporó de repente.

—Ron —susurró en la oscuridad—: ¡Ron!

Ron despertó con un aullido como los de Fang, miró como loco, y vio a Harry.

—Ron: la chica que murió. Aragog dijo que fue hallada en unos baños —dijo Harry, sin hacer caso a los ronquidos de Neville que venían del rincón—. ¿Y si no hubiera abandonado nunca los baños? ¿Y si todavía estuviera allí?

Ron se frotó los ojos, frunciendo la frente a la luz de la luna. Y entonces comprendió:

—No pensarás... ¿en *Myrtle la Llorona*?

— CAPÍTULO DIECISÉIS —

La Cámara de los Secretos

—Tantas veces como hemos estado en ese baño, con ella a tres cabinas de distancia —dijo Ron con amargura en el desayuno del día siguiente—, y podríamos haberle preguntado, pero ahora...

Ya había resultado bastante duro buscar arañas. Burlar a los profesores para meterse en el baño de las chicas, el baño que, por otra parte, estaba justo junto al lugar en que había ocurrido el primer ataque, resultaría prácticamente imposible.

Pero sucedió algo en la primera clase, Transfiguración, que por primera vez en varias semanas les quitó de la mente la Cámara de los Secretos. A los diez minutos de clase, la profesora McGonagall les dijo que los exámenes comenzarían el 1º de junio, para lo que faltaba una semana.

—¿*Exámenes*? —aulló Seamus Finnigan—. ¿Vamos a tener *exámenes* a pesar de todo?

Sonó como un golpe fuerte detrás de Harry cuando a Neville Longbottom se le cayó la varita mágica, haciendo desaparecer una de las patas del pupitre. La profesora McGonagall volvió a hacerla aparecer con un movimiento de su propia varita, y se volvió, frunciendo el ceño, hacia Seamus.

—El único propósito de mantener el colegio en funcionamiento en estas circunstancias es el de darles una educación —dijo con severidad—. Los exámenes por lo tanto se desarrollarán como de costumbre, y confío en que estén todos estudiando duro.

¡Estudiando duro! Nunca se le ocurrió a Harry que pudiera haber exámenes con el castillo en aquel estado. Hubo murmullos rebeldes en toda el aula, lo que provocó que la profesora McGonagall frunciera el ceño aún más.

—Las instrucciones del profesor Dumbledore fueron que el colegio prosiguiera su marcha con toda la normalidad posible —dijo—. Y eso, no necesito explicarlo, implica averiguar cuánto han aprendido en este curso.

Harry contempló el par de conejos blancos que se suponía que tenía que convertir en zapatillas. ¿Qué había aprendido él en aquel curso? No le venía a la cabeza ni una sola cosa que pudiera resultar útil en un examen.

En cuanto a Ron, parecía como si le acabaran de decir que tenía que irse a vivir al bosque prohibido.

—¿Puedes imaginarme haciendo los exámenes con esto? —le preguntó a Harry, levantando su varita, que se había puesto a silbar.

Tres días antes de su primer examen, durante el desayuno, la profesora McGonagall hizo otro anuncio a la clase:

—Tengo buenas noticias —dijo, y el Gran Salón, en lugar de quedar en silencio, estalló en alborozo:

—¡Vuelve Dumbledore! —dijeron varios, entusiasmados.

—¡Han atrapado al heredero de Slytherin! —gritó una chica desde la mesa de Ravenclaw.

—¡Vuelven los partidos de *quidditch*! —bramó Wood emocionado.

Cuando se calmó el alboroto, dijo la profesora McGonagall:

—La profesora Sprout me ha informado que las mandrágoras ya están listas para ser cortadas. Esta noche podremos revivir a las personas petrificadas. Apenas necesito recordarles que alguno quizá pueda decirnos quién, o qué, los atacó. Tengo la esperanza de que este horroroso curso acabe con la captura del culpable.

Hubo una explosión de alegría. Harry miró la mesa de Slytherin y no se sorprendió de ver que Draco Malfoy no participaba de ella. Ron, sin embargo, parecía más feliz que en ningún otro momento de los últimos días.

—¡Siendo así, no tendremos que preguntarle a Myrtle! —le dijo a Harry—. ¡Hermione tendrá la respuesta cuando ellos la despierten! Aunque se volverá loca cuando se entere de que quedan tres días para el comienzo de los exámenes. No ha podido estudiar. Sería más gentil por nuestra parte dejarla como está hasta que hayan terminado.

En ese mismo instante, Ginny Weasley se acercó y se sentó junto a Ron. Parecía tensa y nerviosa, y Harry notó que se retorcía las manos en el regazo.

—¿Qué pasa? —le preguntó Ron, sirviéndose más avena.

Ginny no dijo nada, pero miró la mesa de Gryffindor de un lado a otro con una expresión asustada que a Harry le recordaba a alguien, aunque no sabía a quién.

—Suéltalo ya —le dijo Ron, mirándola.

Harry, entonces, comprendió a quién le parecía Ginny. Se balanceaba ligeramente hacia atrás y hacia adelante en la silla, exactamente igual que lo hacía Dobby cuando estaba a punto de revelar información prohibida.

—Tengo algo que decirles —masculló Ginny, evitando cuidadosamente mirar a Harry.

—¿Qué es? —preguntó éste.

Parecía como si Ginny no pudiera encontrar las palabras adecuadas.

—¿*Qué?* —apremió Ron.

Ginny abrió la boca, pero no salió de ella ningún sonido. Harry se inclinó hacia adelante y habló en voz baja, para que sólo lo pudieran oír Ron y Ginny.

—¿Tiene que ver con la Cámara de los Secretos? ¿Has visto algo? ¿Alguien haciendo algo sospechoso?

Ginny exhaló aire, y en ese preciso momento apareció Percy Weasley, pálido y fatigado.

—Si has terminado de comer, me sentaré en tu sitio, Ginny. Estoy muerto de hambre. Acabo de terminar la ronda.

Ginny saltó de la silla como si le hubiera dado corriente, echó a Percy una mirada breve y aterrorizada, y escapó. Percy se sentó y agarró una jarra del centro de la mesa.

—¡Percy! —dijo Ron enfadado—. ¡Estaba a punto de contarnos algo importante!

Percy se atragantó en medio de un sorbo de té.

—¿Qué era eso tan importante? —preguntó, tosiendo.

—Yo le acababa de preguntar si había visto algo raro, y ella se disponía a decir...

—¡Ah! Eso... no tiene nada que ver con la Cámara de los Secretos —dijo Percy de inmediato.

—¿Cómo lo sabes? —dijo Ron, levantando las cejas.

—Bueno, si es imprescindible que te lo diga, Ginny, eh..., me encontró el otro día cuando yo estaba... bueno, no importa... el caso es... que ella me vio hacer algo y yo, hum, le pedí que no se lo dijera a nadie. Tengo que decir que creía que mantendría su palabra. No es nada, de verdad, pero preferiría...

Harry nunca había visto a Percy tan incómodo.

—¿Qué hacías, Percy? —preguntó Ron, sonriendo—. Vamos, dínoslo, no nos reiremos.

Percy no devolvió la sonrisa.

—Pásame esos bollos, Harry, me muero de hambre.

Harry sabía que todo el misterio podría resolverse al día siguiente sin su ayuda, pero, si se presentara, no dejaría escapar la oportunidad de hablar con Myrtle. Y afortunadamente se presentó, a media mañana, cuando Gilderoy Lockhart los conducía al aula de Historia de la Magia.

Lockhart, que tan a menudo les había asegurado que todo peligro había pasado, sólo para que se demostrara enseguida que estaba equivocado, estaba ahora plenamente convencido de que no valía la pena acompañar a los alumnos por los pasillos. No llevaba el pelo tan acicalado como de costumbre: parecía que había estado levantado casi toda la noche, haciendo guardia en el cuarto piso.

—Recuerden mis palabras —dijo, doblando con ellos una esquina—: lo primero que dirán las bocas de esos pobres petrificados será: *Fue Hagrid*. Francamente, me sorprende que la profesora McGonagall juzgue necesarias todas estas medidas de seguridad.

—Estoy de acuerdo, señor —dijo Harry, y a Ron se le cayeron los libros de la sorpresa.

—Gracias, Harry —dijo Lockhart cortésmente, mientras esperaban que pasara una larga fila de alumnos de Hufflepuff—. Nosotros los profesores tenemos mucho que hacer aparte de acompañar a los alumnos por los pasillos y quedarnos de guardia toda la noche...

—Es verdad —dijo Ron, comprendiendo—. ¿Por qué no nos deja aquí, señor? Sólo nos queda este pasillo.

—¿Sabes, Weasley? Creo que tienes razón —respondió Lockhart—. Realmente, debería ir a preparar mi próxima clase. Y salió apresuradamente.

—A preparar su próxima clase —dijo Ron con sorna—. A ondularse el cabello, más bien.

Dejaron al resto de la clase que pasara delante, y luego enfilaron por un pasillo lateral y corrieron hacia el baño de Myrtle la Llorona. Pero justo cuando se felicitaban uno al otro por su brillante idea...

—¡Potter!, ¡Weasley!, ¿qué están haciendo?

Era la profesora McGonagall, y tenía los labios más apretados que nunca.

—Estábamos... estábamos... —balbuceó Ron—. Íbamos a ver...

—A Hermione —dijo Harry. Tanto Ron como la profesora McGonagall lo miraron.

—Hace años que no la vemos, profesora —continuó Harry hablando rápido y pisándole el pie a Ron—, y pretendíamos colarnos en la enfermería, ya sabe, y decirle que las mandrágoras ya están casi listas y, bueno, que no se preocupara.

La profesora McGonagall seguía mirándolo, y por un momento, Harry pensó que iba a estallar de furia, pero cuando habló lo hizo con voz extrañamente enronquecida.

—Naturalmente —dijo, y Harry, sorprendido, vio que brillaba una lágrima en uno de sus ojos redondos y brillantes—. Naturalmente, comprendo que todo esto ha sido más duro para los amigos de los que están... Lo comprendo perfectamente. Sí, Potter, claro que pueden ver a la señorita Granger. Informaré al profesor Binns de dónde han ido. Díganle a la señora Pomfrey que les he dado permiso.

Harry y Ron se alejaron, sin atreverse a creer que se hubieran librado del castigo. Al doblar la esquina, oyeron claramente a la profesora McGonagall sonarse la nariz.

—Ésa —dijo Ron con fervor— ha sido la mejor historia que has inventado nunca.

No tenían otra opción que ir a la enfermería y decirle a la señora Pomfrey que la profesora McGonagall les había dado permiso para visitar a Hermione.

La señora Pomfrey los dejó entrar, pero a regañadientes.

—No sirve de nada hablarle a alguien petrificado —les dijo, y ellos, al sentarse al lado de Hermione, tuvieron que admitir que tenía razón. Era evidente que Hermione no tenía la más remota idea de que estaba teniendo visita, y que lo mismo daría que lo de que no se preocupara se lo dijeran a la mesita de noche.

—¿Habrá visto al atacante? —preguntó Ron, mirando con tristeza el rostro rígido de Hermione—. Porque si se apareció sigilosamente, quizá no lo haya visto ninguno...

Pero Harry no miraba el rostro de Hermione. Estaba más interesado en su mano derecha, que estaba apretada encima de las mantas, e inclinándose más, vio que tenía dentro del puño un trozo de papel estrujado.

Asegurándose de que la señora Pomfrey no estaba cerca, se lo señaló a Ron:

—Intenta sacárselo —susurró Ron, corriendo su silla para ocultar a Harry de la vista de la señora Pomfrey.

No era una tarea fácil. La mano de Hermione apretaba con tal fuerza el papel que Harry estaba convencido de que éste se rasgaría. Mientras Ron lo tapaba, él tiraba y forcejeaba, y, al fin, después de varios minutos de tensión, el papel salió.

Era una página rasgada de un libro muy viejo. Harry la alisó con emoción y Ron se inclinó para leerlo también:

De las muchas pavorosas bestias y terribles monstruos que vagan por nuestra tierra, no hay ninguna más sorprendente ni más letal que el basilisco, conocido como el rey de las serpientes. Esta serpiente, que puede alcanzar un gigantesco tamaño y cuya vida dura varios siglos, nace de un huevo de gallina empollado por un sapo. Sus métodos de matar son de lo más extraordinario, pues además de sus colmillos mortalmente venenosos, el basilisco mata con la mirada, y todos cuantos fijaren su vista en el brillo de sus ojos han de sufrir instantánea muerte. Las arañas huyen del basilisco, pues es éste su mortal enemigo, y el basilisco huye sólo del canto del gallo, que le es fatal.

Y debajo de esto, había sido escrita una sola palabra, con una letra que Harry reconoció como la de Hermione: *Cañerías*.

Fue como si alguien hubiera prendido la luz de repente en su cerebro.

—Ron —musitó—: ¡Esto es! Aquí está la respuesta. El monstruo de la Cámara es un *basilisco*: ¡una serpiente gigante! Por eso yo he oído esa voz por todo el colegio, y ningún otro la ha oído: porque yo comprendo la lengua *pársel*...

Harry miró las camas que había alrededor.

—El basilisco mata a la gente con la mirada. Pero no ha muerto ninguno. Porque ninguno lo miró directo a los ojos. Colin lo vio a través de su cámara de fotos. El basilisco quemó toda la película que había dentro, pero a Colin sólo lo petrificó. Justin... ¡Justin debe de haber visto al basilisco a través de Nick Casi Decapitado! Nick lo vería perfectamente, pero no podía morir *otra vez*... Y a Hermione y la prefecto de Ravenclaw las hallaron con aquel espejo al lado. Hermione acababa de comprender que el monstruo era un basilisco. ¡Apostaría algo a que ella le advirtió a la primera persona que encontró que mirara por un espejo antes de doblar las esquinas! Y entonces sacó el espejo y...

Ron se había quedado con la boca abierta.

—¿Y la señora Norris? —susurró con interés.

Harry hizo un gran esfuerzo por concentrarse, recordando la imagen de la noche de Halloween.

—El agua... la inundación desde el baño de Myrtle la Llorona. Seguro que la Señora Norris sólo vio el reflejo...

Con impaciencia, examinó la hoja que tenía en la mano. Cuanto más la miraba más sentido le hallaba.

—*¡El canto del gallo le es fatal!* —leyó en voz alta—. ¡Mató a los gallos de Hagrid! El heredero de Slytherin no quería que hubiera ninguno cuando se abriera la Cámara de los Secretos. *¡Las arañas huyen de él!* ¡Todo encaja!

—Pero ¿cómo se mueve el basilisco por el castillo? —dijo Ron—. Una serpiente asquerosa... alguien tendría que verla...

Harry, sin embargo, le señaló la palabra que Hermione había garabateado al pie de la hoja.

—Cañerías —leyó—. Cañerías... Ha estado usando las

cañerías, Ron. Y yo he oído esa voz dentro de las paredes...

Ron, de pronto, lo tomó del brazo.

—¡La entrada de la Cámara de los Secretos! —dijo con la voz quebrada—. ¿Y si es uno de los baños? ¿Y si estuviera en...?

—...*el baño de Myrtle la Llorona* —terminó Harry.

Se sentaron allí, embargados por la emoción, apenas capaces de creerlo.

—Esto quiere decir —añadió Harry—, que no puedo ser yo el único que habla *pársel* en el colegio. El heredero de Slytherin también lo hace. De esa forma domina al basilisco.

—¿Qué hacemos? ¿Vamos directamente a hablar con McGonagall?

—Vamos a la sala de profesores —dijo Harry, dando un salto—. Llegará allí en diez minutos, ya es casi el recreo.

Bajaron las escaleras corriendo. Como no querían que los volvieran a encontrar merodeando por otro pasillo, fueron directamente a la desierta sala de profesores. Era una sala grande, revestida con paneles, llena de sillas de madera. Harry y Ron caminaron por ella, demasiado nerviosos para sentarse.

Pero la campana que señalaba el comienzo del recreo no sonó.

En su lugar se oyó la voz de la profesora McGonagall, amplificada por medios mágicos:

—*Todos los alumnos volverán de inmediato a los dormitorios de sus respectivas casas. Los profesores deben dirigirse a la sala de profesores. Les ruego que se den prisa.*

Harry se volvió hacia Ron.

—¿Habrá habido otro ataque? ¿Precisamente ahora?

—¿Qué hacemos? —dijo Ron, aterrorizado—. ¿Regresamos al dormitorio?

—No —dijo Harry, mirando alrededor. Había una especie de feo ropero a su izquierda, lleno de capas de profesores.

—Aquí podremos enterarnos de qué ha pasado. Luego les diremos lo que hemos averiguado.

Se ocultaron dentro del ropero, escuchando el ruido de cientos de personas que pasaban por allí. La puerta de la sala de profesores se abrió de golpe. Por entre los pliegues con olor a humedad de las capas, vieron a los profesores que iban pasando a la sala. Algunos parecían desconcertados, otros

claramente preocupados. Luego llegó la profesora McGonagall.

—Ha sucedido —dijo a la sala, que la escuchaba en silencio—. Una alumna ha sido raptada por el monstruo. Se la ha
llevado a la Cámara.

El profesor Flitwick dejó escapar un grito. La profesora
Sprout se tapó la boca con las manos. Snape se agarró con
fuerza al respaldo de una silla y preguntó:

—¿Está usted segura?

—El heredero de Slytherin —dijo la profesora McGonagall, que estaba pálida— ha dejado un nuevo mensaje.
Justo debajo del primero: *Su esqueleto yacerá en la Cámara
por siempre.*

El profesor Flitwick derramó varias lágrimas.

—¿Quién ha sido? —preguntó la señora Hooch, que se
había dejado caer en una silla porque las rodillas no la sopor-
taban—. ¿Qué alumna?

—Ginny Weasley —dijo la profesora McGonagall.

Harry notó que Ron caía a su lado, silenciosamente, sobre
el suelo del ropero.

—Tendremos que enviar a todos los estudiantes a casa
mañana —dijo la profesora McGonagall—. Éste es el fin de
Hogwarts. Dumbledore siempre dijo...

La puerta de la sala de profesores volvió a abrirse bruscamente. Por un momento, Harry estuvo convencido de que
era Dumbledore. Pero era Lockhart, y llegaba sonriendo.

—Lo lamento... me quedé dormido... ¿me he perdido algo
importante?

No parecía darse cuenta de que los demás profesores lo
miraban con expresión de odio. Snape dio un paso hacia adelante.

—He aquí el hombre —dijo—. El hombre adecuado. El
monstruo ha raptado a una chica, Lockhart. Se la ha llevado
a la Cámara de los Secretos. Por fin ha llegado tu oportunidad.

Lockhart palideció.

—Así es, Gilderoy —intervino la profesora Sprout—. ¿No
decías anoche que sabías dónde estaba la entrada a la Cámara
de los Secretos?

—Yo... bueno, yo... —resopló Lockhart.

—Sí, y ¿no me dijiste que estabas seguro de qué era lo que había dentro? —prorrumpió el profesor Flitwick.

—¿Yo...? No recuerdo...

—Ciertamente, yo sí que recuerdo que lamentabas no haber tenido una oportunidad con el monstruo antes de que arrestaran a Hagrid —dijo Snape—. ¿No decías que todo el asunto se había llevado mal, y que deberíamos haberlo dejado todo en tus manos desde el principio?

Lockhart miró los rostros pétreos de sus colegas.

—Yo... yo nunca realmente... Deben de haberme interpretado mal...

—Dejaremos todo en tus manos, Gilderoy —dijo la profesora McGonagall—. Esta noche será un momento excelente para llevarlo a cabo. Nos aseguraremos de que nadie te moleste. Podrás enfrentarte al monstruo tú mismo. Por fin está en tus manos.

Lockhart miró en torno desesperado, pero nadie acudió en su auxilio. Ya no resultaba tan atractivo. Le temblaba el labio, y en ausencia de su sonrisa de dientes blancos, parecía flojo y debilucho.

—Mu... muy bien —dijo—. Estaré en mi despacho, pre... preparándome.

Y salió de la sala.

—Bien —dijo la profesora McGonagall, resoplando—, eso nos lo quitará de delante. Los Jefes de las Casas deberían ir ahora a informar a los alumnos de lo ocurrido. Díganles que el Expreso de Hogwarts los conducirá a sus hogares mañana a primera hora de la mañana. A los demás les ruego que se encarguen de asegurarse de que no hay ningún alumno fuera de sus dormitorios.

Los profesores se levantaron, y fueron saliendo uno a uno.

Era, seguramente, el peor día de la vida de Harry. Él, Ron, Fred y George se sentaron juntos en un rincón de la sala común de Gryffindor, incapaces de pronunciar palabra. Percy no estaba allí. Les había enviado una lechuza a sus padres, y luego se había encerrado en su dormitorio.

Ninguna tarde había sido tan larga como aquélla, y nunca la torre de Gryffindor había estado tan llena de gente, ni tan silenciosa. Cuando faltaba poco para el crepúsculo, Fred y George se fueron a la cama, incapaces de permanecer sentados allí más tiempo.

—Ella sabía algo, Harry —dijo Ron, hablando por primera vez desde que entraron en el ropero de la sala de profesores—. Por eso la han raptado. No se trataba de ninguna estupidez sobre Percy, había averiguado algo sobre la Cámara de los Secretos. Debe de ser por eso, porque ella era... —Ron se frotó los ojos frenético— quiero decir, que era de sangre limpia. No puede haber otra razón.

Harry podía ver en el horizonte hundirse el sol, rojo como la sangre. Nunca se había sentido tan mal. Si pudiera hacer algo. Cualquier cosa.

—Harry —dijo Ron—, ¿crees que existe alguna posibilidad de que ella no esté...? ya sabes.

Harry no supo qué contestar. No creía que pudiera seguir viva.

—¿Sabes una cosa? —dijo Ron—, deberíamos ir a ver a Lockhart. Para decirle lo que sabemos. Va a intentar entrar en la Cámara. Podemos decirle dónde sospechamos que está, y explicarle que lo que hay dentro es un basilisco.

Harry se mostró de acuerdo porque no se le ocurría nada mejor, y quería hacer algo. Los demás alumnos de Gryffindor estaban tan tristes, y sentían tanta pena de los Weasley, que nadie trató de detenerlos cuando se levantaron, cruzaron la sala, y salieron por el orificio del retrato.

Oscurecía mientras se acercaban al despacho de Lockhart. Les dio la impresión de que dentro había gran actividad: podían oír sonido de roces, golpes y pasos apresurados.

Harry llamó y dentro se hizo un repentino silencio. Luego se abrió una diminuta rendija en la puerta, y vieron que se asomaba por ella uno de los ojos de Lockhart.

—¡Ah...! Señor Potter... Señor Weasley... —dijo, abriendo la puerta un poco más—. En este momento estaba muy ocupado. Si se dan prisa...

—Profesor, tenemos información para usted —dijo Harry—. Creemos que le será útil.

—Eh... bueno... no es muy... —El lado del rostro de Lockhart que podían ver parecía encontrarse muy incómodo. —Quiero decir, bueno, bien.

Abrió la puerta y entraron.

El despacho estaba casi completamente vacío. En el suelo había dos grandes baúles abiertos. En uno de ellos había túnicas de color verde jade, lila, azul medianoche, dobladas con precipitación; en el otro, libros mezclados desordenadamente. Las fotografías que habían cubierto las paredes estaban ahora guardadas en cajas encima de la mesa.

—¿Se va a algún lado? —preguntó Harry.

—Eh... bueno, sí... —admitió Lockhart, arrancando un póster de sí mismo de tamaño natural y comenzando a enrollarlo—. Una llamada urgente... insoslayable... tengo que marchar...

—¿Y mi hermana? —preguntó Ron con voz entrecortada.

—Bueno, en cuanto a eso... qué lamentable —dijo Lockhart, evitando mirarlo a los ojos mientras sacaba un cajón y empezaba a vaciar el contenido en una bolsa—. Nadie lo lamenta más que yo...

—¡Usted es el profesor de Defensa contra las Artes Tenebrosas! —dijo Harry—. ¡No puede irse ahora! ¡No con todas las cosas tenebrosas que están pasando!

—Bueno, he de decir... cuando acepté el empleo... —murmuró Lockhart, amontonando medias sobre las túnicas—, no constaba nada en el contrato... yo no esperaba...

—¿Quiere decir que *va a salir corriendo*? —dijo Harry sin poder creerlo—. ¿Después de todo lo que cuenta en sus libros?

—Los libros pueden ser mal interpretados —repuso Lockhart con sutileza.

—¡Usted los ha escrito! —gritó Harry.

—Muchacho —dijo Lockhart, poniéndose derecho y mirando a Harry con el ceño fruncido—, usa tu sentido común. No habría vendido mis libros ni la mitad de bien si la gente no se hubiera creído que *yo hice* todas esas cosas. A nadie le interesa la historia de un mago armenio feo y viejo, aunque librara de los hombres-lobo a un pueblo. Habría quedado horrible en la portada. No tenía ningún gusto vistiendo. Y la bruja que echó a la *banshee* que presagiaba la muerte tenía labio leporino. Quiero decir... vamos...

—¿Así que usted se ha estado llevando la gloria de lo que ha hecho otra gente? —dijo Harry, sin poderlo creer.

—Harry, Harry —dijo Lockhart, negando con la cabeza—, no es tan simple. Tuve que hacer un gran trabajo. Tuve que encontrar a esas personas, preguntarles cómo exactamente lo habían hecho, y encantarlas con el embrujo desmemorizante para que no pudieran recordar nada. Si hay algo que me llena de orgullo, son mis embrujos desmemorizantes. Ah, me ha llevado mucho esfuerzo, Harry. No consiste todo en firmar libros y fotos publicitarias, ya sabes. Si quieres ser famoso, tienes que prepararte a trabajar duro.

Cerró las tapas de los baúles y les echó llave.

—Veamos —dijo—. Creo que eso es todo. Sí. Sólo queda un detalle.

Sacó su varita mágica y se volvió hacia ellos.

—Lo lamento profundamente, muchachos, pero ahora les tengo que echar uno de mis embrujos desmemorizantes. No puedo permitir que le revelen a todo el mundo mis secretos. No volvería a vender ni un libro...

Harry sacó su varita justo a tiempo. Lockhart apenas había alzado la suya cuando Harry gritó:

—*Expelliarmus!*

Lockhart salió despedido hacia atrás, y cayó sobre uno de sus baúles. La varita voló por el aire. Ron la atrapó, y la tiró por la ventana.

—No debería haber permitido que el profesor Snape nos enseñara esto —dijo Harry furioso, apartando el baúl a un lado de una patada. Lockhart lo miraba, otra vez con su aspecto desvalido. Harry lo apuntaba con la varita.

—¿Qué quieren que haga yo? —dijo Lockhart con voz débil—. No sé dónde está la Cámara de los Secretos. No puedo hacer nada.

—Tiene suerte —dijo Harry, obligándolo a ponerse de pie a punta de varita—. Creo que *nosotros* sí sabemos dónde está. Y *qué* es lo que hay dentro. Vamos.

Hicieron salir a Lockhart de su despacho y bajar por las escaleras más cercanas, ir por el largo corredor en que estaban los mensajes en la pared, hasta la puerta del baño de Myrtle la Llorona.

Hicieron pasar a Lockhart delante. A Harry le hizo gracia que temblara.

Myrtle la Llorona estaba sentada sobre la cisterna del último inodoro.

—¡Ah, eres tú! —dijo, al ver a Harry—. ¿Qué quieres esta vez?

—Preguntarte cómo moriste —dijo Harry.

El aspecto de Myrtle cambió de repente. Parecía como si nunca hubiera escuchado una pregunta que la halagara tanto.

—¡Ooooooooh, fue horrible! —dijo encantada—. Sucedió justo aquí. Morí en esta misma cabina. Lo recuerdo perfectamente. Me había escondido porque Olive Hornby se reía de mis anteojos. La puerta estaba cerrada y yo lloraba, y entonces oí que entraba alguien. Decían algo raro. Pienso que debían de estar hablando en una lengua extraña. De cualquier manera, lo que de verdad me llamó la atención es que era un chico el que hablaba. Así que abrí la puerta para decirle que se fuera y utilizara sus baños, pero entonces... —Myrtle estaba henchida de orgullo, con la cara resplandeciente— me *morí*.

—¿Cómo? —preguntó Harry.

—Ni idea —dijo Myrtle en voz muy baja—. Sólo recuerdo haber visto unos grandes ojos amarillos. Todo mi cuerpo quedó como paralizado, y luego me fui flotando... —dirigió a Harry una mirada soñadora—. Y luego regresé. Estaba decidida a hacerle un embrujo a Olive Hornby. Ah, pero ella estaba arrepentida de haberse reído de mis anteojos.

—¿Dónde exactamente viste los ojos? —preguntó Harry.

—Por ahí —contestó Myrtle, señalando vagamente hacia el lavatorio oue había enfrente de su cabina.

Harry y Ron se acercaron a toda prisa. Lockhart se quedó atrás, con una mirada de profundo terror en el rostro.

Parecía un lavatorio ordinario. Examinaron cada centímetro de su superficie, por dentro y por fuera, incluyendo las cañerías de debajo. Y entonces lo vio Harry: había una diminuta serpiente grabada en un lado de uno de los grifos de cobre.

—Ese grifo no ha funcionado nunca —dijo Myrtle con alegría, cuando intentaron accionarlo.

—Harry —dijo Ron—, di algo. Algo en lengua *pársel*.

—Pero... —Harry hizo un esfuerzo. Las únicas ocasiones en que había logrado hablar en lengua *pársel* había estado delante de una verdadera serpiente. Se concentró en la diminuta talla, intentando imaginar que era una serpiente de verdad.

—Ábrete —dijo.

Miró a Ron, que negaba con la cabeza.

—Lo has dicho en nuestra lengua —explicó.

Harry volvió a mirar a la serpiente, intentando imaginarse que estaba viva. Al mover la cabeza, la luz de la vela producía la sensación de que la serpiente se movía.

—Ábrete —repitió.

Pero ya no había pronunciado palabras, sino que había salido de él un extraño silbido, y de repente el grifo brilló con una luz blanca y comenzó a girar. Al segundo siguiente el lavatorio empezó a moverse. El lavabo, en realidad, se hundió, desapareció, dejando a la vista una tubería grande, lo bastante ancha para que cupiera un hombre dentro.

Harry oyó que Ron lanzaba un grito ahogado, y lo miró. Él estaba planeando qué era lo que había que hacer.

—Bajaré por ahí —dijo.

No podía dejar de hacerlo, ahora que habían encontrado la entrada de la Cámara. No podía dejar de hacerlo si existía la más ligera, la más remota posibilidad de que Ginny estuviera viva.

—Yo también —dijo Ron.

Hubo una pausa.

—Bien, creo que no les hago falta —dijo Lockhart, con una reminiscencia de su antigua sonrisa —. Así que me...

Puso la mano en el pomo de la puerta, pero tanto Ron como Harry lo apuntaron con sus varitas.

—Usted bajará delante —gruñó Ron.

Con la cara blanca y desprovisto de varita, Lockhart se acercó a la abertura.

—Muchachos —dijo, con voz débil—, muchachos, ¿de qué va a servir?

Harry le pegó en la espalda con su varita. Lockhart metió las piernas en la tubería.

—No creo realmente... —empezó a decir, pero Ron le dio un empujón, y cayó hasta desaparecer de la vista. Harry se apresuró a seguirlo. Se metió en la tubería, y se dejó caer.

Era como tirarse por un tobogán interminable, viscoso y oscuro. Podía ver otras tuberías surgiendo como ramas en todas las direcciones, pero ninguna era tan larga como aquella por la que iban, que se curvaba y retorcía, descendiendo abruptamente, y calculaba que bajaban por debajo incluso de las mazmorras del castillo. Detrás de él podía oír a Ron, haciendo un ligero ruido sordo al doblar las curvas.

Y entonces, justo cuando había empezado a preguntarse qué sucedería cuando llegara al final, la tubería tomó un sentido horizontal, y él cayó desde el extremo del tubo, haciendo un ruido sordo, al húmedo suelo de un oscuro túnel de piedra, lo bastante grande para poder ponerse de pie. Lockhart se estaba incorporando un poco más allá, cubierto de barro y blanco como un fantasma. Harry se hizo a un lado cuando Ron salió también del tubo, zumbando.

—Debemos encontrarnos a kilómetros por debajo del colegio —dijo Harry, y su voz resonaba en el negro túnel.

—Y debajo del lago, quizá —dijo Ron, afinando la vista para vislumbrar los muros oscuros y llenos de barro.

Los tres intentaron mirar hacia delante en la oscuridad.

—*Lumos!* —le murmuró Harry a su varita, y la lucecita se encendió de nuevo—. Vamos —les dijo a Ron y Lockhart, y comenzaron a andar, con sus pasos retumbando en el húmedo suelo.

El túnel estaba tan oscuro que sólo podían ver a corta distancia. Sus sombras proyectadas en las húmedas paredes parecían monstruosas a la luz de la varita.

—Recuerden —dijo Harry en voz baja, mientras caminaban con cautela—, al menor signo de movimiento, hay que cerrar los ojos de inmediato.

Pero el túnel estaba tranquilo como una tumba, y el primer sonido inesperado que oyeron fue cuando Ron pisó el cráneo de una rata. Harry bajó la varita para alumbrar el suelo, y vio que estaba repleto de huesos de pequeños animales. Haciendo un esfuerzo para no imaginarse el aspecto que podría presentar Ginny si la encontraran, Harry fue marcándoles el camino, doblando una oscura curva.

—Harry, ahí hay algo... —dijo Ron con la voz ronca, agarrando a Harry por el hombro.

Se quedaron quietos, mirando. Harry podía ver tan sólo la silueta de algo grande y curvado que yacía de un lado a otro del túnel. No se movía.

—Quizás está dormido —musitó, volviéndose a mirar a los otros dos. Lockhart se tapaba los ojos con las manos. Harry volvió a mirar aquello, y el corazón le palpitó con tanta rapidez que le dolía.

Muy despacio, entrecerrando los ojos tanto como podía sin dejar de ver, Harry avanzó con la varita en alto.

La luz se posó sobre la piel de una serpiente gigantesca, una piel de un verde vívido, ponzoñoso, que yacía retorcida y vacía de un lado a otro del suelo del túnel. La criatura que había dejado allí su muda debía de medir al menos siete metros.

—¡Caramba! —exclamó Ron con voz débil.

Algo se movió de pronto detrás de ellos. Gilderoy Lockhart se había caído de rodillas.

—Levántese —le dijo Ron con brusquedad, apuntando a Lockhart con su varita.

Lockhart se puso de pie, pero entonces se abalanzó sobre Ron y lo derribó al suelo de un golpe.

Harry saltó hacia delante, pero ya era demasiado tarde. Lockhart se incorporaba, jadeando, con la varita de Ron en la mano y su sonrisa esplendorosa de nuevo en la cara.

—¡Aquí termina la aventura, muchachos! —dijo—. Tomaré un trozo de esta piel y volveré al colegio, diré que era demasiado tarde para salvar a la niña, y que ustedes dos perdieron *trágicamente* el conocimiento al ver su cuerpo destrozado. ¡Despídanse de sus memorias!

Levantó por encima de su cabeza la varita mágica de Ron, recompuesta con celo, y gritó:

—*Obliviate!*

La varita estalló con la fuerza de una pequeña bomba. Harry se cubrió la cabeza con las manos y echó a correr por encima de las volutas de piel de serpiente, escapando de los grandes trozos del techo del túnel que se desplomaban contra el suelo. Un instante después se encontraba solo, de pie, mirando una sólida pared formada por piedras desprendidas.

—¡Ron! —gritó—, ¿estás bien? ¡Ron!

—¡Estoy aquí! —le llegó la voz de Ron, apagada, desde el otro lado de la pared de piedras—. Estoy bien. Pero este idiota no. La varita se volvió contra él.

Oyó un ruido sordo y un sonoro ¡ay! Sonaba como si Ron le acabara de dar una patada en la canilla.

—¿Y ahora qué? —dijo la voz de Ron, con el sonido de la

desesperación—. No podemos pasar. Nos llevaría siglos...

Harry miró al techo del túnel. Habían aparecido en él unas grietas grandes. Nunca había intentado quitar por medio de la magia algo tan grande como todo aquel montón de piedras, y no parecía aquél un buen momento para intentarlo. ¿Y si se derrumbaba todo el túnel?

Hubo otro ruido sordo y otro ¡ay! provenientes del otro lado de la pared. Estaban malgastando el tiempo. Ginny ya llevaba horas en la Cámara de los Secretos. Harry sabía que sólo se podía hacer una cosa.

—Aguarda aquí —le indicó a Ron—. Aguarda con Lockhart. Iré yo. Si dentro de una hora no he vuelto...

Hubo una pausa muy elocuente.

—Intentaré quitar algunas de estas piedras —dijo Ron, que parecía hacer esfuerzos para que su voz sonara segura—. Para que puedas... para que puedas cruzarlo al volver. Y, Harry...

—¡Hasta dentro de un rato! —dijo Harry, tratando de insuflar confianza a su voz temblorosa.

Y partió él solo cruzando la piel de la serpiente gigante.

En seguida, dejó de oírse el distante sonido de los esfuerzos de Ron al quitar las piedras. El túnel serpenteaba continuamente. Cada uno de los nervios del cuerpo de Harry se hallaba desagradablemente tenso. Quería llegar al final del túnel, y al mismo tiempo lo aterrorizaba lo que pudiera encontrar en aquel final. Y entonces, al fin, al doblar sigilosamente otra curva, vio delante una gruesa pared en la que estaban talladas las figuras de dos serpientes enlazadas, con grandes y brillantes esmeraldas en los ojos.

Harry se acercó, con la garganta muy seca. No era necesario hacer un gran esfuerzo para imaginarse que aquellas serpientes eran de verdad, porque sus ojos parecían extrañamente vivos.

Podía adivinar lo que tenía que hacer. Se aclaró la garganta, y le pareció que los ojos de las serpientes parpadeaban.

—¡*Ábrete*! —dijo con un silbido bajo, desmayado.

Las serpientes se separaron al abrirse el muro. Las dos mitades de éste se deslizaron a los lados hasta desaparecer de la vista, y Harry, temblando de la cabeza a los pies, entró en el lugar.

Capítulo diecisiete

El heredero de Slytherin

Se hallaba al comienzo de una sala muy grande, apenas iluminada. Altísimas columnas de piedra talladas con serpientes enlazadas se elevaban para sostener un techo perdido en la oscuridad, proyectando largas sombras negras sobre la extraña penumbra verdosa que reinaba en aquel sitio.

Con el corazón latiéndole muy rápido, Harry intentó penetrar en aquel silencio de ultratumba. ¿Podía estar acechando el basilisco en alguna oscura esquina, detrás de una columna? ¿Y dónde estaba Ginny?

Sacó su varita y avanzó por entre las columnas decoradas con serpientes. Cada uno de sus pasos resonaba en los muros sombríos. Iba con los ojos semicerrados y listos para cerrarlos del todo al menor indicio de un movimiento. Las cuencas vacías de los ojos de las serpientes de piedra parecían seguirlo. Más de una vez, con una sacudida del estómago, creyó haber visto que alguna se movía.

Al llegar hasta el último par de columnas, vio una estatua tan alta como la misma Cámara que surgía imponente, adosada al último muro.

Harry tuvo que estirar el cuello para poder ver el rostro gigantesco que la coronaba: era un rostro antiguo y simiesco, con una barba larga y angosta que llegaba casi hasta el final de la amplia túnica de mago, donde dos grandes pies de color gris se asentaban sobre el liso suelo. Y entre los pies, con la cara hacia abajo, había una pequeña figura con túnica negra y cabello de un rojo encendido.

—¡*Ginny!* —susurró Harry, corriendo hacia ella y dejándose caer de rodillas—. ¡Ginny! ¡No estés muerta! ¡Por favor, no estés muerta! —Echó la varita a un lado, agarró a Ginny por los hombros, y la dio vuelta. Tenía la cara blanca y tan fría como el mármol, aunque tenía los ojos cerrados, así que no estaba petrificada. Pero entonces tenía que estar...

—Ginny, por favor, despierta —susurró sin esperanza, sacudiéndola. La cabeza de Ginny se movió, inanimada, de un lado a otro.

—No despertará —dijo una voz suave.

Harry dio un salto y se volvió flexionando las rodillas.

Un muchacho alto, de pelo negro, se apoyaba contra la columna más cercana, mirando. Lo extraño es que se lo veía borroso en los contornos, como si Harry lo estuviera mirando a través de un cristal empañado. Pero no había dudas sobre quién era.

—Tom... ¿Tom Riddle?

Riddle asintió con la cabeza, sin quitar los ojos del rostro de Harry.

—¿Qué quieres decir? ¿Por qué no despertará? —dijo Harry desesperado—. ¿Ella no está... no está...?

—Todavía está viva —contestó Riddle—, pero apenas.

Harry lo miró. Tom Riddle había estudiado en Hogwarts hacía cincuenta años, pero estaba allí, con aquella luz rara, neblinosa, que brillaba sobre él, y no aparentaba ni un día más de los dieciséis años.

—¿Eres un fantasma? —preguntó Harry dubitativo.

—Soy un recuerdo —respondió Riddle tranquilamente—, guardado en un diario durante cincuenta años.

Señaló hacia el suelo cerca de los gigantescos dedos de los pies de la estatua. Allí se encontraba, abierto, el pequeño diario negro que Harry había encontrado en el baño de Myrtle la Llorona. Durante un segundo, Harry se preguntó cómo habría llegado hasta allí, pero tenía asuntos más importantes en que pensar.

—Tienes que ayudarme, Tom —dijo, volviendo a levantarle la cabeza a Ginny—. Tenemos que sacarla de aquí. Hay un basilisco... No sé dónde está, pero podría llegar en cualquier momento. Por favor, ayúdame...

Riddle no se movió. Harry, sudando, logró levantar a

medias a Ginny del suelo, y se inclinó a recoger su varita.

Pero la varita ya no estaba.

—¿Has visto...?

Levantó los ojos. Riddle seguía mirándolo... y jugueteaba con la varita de Harry entre los dedos.

—Gracias —dijo Harry, tendiendo la mano para que Riddle se la devolviera.

Una sonrisa curvó las comisuras de la boca de Riddle. Siguió mirando a Harry, jugando indolente con la varita.

—Escucha —dijo Harry con impaciencia. Las rodillas se le doblaban bajo el peso muerto de Ginny: —¡Hemos de irnos! Si aparece el basilisco...

—No vendrá si no se lo llama —dijo Riddle con toda tranquilidad.

Harry volvió a posar a Ginny en el suelo, incapaz de sostenerla.

—¿Qué quieres decir? —preguntó—. Mira, dame la varita, podría necesitarla.

La sonrisa de Riddle se hizo más evidente.

—No la necesitarás —repuso.

Harry lo miró.

—¿A qué te refieres, yo no...?

—He esperado este momento durante mucho tiempo, Harry Potter —dijo Riddle—. Quería verte. Y hablarte.

—Mira —dijo Harry, perdiendo la paciencia—, me parece que no lo has entendido: estamos en la Cámara de los Secretos. Ya tendremos tiempo de hablar.

—Vamos a hablar ahora —dijo Riddle, sin dejar de sonreír, y se guardó en un bolsillo la varita de Harry.

Harry lo miró. Allí había algo muy raro.

—¿Cómo ha llegado Ginny a este estado? —preguntó hablando despacio.

—Bueno, ésa es una cuestión interesante —dijo Riddle, con agrado—. Y es una larga historia. Supongo que el verdadero motivo por el que Ginny está así es que le abrió el corazón y le reveló todos sus secretos a un extraño invisible.

—¿De qué hablas? —dijo Harry.

—Del diario —respondió Riddle—. De *mi* diario. La pequeña Ginny ha estado escribiendo en él durante muchos meses, contándome todas sus penas y congojas: cómo se *bur-*

laban sus hermanos de ella, cómo tenía que venir al colegio con túnica y libros de segunda mano, cómo... —A Riddle le brillaron los ojos —cómo pensaba que el famoso, el bueno, el gran Harry Potter no llegaría *nunca* a quererla...

Mientras hablaba, los ojos de Riddle no se separaban del rostro de Harry. Había en ellos una mirada casi ávida.

—Es una lata tener que escuchar las tonterías de una niña de once años —siguió—. Pero me armé de paciencia. Le contesté, por escrito. Fui comprensivo, fui bondadoso. Ginny, simplemente, me adoraba: *Nadie me ha comprendido nunca como tú, Tom... Estoy tan contenta de poder confiar en este diario... Es como tener un amigo que se puede llevar en el bolsillo...*

Riddle se rió con una risa potente y fría que no le iba bien. A Harry se le erizó el pelo de la nuca.

—Si es necesario que yo lo diga, Harry, la verdad es que siempre he fascinado a la gente que me convenía. Así que Ginny me abrió su alma, y era precisamente su alma lo que yo quería. Me hice cada vez más fuerte alimentándome de temores y profundos secretos. Me hice más poderoso, mucho más que la pequeña señorita Weasley. Lo bastante poderoso para empezar a alimentar a la señorita Weasley con algunos de mis propios secretos, para empezar a darle un poco de *mi* alma...

—¿Qué quieres decir? —preguntó Harry, con la boca completamente seca.

—¿Todavía no lo adivinas, Harry Potter? —dijo suavemente Riddle—. Ginny Weasley abrió la Cámara de los Secretos. Ella les retorció el pescuezo a los gallos del colegio y pintarrajeó pavorosos mensajes en las paredes. Ella echó a la Serpiente de Slytherin contra los cuatro *sangre sucia* y el gato del *squib*.

—No —susurró Harry.

—Sí —dijo Riddle, con tranquilidad—. Por supuesto, al principio ella no sabía lo que hacía. Fue muy divertido. Me gustaría que hubieras podido ver las anotaciones que escribía en el diario... Se volvieron mucho más interesantes... *Querido Tom* —recitó, contemplando la horrorizada cara de Harry—, *creo que estoy perdiendo la memoria. En mi túnica hay plumas de gallo y no sé por qué están ahí. Querido Tom, no recuerdo lo que hice la noche de Halloween, pero han atacado a una gata y yo tengo salpicaduras de pintura por toda la parte de adelante. Querido Tom, Percy me sigue diciendo que estoy pálida y que no parezco yo. Creo que sospecha de mí... Hoy ha habido otro ataque y no sé dónde me encontraba yo. ¿Qué voy a hacer, Tom? Creo que me estoy volviendo loca. ¡Me parece que soy yo la que ataca a todo el mundo, Tom!*

Harry tenía los puños apretados, y se clavaba las uñas en las palmas.

—Le llevó mucho tiempo a esa tonta de Ginny dejar de confiar en su diario —explicó Riddle—. Pero al final sospechó e intentó deshacerse de él. Y entonces apareciste tú, Harry. Tú lo encontraste, y nada podría haberme hecho tan feliz. De todos los que lo podrían haberlo encontrado, fuiste tú, la persona a la que yo tenía más ganas de conocer...

—¿Y por qué querías conocerme? —preguntó Harry. La ira lo embargaba y tenía que hacer un gran esfuerzo por mantener firme la voz.

—Bueno, ya ves, Ginny me contó todo sobre ti, Harry —dijo Riddle—. Toda tu fascinante historia. —Sus ojos vagaron por la cicatriz en forma de rayo que Harry tenía en la frente, y su expresión se volvió más ávida. —Quería averiguar más sobre ti, hablar contigo, conocerte si era posible, así que decidí mostrarte mi famosa captura de ese infeliz, Hagrid, para ganarme tu confianza.

—Hagrid es mi amigo —dijo Harry, con voz temblorosa—. Y tú lo acusaste, ¿no? Creí que habías cometido un error, pero...

Riddle volvió a reírse con su risa sonora.

—Era mi palabra contra la de Hagrid. Bueno, ya te puedes imaginar lo que pensaría el viejo Armando Dippet. Por un lado, Tom Riddle, pobre pero muy inteligente, sin padres pero tan valeroso, prefecto del colegio, estudiante modelo; por el otro lado, el grandulón e idiota de Hagrid, que tenía problemas una semana sí otra no, que intentaba criar cachorros de hombre-lobo debajo de la cama, que se escapaba al bosque prohibido para luchar con los duendes. Pero admito que incluso yo me sorprendí de lo bien que funcionó mi plan. Creía que alguien comprendería que Hagrid no podía ser el heredero de Slytherin. Me había llevado cinco años averiguar todo sobre la Cámara de los Secretos, y descubrir la entrada oculta... ¡como si Hagrid tuviera la inteligencia necesaria, o el poder!

—Sólo el profesor de Transfiguración, Dumbledore, creía en la inocencia de Hagrid. Convenció a Dippet para que retuviera a Hagrid y le enseñara el oficio de guarda. Sí, creo que Dumbledore podría haberlo adivinado. A Dumbledore nunca le gusté tanto como a los otros profesores...

—Apuesto algo a que Dumbledore te caló —dijo Harry, rechinando los dientes.

—Bueno, es verdad que él me vigiló de manera desagradable después de la expulsión de Hagrid —dijo Riddle sin darle importancia—. Me di cuenta de que no resultaría seguro volver a abrir la Cámara mientras yo siguiera en el colegio. Pero no iba a desperdiciar todos los años que había pasado buscándola. Decidí dejar un diario, preservándome en sus páginas con mis dieciséis años, para poder guiar algún día, con algo de suerte, a alguien que siguiera mis pasos para completar la noble tarea de Salazar Slytherin.

—Bueno, pues no la has completado —dijo Harry en tono triunfante—. Nadie ha muerto esta vez, ni siquiera la gata. Dentro de unas pocas horas la pócima de mandrágora estará lista y todos los petrificados volverán a la normalidad.

—¿No te he dicho todavía —dijo Riddle con suavidad— que ya no me preocupa matar a los *sangre sucia*? Desde hace muchos meses mi nuevo objetivo has sido... *tú*.

Harry lo miró.

—Imagina mi disgusto cuando alguien volvió a abrir mi diario, y ya no eras tú quien me escribía, sino Ginny. Ella te vio con el diario, ya ves, y le dio vergüenza. ¿Y si averiguaras cómo funcionaba, y te contara todos sus secretos? ¿Y si, lo que aun era peor, te decía quién les había retorcido el pescuezo a los pollos? Así que esa mocosa esperó a que tu dormitorio quedara vacío y te lo robó. Pero yo ya sabía lo que tenía que hacer. Era evidente que tú ibas detrás del heredero de Slytherin. Por todo lo que Ginny me había dicho sobre ti, yo sabía que irías al fin del mundo para resolver el misterio... y más si atacaban a uno de tus mejores amigos. Y Ginny me había dicho que todo el colegio era un hervidero de rumores porque te habían oído hablar *pársel*...

—Así que hice que Ginny escribiera en la pared su propia despedida y bajara a esperarte. Luchó y gritó y se puso muy pesada. Pero ya casi no le queda vida: había puesto demasiado en el diario, en mí. Lo suficiente para que yo pudiera desprenderme de las páginas. He estado esperándote desde que llegamos. Sabía que vendrías. Tengo muchas preguntas que hacerte, Harry Potter.

—¿Como cuál? —soltó Harry, con los puños aún apretados.

—Bueno —dijo Riddle, sonriendo—, ¿cómo es que un bebé sin un talento mágico extraordinario derrota al mago más grande de todos los tiempos?, ¿cómo escapaste sin otro daño que una cicatriz, mientras que el poder de Lord Voldemort quedó destruido?

En ese momento hubo un extraño brillo rojo en sus ojos.

—¿Por qué te preocupa cómo me libré? —dijo Harry despacio—. Voldemort fue posterior a ti.

—Voldemort —dijo Riddle suavemente— es mi pasado, mi presente y mi futuro, Harry Potter...

Sacó del bolsillo la varita de Harry, y escribió en el aire con ella tres resplandecientes palabras:

TOM MARVOLO RIDDLE

Luego volvió a agitar la varita, y las letras se cambiaron de lugar:

I AM LORD VOLDEMORT
(Yo soy Lord Voldemort)

—¿Ves? —susurró—. Es un nombre que yo ya usaba en Hogwarts, aunque sólo entre mis amigos más íntimos, claro. ¿Crees que iba a usar siempre mi sucio nombre *muggle*? ¿Yo, que soy descendiente del mismísimo Salazar Slytherin, por parte de madre? ¿Mantener yo el nombre de un vulgar *muggle* que me abandonó antes de que yo naciera, sólo porque se enteró de que su mujer era bruja? No, Harry. Me di un nuevo nombre, un nombre que sabía que un día temerían pronunciar todos los magos, ¡cuando yo llegara a ser el hechicero más grande del mundo!

A Harry pareció bloqueársele el cerebro. Miraba como

atontado a Riddle, al huérfano que había crecido para ser el asesino de los padres de Harry, y de otros muchos... Al final hizo un esfuerzo para hablar:

—No lo eres —dijo. Su voz aparentemente calma estaba llena de odio.

—¿No soy qué? —preguntó Riddle bruscamente.

—No eres el hechicero más grande del mundo —dijo Harry, con la respiración agitada—. Lamento decepcionarte pero el mejor mago del mundo es Albus Dumbledore. Todos lo dicen. Ni siquiera cuando eras fuerte te atreviste a apoderarte de Hogwarts. Dumbledore te caló cuando estabas en el colegio y todavía le tienes miedo, aunque te escondas.

De la cara de Riddle había desaparecido la sonrisa, reemplazada por una mirada desagradable.

—¡A Dumbledore lo han echado del castillo gracias a mi simple *recuerdo*! —dijo entre dientes.

—No está tan lejos como crees —replicó Harry. Hablaba al tuntún, pretendiendo asustar a Riddle, deseando, más que creyendo, que hubiera algo de cierto en lo que decía.

Riddle abrió la boca, pero no dijo nada.

Venía música de algún lugar. Riddle se volvió para contemplar la Cámara vacía. La música sonaba más fuerte. Era inquietante, estremecedora, sobrenatural. A Harry le erizó los pelos de la cabeza y le dio la impresión de que el corazón le había crecido el doble de su tamaño. Luego, cuando la música alcanzó tal fuerza que la sentía vibrar dentro de sus costillas, surgieron llamas de la columna más cercana.

Apareció un pájaro carmesí del tamaño de un cisne, entonando hacia el techo abovedado su rara música. Tenía una cola de oro brillante tan larga como la de un pavo real y brillantes garras doradas, que sujetaban una carga harapienta.

Un segundo después, el pájaro se encaminó derecho a Harry. Dejó caer a sus pies aquella cosa harapienta, y se posó en su hombro. Cuando plegó sus grandes alas, Harry levantó la mirada y vio que tenía un pico dorado afilado y ojos redondos y brillantes.

El pájaro dejó de cantar. Se posó quieto y cálido junto a la mejilla de Harry, mirando fijamente a Riddle.

—Es un fénix —dijo Riddle, devolviéndole una mirada perspicaz.

—¿*Fawkes*? —musitó Harry, sintiendo el suave apretón de las garras doradas.

—Y eso —dijo Riddle, mirando aquella cosa harapienta que Fawkes había dejado caer—, *eso* es el viejo sombrero seleccionador del colegio.

Así era. Remendado, deshilachado y sucio, el sombrero yacía inmóvil a los pies de Harry.

Riddle volvió a reír. Rió tan fuerte que su risa se multiplicó en la oscura Cámara, como si estuvieran riendo diez Riddle al mismo tiempo.

—¡Eso es lo que Dumbledore le envía a su defensor! ¡Un pájaro cantor y un sombrero viejo! ¿Te sientes más seguro, Harry Potter? ¿Te sientes a salvo?

Harry no respondió. No les veía utilidad a Fawkes ni al viejo sombrero, pero ya no estaba solo, y aguardó con creciente valor a que Riddle dejara de reír.

—Al asunto, Harry —dijo Riddle, sonriendo todavía con ganas—. En dos ocasiones, en *tu* pasado y en *mi* futuro, nos hemos encontrado. Han sido dos ocasiones en que no he logrado matarte. *¿Cómo sobreviviste?* Cuéntamelo todo. Cuanto más hables —añadió con voz suave—, más tardarás en morir.

Harry pensó rápido, considerando sus posibilidades. Riddle tenía la varita. Él, Harry, tenía a Fawkes y el sombrero seleccionador, ninguno de los cuales resultaría muy útil en un duelo. No daba muy buena espina. Pero cuanto más tiempo permaneciera Riddle allí, menos vida le quedaría a Ginny... Harry notó de pronto que en el tiempo transcurrido las orillas de la imagen de Riddle se habían vuelto más claras, más corpóreas. Si él y Riddle tenían que luchar, mejor que fuera pronto.

—Nadie sabe por qué perdiste tus poderes al atacarme —dijo bruscamente Harry—. Yo tampoco. Pero sé por qué no pudiste matarme: porque mi madre murió para salvarme. Mi vulgar madre de origen *muggle* —añadió, temblando de rabia repentina—. Ella evitó que me mataras. Y yo te he visto de verdad, te vi el año pasado. Eres una ruina. Apenas estás vivo. A eso te ha llevado todo tu poder. Te ocultas. ¡Eres horrible, inmundo!

Riddle tenía el rostro contorsionado. Forzó una horrible sonrisa.

—O sea que tu madre murió para salvarte. Sí, ése es un potente contrahechizo. Tenía curiosidad, ya ves. Porque existe una extraña afinidad entre nosotros, Harry Potter. Incluso tú lo habrás notado. Los dos somos de sangre mezclada, los dos huérfanos, los dos criados por *muggles*. Tal vez somos los dos únicos hablantes de *pársel* que ha habido en Hogwarts después de Slytherin. Incluso nos parecemos físicamente... Pero después de todo, sólo fue suerte lo que te salvó de mí. Eso es lo que quería saber.

Harry permaneció quieto, tenso, aguardando que Riddle levantara su varita. Pero la sonrisa de Riddle volvía a pronunciarse más.

—Ahora, Harry, voy a enseñarte una pequeña lección. Enfrentemos los poderes de Lord Voldemort, heredero de Salazar Slytherin, contra el famoso Harry Potter, y que las mejores armas de Dumbledore le sirvan de alguna ayuda.

Le dirigió una mirada socarrona a Fawkes y al sombrero seleccionador, y luego caminó en dirección opuesta. Harry, que notaba que el miedo se le extendía por las entumecidas piernas, vio que Riddle se detenía entre las altas columnas y dirigía la mirada al rostro de Slytherin, que se elevaba sobre él en medio de la oscuridad. Riddle abrió la boca y silbó... pero Harry comprendió lo que decía:

—*Háblame, Slytherin, el más grande de los Cuatro de Hogwarts.*

Harry se volvió hacia la estatua, mientras Fawkes se balanceaba sobre su hombro.

El gigantesco rostro de piedra de la estatua de Slytherin se movía. Harry vio, horrorizado, que abría la boca, más y más, hasta convertirla en un gran agujero.

Y también se movía algo dentro de la boca de la estatua. Algo que se deslizaba desde su interior.

Harry retrocedió hasta pegarse contra la pared de la Cámara, y al tiempo que cerraba los ojos sentía que le rozaba el ala de Fawkes al emprender el vuelo. Harry quiso gritar: "¡No me dejes!", pero ¿de qué le podía valer un fénix contra el rey de las serpientes?

Algo grande golpeó contra el suelo de piedra de la Cámara, y Harry notó que temblaba. Sabía lo que estaba ocurriendo, podía sentirlo, podía casi ver a la gran serpiente desenroscándose de la boca de Slytherin. Entonces oyó una voz sibilante:

—*Mátalo.*

El basilisco se movía hacia Harry, podía oír su pesado cuerpo deslizándose pesadamente a través del polvoriento suelo. Con los ojos cerrados, Harry comenzó a correr a ciegas, de costado, palpando con las manos su camino. Voldemort reía...

Harry tropezó. Cayó contra la piedra y notó el gusto de la sangre. La serpiente se encontraba a un metro escaso de él, y podía oír cómo se acercaba.

Oyó un ruido fuerte, como un estallido, justo encima de él, y algo pesado lo golpeó con tanta fuerza que lo tiró contra el muro. Esperando que le hincara en el cuerpo los colmillos, oyó más silbidos enloquecidos, algo golpeando contra las columnas.

No pudo evitarlo. Abrió los ojos lo suficiente para vislumbrar qué sucedía.

La serpiente, de un verde brillante, gruesa como el tronco de un roble, se había alzado en el aire y su gran cabeza roma zigzagueaba como borracha entre las columnas. Temblando, preparado para cerrar los ojos en cuanto hiciera además de volverse, vio qué era lo que había enloquecido a la serpiente.

Fawkes planeaba alrededor de su cabeza, y el basilisco le lanzaba furiosos mordiscos con sus colmillos largos y finos como sables.

Fawkes descendió. Su largo pico de oro se hundió en él y un chorro de sangre oscura salpicó contra el suelo. La cola de la serpiente golpeaba muy cerca de Harry, y antes de que pudiera cerrar los párpados, el basilisco se volvió. Harry miró de frente su cabeza, y vio que el fénix le había pinchado los ojos, sus grandes y prominentes ojos amarillos. La sangre resbalaba hacia el suelo y la serpiente escupía agonizando.

—*¡No!* —Harry oyó gritar a Riddle. —*¡Deja al pájaro! ¡Deja al pájaro! ¡El chico está detrás de ti! ¡Puedes olerlo! ¡Mátalo!*

La serpiente, cegada, se balanceaba desorientada, con la calma de la muerte. Fawkes describía círculos alrededor de su cabeza, silbando su inquietante canción, picando aquí y allá en el morro lleno de escamas del basilisco, mientras caía sangre de los ojos inútiles del monstruo.

—Ayuda, ayuda —decía Harry como loco—, ¡alguien, cualquiera!

La cola de la serpiente volvió a golpear contra el suelo. Harry se agachó. Algo blando le golpeó en la cara.

El basilisco le había lanzado a los brazos el sombrero seleccionador. Harry lo agarró. Era cuanto le quedaba, su última oportunidad. Se lo incrustó en la cabeza, y se echó al suelo cuando la serpiente volvió a sacudir la cola.

"*Ayúdame... ayúdame...*", pensó Harry, apretando los ojos bajo el sombrero, "*¡ayúdame, por favor!*"

No hubo una voz que le respondiera. En su lugar, el sombrero se encogió, como si una mano invisible lo estrujara.

Algo muy duro y pesado golpeó a Harry en la parte superior de la cabeza, dejándolo casi sin sentido. Viendo brillar estrellas delante de los ojos, se levantó el sombrero y notó que debajo de él había algo largo y duro.

Se trataba de una espada plateada brillante, con la empuñadura relumbrante de rubíes del tamaño de huevos.

—*¡Mata al chico! ¡Deja al pájaro! ¡El chico está detrás de ti! Olfatea... ¡Huélelo!*

Harry estaba de pie, preparado. El basilisco bajó la cabeza, retorció el cuerpo golpeando contra las columnas, y se volvió para enfrentarse a Harry. Pudo ver las cuencas de sus ojos, llenas de sangre, y la boca abriéndose, lo bastante grande para tragarlo entero, bordeada de colmillos tan largos como su espada, delgados, brillantes, venenosos...

Arremetió a ciegas. Harry, al esquivarla, pegó contra la pared de la Cámara. Arremetió de nuevo, y su lengua bífida azotó un costado de Harry. Levantó la espada con ambas manos.

El basilisco atacó de nuevo, pero esta vez se dirigió exactamente a Harry. Hincó la espada con todas sus fuerzas, y la hundió hasta la empuñadura en el velo del paladar de la serpiente.

Pero mientras le empapaba los brazos la cálida sangre, sintió un agudo dolor justo encima del codo. Un colmillo largo y venenoso se le hundía más y más en el brazo, y se partió cuando el monstruo giró a un lado y se desplomó en el suelo, sacudiéndose.

Harry, apoyado en la pared, se dejó deslizar hasta el suelo.

Aferró el colmillo que extendía el veneno por su cuerpo, y se lo arrancó. Pero sabía que ya era demasiado tarde. Un dolor candente se le extendía lenta pero regularmente desde la herida. Al dejar caer el colmillo y ver su propia sangre que le empapaba la túnica, se le nubló la vista. La Cámara se disolvió en un remolino de colores apagados.

Una mancha roja pasó a su lado y Harry oyó un ruido de garras.

—Fawkes —dijo Harry con dificultad—. Eres magnífico, Fawkes... —Sintió que el pájaro posaba su hermosa cabeza en el lugar en que la serpiente lo había herido.

Oyó unos pasos que resonaban en la Cámara, y luego vio una sombra oscura delante de él.

—Estás muerto, Harry Potter —dijo sobre él la voz de Riddle—. Muerto. Hasta el pájaro de Dumbledore lo sabe. ¿Ves lo que hace, Potter? Está llorando.

Harry parpadeó. En algún instante vio con claridad la cabeza de Fawkes. Por las brillantes plumas le corrían unas lágrimas gruesas, como perlas.

—Me voy a sentar aquí y esperar a que mueras, Harry Potter. Tómate todo el tiempo que quieras. No tengo prisa.

Harry cayó en un sopor. Todo le daba vueltas.

—Éste es el fin del famoso Harry Potter —dijo la voz distante de Riddle—. Solo en la Cámara de los Secretos, abandonado por sus amigos, derrotado al fin por el Señor Tenebroso al que él tan imprudentemente se enfrentó. Volverás con tu querida madre *sangre sucia*, Harry... Ella te compró doce años de tiempo prestado... pero al final te ha vencido Lord Voldemort, como sabías que haría.

Si esto era morirse, pensó Harry, no era tan desagradable. Incluso el dolor se iba...

Pero ¿era aquello la muerte? En lugar de oscurecerse, la Cámara se volvía más clara. Harry movió un poco la cabeza, y allí estaba Fawkes, apoyándole todavía su cabeza en el brazo. Un charquito de lágrimas brillaba en torno a la herida... sólo que no *había* herida.

—Márchate, pájaro —dijo de pronto la voz de Riddle—. Aléjate de él. ¡He dicho que *te vayas*!

Harry levantó la cabeza. Riddle le apuntaba a Fawkes con la varita de Harry. Sonó como un disparo y Fawkes emprendió el vuelo en un remolino de rojo y oro.

—Lágrimas de fénix... —dijo Riddle en voz baja, contemplando el brazo de Harry—. Naturalmente... poderes curativos... me había olvidado...

Miró a Harry a la cara. —Pero da igual. De hecho, lo prefiero así. Solos tú y yo, Harry Potter... tú y yo...

Levantó la varita.

Entonces, con un batir de alas, Fawkes pasó de nuevo por encima de sus cabezas, y echó algo en el regazo de Harry: el *diario*.

Lo miraron los dos durante una fracción de segundo, Riddle con la varita levantada. Luego, sin pensar, sin meditar, como si todo el tiempo hubiera esperado hacerlo, Harry tomó el colmillo de basilisco del suelo y lo clavó en el libro.

Hubo un grito largo, horrible, desgarrado. La tinta salió a chorros del diario, vertiéndose sobre las manos de Harry e inundando el suelo. Riddle se retorcía, gritando, y entonces...

Desapareció. Se oyó caer al suelo la varita de Harry y luego se hizo el silencio, sólo roto por el *goteo* de tinta que aún manaba del diario. El veneno del basilisco había abierto un agujero incandescente en él.

Harry se levantó temblando. La cabeza le daba vueltas, como si hubiera recorrido kilómetros con los polvos *flu*. Poco a poco, tomó la varita y el sombrero y, con un fortísimo tirón, extrajo la espada brillante del paladar del basilisco.

Luego le llegó un débil gemido del fondo de la Cámara. Ginny se movía. Mientras Harry corría hacia ella, se sentó. Sus ojos desconcertados pasaron del bulto del basilisco a Harry, con su túnica empapada de sangre, y luego al diario que éste llevaba en la mano. Entonces profirió un grito estremecedor y empezó a llorar.

—Harry... ah, Harry, intenté decírtelo en el desayuno, pero *no podía* decirlo delante de Percy. Era yo, Harry, pero yo, te juro que no quería... Riddle me obligaba a hacerlo, se apoderó de mí y... ¿*cómo* lo has matado? ¿Dónde está Riddle? Lo último que recuerdo es cuando salió del diario.

—Ha salido todo bien —dijo Harry, levantando el diario y mostrándole a Ginny el agujero hecho por el colmillo—. Riddle ya no existe. ¡Mira! Él *y* el basilisco. Vamos, Ginny, salgamos...

—¡Me van a expulsar! —se lamentó Ginny, incorporán-

dose torpemente con la ayuda de Harry—. Siempre he querido venir a Hogwarts desde que vino Bill, y ahora tendré que
irme y... *¿qué pensarán mis padres?*

Fawkes los estaba esperando, revoloteando por la entrada
de la Cámara. Harry apremió a Ginny. Pasaron las ondula-
ciones inmóviles del basilisco muerto, a través de la penumbra resonante y regresaron al túnel. Harry oyó cerrarse las
puertas tras ellos con un suave silbido.

Tras unos minutos de caminata por el oscuro túnel, a los
oídos de Harry llegó un distante ruido de piedras.

—¡Ron! —gritó, apresurándose—. ¡Ginny está bien! ¡La
traigo conmigo!

Oyó que Ron daba un ahogado grito de alegría, y al doblar la última curva vieron su cara ansiosa mirando por el agujero que había logrado abrir en el montón de piedras.

—*¡Ginny!* —Ron sacó un brazo por el agujero para ayu-
darla a pasar. —¡Estás viva! ¡No lo puedo creer! ¿Qué ocurrió?

Intentó abrazarla, pero Ginny lo apartó, sollozando.

—Pero estás bien, Ginny —dijo Ron, sonriéndole—. Todo
ha pasado. ¿De dónde ha salido ese pájaro?

Fawkes había pasado por el agujero después de Ginny.

—Es de Dumbledore —dijo Harry, encogiéndose para
pasar.

—¿Y cómo has conseguido esa *espada*? —dijo Ron, mirando con la boca abierta el arma brillante en la mano de Harry.

—Te lo explicaré cuando salgamos —dijo Harry, mirando a Ginny de soslayo.

—Pero...

—Más tarde —dijo Harry inmediatamente. No creía que
fuera buena idea decirle ya a Ron quién había abierto la Cámara, y menos delante de Ginny. ¿Y Lockhart?

—Se volvió —dijo Ron, sonriendo y señalando con la cabeza hacia el comienzo del túnel—. No está bien. Ya verán.

Guiados por Fawkes, cuyas alas rojas emitían en la oscuridad reflejos dorados, desanduvieron el camino hasta la tubería. Gilderoy Lockhart estaba allí sentado, tarareando plácida-
mente.

—Ha perdido la memoria —dijo Ron—. El embrujo desmemorizante le salió por la culata. Le dio a él. No tiene ni idea

de quién es, ni de dónde está, ni de quiénes somos. Le dije que viniera aquí y nos esperara. Es un peligro para sí mismo.

Lockhart los miró a todos afablemente.

—Hola —dijo—. Qué curioso sitio, ¿verdad? ¿Viven aquí?

—No —respondió Ron, levantando las cejas a Harry.

Harry se inclinó y miró la larga y oscura tubería.

—¿Has pensado cómo vamos a subir? —le preguntó a Ron.

Ron negó con la cabeza, pero Fawkes había pasado delante de Harry y se hallaba ahora revoloteando delante de él. Sus ojos redondos brillaban en la oscuridad. Agitaba sus plumas doradas. Harry lo miró dudando.

—Parece como si quisiera que lo agarraras... —dijo Ron, perplejo—. Pero eres demasiado pesado para que un pájaro te suba.

—Fawkes —aclaró Harry— no es un pájaro ordinario. —Se volvió inmediatamente a los otros. —Vamos a darnos la mano. Ginny, toma la de Ron. Profesor Lockhart...

—Se refiere a usted —le aclaró Ron a Lockhart.

—Tome la otra mano de Ginny.

Harry se ciñó en el cinto la espada y sujetó el sombrero seleccionador, Ron se agarró de la espalda de la túnica de Harry, y Harry se aferró a las plumas de la cola de Fawkes, que resultaban curiosamente cálidas.

Una extraordinaria luminosidad pareció extenderse por todo su cuerpo, y al segundo siguiente se encontraron subiendo por la tubería con un zumbido. Harry podía oír que, debajo de él, Lockhart decía:

—¡Asombroso, asombroso! ¡Parece cosa de magia!

El aire helado lo azotaba a Harry en el pelo, y antes de que él dejara de disfrutar el paseo, éste concluyó. Los cuatro fueron cayendo al suelo mojado de Myrtle la Llorona, y mientras Lockhart se arreglaba el sombrero, el lavatorio que ocultaba la tubería volvía a su lugar.

Myrtle los miraba con ojos desorbitados.

—Estás vivo —le dijo a Harry sin comprender.

—Pareces muy decepcionada —respondió serio, limpiando las manchas de sangre y barro que tenía en los anteojos.

—No, es que... había estado pensando. Si hubieras muerto, serías bienvenido. Te dejaría compartir mi cabina —le dijo Myrtle, ruborizándose de color plata.

—¡Uf! —dijo Ron, cuando salieron del baño al oscuro y desierto corredor—. ¡Harry, creo que *le gustas* a Myrtle! ¡Ginny, tienes una rival!

Pero por el rostro de Ginny seguían cayendo unas lágrimas silenciosas.

—¿A dónde vamos? —preguntó Ron, mirándola con impaciencia. Harry les señaló.

Fawkes mostraba el camino por el corredor, con su destello de oro. Lo siguieron a grandes zancadas, y en un instante se hallaban ante el despacho de la profesora McGonagall.

Harry llamó y abrió la puerta.

CAPÍTULO DIECIOCHO

La recompensa de Dobby

Hubo un momento de silencio cuando Harry, Ron, Ginny y Lockhart aparecieron en la puerta, llenos de barro, suciedad y, en el caso de Harry, sangre. Luego alguien gritó:

—¡*Ginny!*

Era la señora Weasley, que había estado llorando delante de la chimenea. Se puso de pie de un salto, seguida por su marido, y se abalanzaron sobre su hija.

Harry, sin embargo, miraba detrás de ellos. El profesor Dumbledore estaba ante la repisa de la chimenea, sonriendo, junto a la profesora McGonagall, que respiraba con dificultad con una mano en el pecho. Fawkes pasó zumbando por la oreja de Harry para posarse en el hombro de Dumbledore, al tiempo que Harry y Ron se encontraban atrapados en el abrazo de la señora Weasley.

—¡La han salvado! ¡La han salvado! ¿*Cómo* lo hicieron?

—Creo que a todos nos encantaría enterarnos —dijo débilmente la profesora McGonagall.

La señora Weasley soltó a Harry, que dudó un instante, luego se acercó a la mesa y depositó encima el sombrero seleccionador, la espada con rubíes incrustados, y lo que quedaba del diario de Riddle.

Comenzó a contarlo todo. Durante casi un cuarto de hora habló y lo escucharon con absorto silencio: contó lo de la voz que no salía de ningún sitio, cómo Hermione había comprendido que lo que él escuchaba era un basilisco que se movía por las tuberías, cómo él y Ron siguieron a las arañas por el bosque, que Aragog les había dicho dónde había matado a su víctima el basilisco, cómo había adivinado que Myrtle la Llorona había sido la víctima, y que la entrada a la Cámara de los Secretos se podía encontrar en el baño...

—Muy bien —señaló la profesora McGonagall, cuando él hizo una pausa—, así que averiguaron dónde estaba la entrada, quebrantando un centenar de normas, añadiría yo, pero ¿cómo *demonios* consiguieron salir vivos, Potter?

Así que Harry, con la voz ronca de tanto hablar, les relató la oportuna llegada de Fawkes y del sombrero seleccionador, que le proporcionó la espada. Pero luego titubeó. Había evitado hablar sobre el diario de Riddle, y sobre Ginny. Ella apoyaba la cabeza en el hombro de su madre, y seguía derramando silenciosas lágrimas por las mejillas. *¿Y si la expulsaban?*, pensó Harry aterrorizado. El diario de Riddle estaba ya inutilizable... ¿cómo podrían demostrar que era el causante de todo?

Instintivamente, miró a Dumbledore, que sonrió levemente. La hoguera de la chimenea hacía brillar sus lentes de media luna.

—Lo que más *me* intriga —dijo Dumbledore amablemente—, es cómo se las arregló Lord Voldemort para embrujar a Ginny, cuando mis fuentes me indican que actualmente se halla oculto en los bosques de Albania.

Harry se sintió aliviado: cálida, completa, gloriosamente aliviado.

—¿Qué... qué? —preguntó el señor Weasley con voz atónita—. *¿Sabe qui... quién? ¿Ginny* embrujada? Pero Ginny no ha... Ginny no ha sido... ¿verdad?

—Fue el diario —dijo inmediatamente Harry, tomándolo y enseñándoselo a Dumbledore—. Riddle lo escribió a los dieciséis años.

Dumbledore tomó el diario y examinó minuciosamente por encima de su nariz larga y curva sus páginas quemadas y mojadas.

—Soberbio —dijo con suavidad—. Por supuesto, él ha sido probablemente el alumno más inteligente que ha tenido nunca Hogwarts. —Se volvió hacia los Weasley, que lo miraban confusos.

—Muy pocos saben que Lord Voldemort se llamó antes Tom Riddle. Yo mismo le di clase, hace cincuenta años, en

Hogwarts. Desapareció tras abandonar el colegio... recorrió mundo... profundizó en las Artes Tenebrosas, tuvo trato con los peores de entre los nuestros, desafió peligros, transformaciones mágicas, hasta tal punto que cuando resurgió como Lord Voldemort, resultaba irreconocible. Prácticamente nadie relacionó a Lord Voldemort con el muchacho inteligente y encantador que recibió aquí un Premio Anual.

—Pero Ginny —dijo la señora Weasley—. ¿Qué tiene que ver nuestra Ginny con *él*?

—¡Su... su diario! —dijo Ginny entre sollozos—, he estado escribiendo en él, y me ha estado contestando durante todo el año...

—¡*Ginny*! —exclamó su padre, atónito—. ¿No te he enseñado una *cosa*? ¿Qué te he dicho siempre? No confíes en nada que pueda pensar *pero de lo que no sepas dónde tiene el cerebro*. ¿Por qué no me enseñaste el diario a mí, o a tu madre? Un objeto tan sospechoso como ése, ¡tenía que ser cosa de magia negra!

—No... no lo sabía —sollozó Ginny—. Lo encontré dentro de uno de los libros que me había dado mamá. Pensé que alguien lo había dejado allí y se le había olvidado...

—La señorita Weasley debería ir directamente a la enfermería —terció Dumbledore con voz firme—. Para ella ha sido una experiencia terrible. No habrá castigo. Lord Voldemort ha engañado a magos más viejos y más sabios. —Fue a abrir la puerta. —Reposo en cama y tal vez una taza grande y humeante de chocolate caliente. A mí siempre me anima —añadió, guiñándole un ojo bondadosamente—. La señora Pomfrey estará todavía despierta. Tiene que estar dándoles el jugo de mandrágora. Seguramente las víctimas del basilisco despertarán en cualquier momento.

—¡Así que Hermione está bien! —dijo Ron con alegría.

—No le han echo un daño perdurable —dijo Dumbledore.

La señora Weasley salió con Ginny, y su padre fue detrás, todavía muy impresionado.

—¿Sabes, Minerva? —le dijo pensativamente el profesor Dumbledore a la profesora McGonagall—, creo que esto se merece un buen banquete. ¿Te puedo pedir que vayas a avisar a los de la cocina?

—Bien —dijo resueltamente la profesora McGonagall,

282

encaminándose también hacia la puerta—, te dejaré que arregles cuentas con Potter y Weasley.

—Eso es —dijo Dumbledore.

Salió, y Harry y Ron miraron a Dumbledore dubitativos. ¿Qué había querido decir exactamente la profesora McGonagall, con aquello de "arreglar cuentas"? ¿Es que los iban a castigar?

—Creo recordar que les dije que tendría que expulsarlos si volvían a quebrantar alguna norma del colegio —dijo Dumbledore.

Ron abrió la boca horrorizado.

—Lo cual demuestra que todos tenemos, alguna vez, que tragarnos nuestras palabras —prosiguió Dumbledore, sonriendo—. Ambos recibirán el Premio por Servicios Especiales al Colegio y... veamos... sí, creo que doscientos puntos para Gryffindor por cada uno.

Ron se puso tan sonrojado como las flores de San Valentín de Lockhart, y volvió a cerrar la boca.

—Pero hay alguien que parece que no dice nada sobre su participación en la peligrosa aventura —añadió Dumbledore—. ¿Por qué esa modestia, Gilderoy?

Harry dio un respingo. Se había olvidado por completo de Lockhart. Se volvió y vio que estaba en un rincón del despacho, con una vaga sonrisa. Cuando Dumbledore se dirigió a él, Lockhart miró por encima del hombro para ver quién le hablaba.

—Profesor Dumbledore —dijo Ron de inmediato—, hubo un accidente en la Cámara de los Secretos. El profesor Lockhart...

—¿Soy profesor? —preguntó sorprendido—. ¡Dios mío! Supongo que seré un inútil, ¿no?

—...intentó hacer un embrujo desmemorizante y el tiro le salió por la culata —le explicó Ron a Dumbledore tranquilamente.

—Hay que ver —dijo Dumbledore, moviendo la cabeza de forma que se agitaba su largo bigote plateado—, ¡herido con su propia espada, Gilderoy!

—¿Espada? —dijo Lockhart con voz tenue—, no, no tengo espada. Pero este chico sí que tiene una. —Señaló a Harry.
—Él se la podrá prestar.

—¿Te importaría llevar también al profesor Lockhart a la enfermería? —le dijo Dumbledore a Ron—. Quisiera tener unas palabras con Harry.

Lockhart salió. Ron miró con curiosidad a Harry y Dumbledore mientras cerraba la puerta.

Dumbledore fue hacia una de las sillas que había junto al fuego.

—Siéntate, Harry —dijo, y Harry se sentó, incomprensiblemente azorado.

—Antes que nada, Harry, quiero darte las gracias —dijo Dumbledore, parpadeando de nuevo—. Debes de haberme mostrado verdadera lealtad allá abajo en la Cámara. Sólo eso puede hacer que acuda Fawkes.

Acarició al fénix, que agitaba las alas sobre una de sus rodillas. Harry sonrió embarazado cuando lo miró Dumbledore.

—Así que has conocido a Tom Riddle —dijo Dumbledore pensativo—. Imagino que tendría *mucho* interés en verte.

De pronto, Harry mencionó algo que lo carcomía:

—Profesor Dumbledore... Riddle dijo que yo soy como él. Curiosa semejanza, dijo...

—*¿De verdad?* —preguntó Dumbledore, mirando a Harry pensativo, por debajo de sus espesas cejas plateadas—. ¿Y a ti qué te parece, Harry?

—¡Me parece que no soy como él! —contestó Harry, en tono más alto de lo que pretendía—. Quiero decir que yo... yo soy de *Gryffindor*, yo soy...

Pero calló. Una duda agazapada resurgía en su cabeza.

—Profesor —volvió a comenzar después de un instante—, el sombrero seleccionador me dijo que yo... haría un buen papel en Slytherin. Todos creyeron un tiempo que yo era el heredero de Slytherin, porque sé hablar en *pársel*...

—Tú sabes hablar *pársel*, Harry —dijo tranquilamente Dumbledore—, porque Lord Voldemort (cuyo último antepasado es Salazar Slytherin) habla *pársel*. Si no estoy muy equivocado, él te transfirió algunos de sus poderes la noche en que te hizo esa cicatriz. No era su intención, seguro...

—¿Voldemort puso algo de él en mí? —preguntó, Harry, atónito.

—Eso parece.

—Así que yo *debiera* estar en Slytherin —dijo Harry, mirando con desesperación a Dumbledore—. El sombrero seleccionador distinguió en mí poderes de Slytherin, y...

—Te puso en Gryffindor —dijo Dumbledore reposadamente—. Escúchame, Harry. Resulta que tú tienes muchas cualidades que apreciaba Slytherin en sus alumnos cuidadosamente escogidos: su propio y rarísimo don, la lengua *pársel*... inventiva... determinación... cierto desdén por las normas —añadió, mientras le volvía a temblar el bigote—. Pero aun así el sombrero te colocó en Gryffindor. Y sabes por qué fue. Piensa.

—Sólo me colocó en Gryffindor —dijo Harry con voz de derrota—, porque yo le pedí no ir a Slytherin...

—*Exacto* —dijo Dumbledore, volviendo a sonreír—. Eso es lo que te *diferencia* de Tom Riddle. Son nuestras elecciones, Harry, las que muestran lo que somos, mucho más que nuestras habilidades. —Harry estaba en su silla, atónito, inmóvil.— Si quieres una prueba, Harry, de que perteneces a Gryffindor, te sugiero que mires esto con más detenimiento.

Dumbledore se acercó al escritorio de la profesora McGonagall, tomó la espada ensangrentada y se la pasó a Harry. Harry se volvió desanimado, y vio brillar a la luz del fuego los rubíes. Y luego vio el nombre grabado justo debajo de la empuñadura: *Godric Gryffindor*.

—Sólo un verdadero miembro de Gryffindor podría haber sacado esto del sombrero, Harry —dijo simplemente Dumbledore.

Durante un minuto, ninguno de los dos dijo nada. Luego Dumbledore abrió uno de los cajones del escritorio de la profesora McGonagall y sacó de él una pluma y un frasco de tinta.

—Lo que necesitas, Harry, es comer algo y dormir. Te sugiero que bajes al banquete, mientras escribo a Azkaban: necesitamos que vuelva nuestro guarda. Y tengo que redactar un anuncio para *El Profeta*, además —añadió pensativo—. Necesitamos un nuevo profesor de Defensa contra las Artes Tenebrosas. Vaya, parece que no nos duran nada, ¿verdad?

Harry se levantó y se dirigió a la puerta. Acababa de tocar el pomo, cuando la puerta se abrió tan bruscamente que pegó contra la pared y rebotó.

Allí se encontraba Lucius Malfoy, furioso. Y a su lado, encogido de miedo, cubierto de vendas, iba *Dobby*.

—Buenas noches, Lucius —dijo Dumbledore amablemente.

El señor Malfoy casi derriba a Harry al entrar en el despacho. Dobby lo siguió de prisa, agachándose a los pies de su capa, con una mirada de lastimoso terror.

—¡Bueno! —dijo Lucius Malfoy, fijos en Dumbledore sus fríos ojos—. Ha vuelto. El consejo escolar lo ha suspendido en sus funciones, pero aun así usted ha considerado conveniente volver.

—Bueno, Lucius, ya ve —dijo Dumbledore, sonriendo serenamente—, los otros once representantes me han escrito hoy: aquello parecía un criadero de lechuzas, para serle sincero. Había llegado a sus oídos que la hija de Arthur Weasley había sido asesinada, y me pedían que volviera de inmediato. Pensaron que, a pesar de todo, yo era el hombre más adecuado para el cargo. Además me contaron cosas muy curiosas. Algunos parecían creer que usted los había amenazado con echar una maldición sobre sus familias, si no accedían a destituirme.

El señor Malfoy se puso aún más pálido de lo habitual, pero seguía con los ojos cargados de furia.

—Así que... ¿ha puesto fin a los ataques? —dijo con aire despectivo—. ¿Ha encontrado al culpable?

—Lo hemos encontrado —contestó Dumbledore, con una sonrisa.

—¿*Y bien?* —preguntó bruscamente Malfoy—. ¿Quién es?

—El mismo que la última vez, Lucius —dijo Dumbledore—. Pero esta vez Lord Voldemort actuaba mediante alguien más. Por medio de este diario.

Levantó el pequeño volumen negro agujereado en el centro, y miró a Malfoy atentamente. Harry, por el contrario, se fijaba en Dobby.

El elfo hacía algo muy raro. Miraba fijamente a Harry, señalando el diario, y luego al señor Malfoy. A continuación se daba puñetazos en la cabeza.

—Ya veo... —le dijo el señor Malfoy, despacio, a Dumbledore.

—Un plan inteligente —dijo Dumbledore con voz desapasionada, sin dejar de mirar al señor Malfoy directamente a los ojos—. Porque si Harry, aquí presente —el señor Malfoy le dirigió a Harry una mirada rápida e incisiva—, y su amigo Ron no hubieran descubierto este libro... Ginny Weasley podría habernos parecido la culpable. Nadie podría haber demostrado que ella no había actuado libremente...

El señor Malfoy no dijo nada. Su cara se había vuelto de repente como de piedra.

—E imagine —prosiguió Dumbledore— lo que podría haber ocurrido entonces... Los Weasley son una de las más preclaras familias de sangre limpia. Imagine el efecto que habría tenido sobre Arthur Weasley y su Acta de Protección de los *Muggles*, si se descubriera que su propia hija había atacado y asesinado a personas de origen *muggle*. Afortunadamente apareció el diario, con los recuerdos de Riddle borrados de él. Quién sabe lo que podría haber pasado si no hubiera sido así.

El señor Malfoy se obligó a hablar:

—Ha sido una suerte —dijo fríamente.

Pero Dobby seguía, a su espalda, señalando primero el diario, luego a Lucius Malfoy, y luego pegándose en la cabeza.

Y Harry comprendió de pronto. Le hizo un gesto a Dobby con la cabeza, y Dobby se retiró al rincón, retorciéndose las orejas para castigarse.

—¿Sabe cómo llegó ese diario a Ginny, señor Malfoy? —le preguntó Harry.

—Lucius Malfoy se volvió contra él.

—¿Por qué iba a saber yo de dónde lo sacó esa tonta? —preguntó.

—Porque usted se lo dio —respondió Harry—. En *Flourish y Blotts*. Usted le tomó su viejo libro de Transfiguración, y metió el diario dentro, ¿a que sí?

Vio al señor Malfoy abrir y cerrar sus manos blancas.

—Demuéstralo —dijo entre dientes.

—Ah, nadie puede demostrarlo —dijo Dumbledore, sonriéndole a Harry— ahora que Riddle se ha desvanecido dentro del libro. Por otro lado, le aconsejo, Lucius, que deje de repartir viejos recuerdos escolares de Lord Voldemort. Si algún otro cae en manos inocentes, Arthur Weasley se asegurará de que le sea devuelto a usted...

Lucius Malfoy se quedó un momento quieto, y Harry vio claramente que su mano derecha se agitaba como si quisiera tomar su varita. Pero en vez de hacerlo se volvió a su elfo doméstico:

—¡Nos vamos, Dobby!

Abrió la puerta, y cuando el elfo se acercó corriendo, le dio una patada. Oyeron a Dobby gritando de dolor por todo el pasillo. Harry meditó un momento y tuvo una idea.

—Profesor Dumbledore —dijo rápidamente—, ¿me permite que le *devuelva* el diario al señor Malfoy?

—Claro, Harry —dijo Dumbledore con calma—. Pero date prisa. Recuerda, el banquete.

Harry agarró el diario y salió del despacho corriendo. Oía alejarse a la vuelta de la esquina los gritos de dolor de Dobby. Rápidamente, preguntándose si sería posible que su plan tuviera éxito, Harry se quitó un zapato, se sacó la media sucia y embarrada, y deslizó el diario adentro. Luego echó a correr por el oscuro corredor.

Los alcanzó al comienzo de las escaleras.

—Señor Malfoy —jadeó, patinando al intentar detenerse—, tengo algo para usted.

Y le puso a Lucius Malfoy en la mano la media maloliente.

—¿Qué de...?

El señor Malfoy extrajo la media, la tiró a un lado, y luego pasó la vista, furioso, del diario a Harry.

—Terminarás como tus padres uno de estos días —dijo con suavidad—. También ellos eran unos idiotas entrometidos.

Y se volvió para irse.

—Ven, Dobby. ¡He dicho que *vengas*!

Pero Dobby no se movió. Sostenía la media sucia y embarrada de Harry, contemplándola como a un tesoro de valor incalculable.

—Mi amo le ha dado a Dobby una media —dijo el elfo asombrado—. Mi amo se la ha dado a Dobby.

—¿Qué? —escupió el señor Malfoy—. ¿Qué has dicho?

—Dobby tiene una media —dijo Dobby como sin creerlo—. Mi amo la tiró, y Dobby la tomó, y Dobby... Dobby es *libre*.

Lucius Malfoy se quedó de piedra, mirando al elfo. Luego embistió a Harry.

—¡Por tu culpa he perdido a mi criado, mocoso!

Pero Dobby gritó:

—¡Usted no le hará daño a Harry Potter!

Se oyó un golpe fuerte, y el señor Malfoy cayó de espaldas. Bajó las escaleras de tres en tres, y aterrizó como un bola arrugada. Se levantó, lívido, y sacó la varita, pero Dobby le levantó un dedo amenazador:

—Usted se va a ir ahora —dijo con fiereza, señalando al señor Malfoy—. Usted no tocará a Harry Potter. Váyase ahora mismo.

Lucius Malfoy no tuvo elección. Dirigiéndoles una última mirada de odio, se cubrió completamente con la capa, y salió apresuradamente.

—¡Harry Potter ha liberado a Dobby! —chilló el elfo, mirando a Harry. La luz de la luna se reflejaba, a través de una ventana cercana, en sus ojos esféricos. —¡Harry Potter ha liberado a Dobby!

—Es lo menos que podía hacer, Dobby —dijo Harry, sonriendo—. Pero prométame que no volverá a intentar salvarme la vida.

Una sonrisa amplia, que mostraba todos los dientes, cruzó la fea cara cetrina del elfo.

—Sólo tengo una pregunta, Dobby —dijo Harry, mientras Dobby se ponía la media de Harry con manos temblorosas—. Usted me dijo que esto no tenía nada que ver con El Que No Debe Ser Nombrado, ¿recuerda? Bueno...

—Era una pista, señor —dijo Dobby, con los ojos muy abiertos, como si resultara obvio—. Dobby le daba una pista. Antes de que cambiara de nombre, el Señor Tenebroso podía ser nombrado tranquilamente, ¿se da cuenta?

—Bien —dijo Harry con voz débil—. Bueno, mejor me voy. Hay un banquete, y mi amiga Hermione ya estará recobrada...

Dobby le echó los brazos a Harry por la mitad del cuerpo, y le dio un abrazo.

—¡Harry Potter es mucho más grande de lo que Dobby suponía! —sollozó—. ¡Adiós, Harry Potter!

Y con un último crujido, Dobby desapareció.

* * *

Harry había estado presente en varios banquetes de Hogwarts, pero en ninguno como aquél. Todos estaban en pijama, y la celebración duró toda la noche. Harry no sabía si lo mejor había sido cuando Hermione corrió hacia él gritando: —¡Lo has conseguido! ¡Lo has conseguido!—, o cuando Justin se acercó raudo desde la mesa de Hufflepuff para apretarle la mano y disculparse interminablemente por haber sospechado de él, o cuando Hagrid llegó a las tres y media, dándoles a Harry y a Ron unas palmadas tan fuertes en los hombros, que los tiró contra los platos de sopa inglesa, o cuando le dieron a Gryffindor los cuatrocientos puntos ganados por él y Ron, que aseguraron la Copa de las Casas por segundo año consecutivo, o cuando la profesora McGonagall se levantó para anunciar que el colegio, como obsequio a los alumnos, había decidido cancelar los exámenes. "¡Oh, *no*!", dijo Hermione, o cuando Dumbledore anunció que, por desgracia, el profesor Lockhart no podría volver para el curso siguiente, debido a que tenía que irse para recuperar la memoria. Algunos de los profesores se unieron al grito de alegría con el que se recibieron estas noticias.

—Qué pena —dijo Ron, tomando una rosquilla rellena de mermelada—. Estaba empezando a caerme bien.

El resto del último trimestre transcurrió en una bruma de luz cegadora. Hogwarts había vuelto a la normalidad, con sólo unas pequeñas diferencias: las clases de Defensa contra las Artes Tenebrosas se habían cancelado. "Pero hemos hecho muchas prácticas", le dijo Ron a la contrariada Hermione, y Lucius Malfoy había sido expulsado del consejo escolar. Draco ya no se pavoneaba por el colegio como si fuera el dueño. Por el contrario, parecía resentido y enfurruñado. Por otro lado, Ginny Weasley volvía a ser completamente feliz.

Demasiado pronto llegó el momento de volver a casa en el Expreso de Hogwarts. Harry, Ron, Hermione, Fred, George y Ginny tuvieron un compartimento para ellos. Aprovecharon al máximo las últimas horas en que les estaba permitido hacer magia antes de que comenzaran las vacaciones. Jugaron al Snap

Explosivo, encendieron las últimas bengalas del doctor Filibuster de George y Fred, y jugaron a desarmarse uno al otro mediante magia. Harry estaba adquiriendo en esto gran habilidad.

Estaban llegando a King's Cross cuando Harry recordó algo.

—Ginny... ¿qué es lo que le viste hacer a Percy, que no quería que se lo dijeras a nadie?

—¡Ah, eso! —dijo Ginny con una risita—. Bueno, es que Percy tiene *novia*.

Fred dejó caer una pila de libros sobre la cabeza de George.

—*¿Qué?*

—Es esa prefecto de Ravenclaw, Penelope Clearwater —dijo Ginny—. Es a ella a quien estuvo escribiendo todo el verano pasado. Se han estado viendo en secreto por todo el colegio. Un día los descubrí *besándose* en un aula vacía. Lo afectó tanto cuando ella fue... ya saben... atacada. No se reirán de él, ¿verdad? —añadió.

—Ni se me pasaría por la imaginación —dijo Fred, que parecía como si estuviera a punto de llegar su cumpleaños.

—Por supuesto que no —corroboró George, con una risita.

El Expreso de Hogwarts aminoró la marcha y terminó deteniéndose.

Harry sacó la pluma y un trozo de pergamino y se volvió a Ron y Hermione:

—Esto es lo que se llama un número de teléfono —le dijo a Ron, garabateándolo dos veces, rasgando el pergamino en dos trozos y entregándoselo a ellos—: El pasado verano le expliqué a tu padre cómo se usa un teléfono, él sabrá. Llámenme a casa de los Dursley, ¿de acuerdo? No podría aguantar otros dos meses sin hablarle a nadie más que a Dudley...

—Pero tus tíos estarán muy orgullosos de ti, ¿verdad? —dijo Hermione cuando salían del tren y se metían entre la multitud que iba en tropel hacia la barrera encantada—. ¿Y cuando se enteren de que has hecho este curso?

—¿Orgullosos? —dijo Harry—. ¿Estás loca? ¿Con todas las oportunidades que tuve de morir, y no lo logré? Estarán furiosos...

Y juntos atravesaron la verja hacia el mundo *muggle*.